QM Library
23 1385770 1

D0334999

POESIE UND WISSENSCHAFT

XVII

WOLFGANG STAROSTE

Raum und Realität in dichterischer Gestaltung

Studien zu Goethe und Kafka

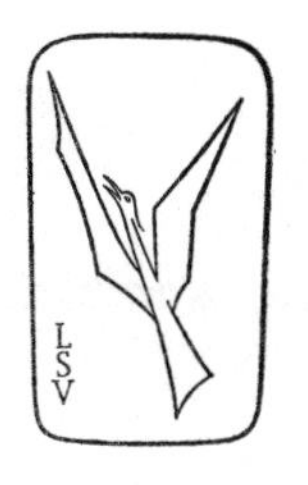

LOTHAR STIEHM VERLAG
HEIDELBERG

Herausgegeben von Gotthart Wunberg

Mit einer Kunstdrucktafel

Erste Auflage 1971

 Printed in Germany. Gesamtherstellung: Graphische Werkstätten Kösel, Kempten (Allgäu)

Inhaltsverzeichnis

Anhang

Zur Ding-»Symbolik« in Goethes »Wilhelm Meister«

Unter den Gesichtspunkten, die die neuere Forschung über die Art der »Symbolik« des goetheschen Spätwerks herausstellt, fallen zwei besonders auf: im Anschluß an die Ausführungen Fritz Strichs [1] geht man von der Auffassung aus, daß in Goethes Spätwerk das Allgemeine das Besondere immer mehr verdrängt, daß die Bedeutung des Ganzen wichtiger wird als die sinnliche Darstellung des Einzelnen [2] und daß so der Ding-»Symbolik« jene »Qualität des Symbolischen« fehlt, »die Goethes Überlegungen über den allegorischen, symbolischen und mystischen Gebrauch der Farbe hervorheben«.[3] Und zweitens: die Forschung betont den funktionalen Charakter der »Symbole«,[4] d. h. sie ist der Auffassung, daß erst die Betrachtung des Beziehungsgeflechts der »Symbole« die Sinnfülle der Spätwerke, in denen Goethe Urverhältnisse analogisch dargestellt habe,[5] aufweisen kann. Wir setzen an diesen Ergebnissen an und wählen Wilhelms Besteck und Felix' Kästchen als Beispiele, an denen wir der Bedeutungsweise der Gegenständlichkeit, mit deren Hilfe der Erzähler die epische Wirklichkeit des Romans aufbaut, nachfragen.[6]

1. *Fr. Strich,* Das Symbol in der Dichtung, in: Der Dichter und die Zeit, Bern 1947, S. 15 f. u. 28 f.

2. *Cl. David,* Goethes »Wanderjahre« als symbolische Dichtung, in: Sinn und Form, 1956, S. 113 f.

3. *W. Hellmann,* Objektivität, Subjektivität und Erzählkunst, Zur Romantheorie Friedrich Spielhagens, in: Wesen und Wirklichkeit des Menschen, Festschrift für H. Plessner, Göttingen 1957, S. 391.

4. Vgl. *W. Emrich,* Das Problem der Symbolinterpretation im Hinblick auf Goethes »Wanderjahre«, in: Deutsche Vierteljahrsschrift für Literaturwissenschaft und Geistesgeschichte 1952, S. 331 f. Ferner: *W. Emrich,* Zur Ästhetik der modernen Dichtung, in: Akzente 1954, 4. Heft.

5. Vgl. *Cl. David,* a. a. O. S. 123 f.

6. Die Bedeutung des Bestecks ist von der Forschung bisher so gut wie übersehen worden. *E. Trunz,* Hamburger Goethe-Ausgabe Bd. 8, 681, gibt nur einen kurzen

I

Im zweiten Buch der »Wanderjahre« schiebt der Erzähler in die Handlung einen langen Brief ein, in dem Wilhelm, sich selbst prüfend, Natalie Rechenschaft ablegt von seinem Leben und in dem er seinen Weg der Selbstbewußtwerdung in der Erinnerung aufzubewahren beginnt.[7] In diesem Brief reflektiert Wilhelm über das Besteck, das der Erzähler in den »Lehrjahren« eingeführt hat, über dessen Bedeutungsgehalt aber erst jetzt indirekt Genaueres mitgeteilt wird. Höchst mittelbar und umständlich beginnt Wilhelm seinen Brief mit einem Hinweis auf eine seiner »frühesten Jugendgeschichten«, auf die Erfahrung des Todes der Fischerknaben. Der Leser wird so erst hier in eine Entwicklungsphase Wilhelms eingeführt, die wir – da sie zeitlich vor Wilhelms Vorliebe für das Puppenspiel liegt – als die frühste Kindheit des Helden bezeichnen können. Wir hören erst jetzt, daß Wilhelm damals im Angesicht des Todes den ersten Anstoß erhalten hat für die Art seines Sich-gewinnens, daß er dabei zuerst das Wesen des Bestecks erkannt und sich damals vorgenommen hat, »alles zu lernen, was in solchem Falle nötig wäre..«.[8] In frühster Kindheit ist Wilhelm so in einem ersten Sinne der Horizont für die Möglichkeiten seines Sichverstehens abgesteckt worden. Wilhelm wird jedoch schon wenig später durch Einwirkung Tyches auf das Puppenspiel und danach auf das Schauspielerdasein abgelenkt.[9] So begegnet ihm der Gegenstand erst in dem Augenblick wieder, als die »Maskerade«[10] der Scheinverfangenheit (Schauspielerkunst, theatralisches Leben) ihren Höhepunkt erreicht, als er selber, bei einem Raubüberfall schwer verwundet,[11] durch die Erfahrung des Todes hindurchgehen muß und dabei das Haupt der »schönen Amazone« mit »Strah-

[Fortsetzung von Fußnote 6:]

Stellenhinweis. – Zur Deutung des Kästchen-»Symbols« vgl. bes.: *W. Emrich*, Das Problem der Symbolinterpretation im Hinblick auf Goethes »Wanderjahre«, a. a. O. S. 331 f. Ferner: *A. Gilg*, Wilhelm Meisters Wanderjahre und ihre Symbole, Zürich 1954 und: *E. Staiger*, Goethe, Bd. III, Zürich 1959, S. 140 f. – Im Folgenden zitieren wir im allgemeinen nach der Hamburger Goethe-Ausgabe (abgek.: Hbg. A.).

7. Hbg. A. Bd. 8, 268 f. – Vgl. zu den folgenden Ausführungen meine Dissertation, »Die Auslegung der Wirklichkeit in Goethes Spätdichtung, Untersuchungen zu Goethes ›Wilhelm Meister‹, den ›Zahmen Xenien‹ und der ›Novelle‹«, Tübingen 1957 (Masch.schr.); hier habe ich erste Hinweise auf die Ding-»Symbole« gegeben.

8. Hbg. A. Bd. 8, 279. 9. Ebenda S. 279. 10. Ebenda Bd. 7, 210.

11. Ebenda S. 224: »... von einem Hiebe, der ihm den Hut spaltete und fast bis auf die Hirnschale durchdrang, betäubt, fiel er nieder ...«

len« umgeben zu gewahren meint.[12] Im Brief schreibt er später über das Besteck: »Es war Zeuge des Augenblicks, wo mein Glück begann..«.[13] Um die Bedeutung zu verstehen, die diesem Gegenstand innerhalb der erzählten Welt des Romans zukommt, beachten wir eine Äußerung aus dem Kommentar zur Stanze »Eros« der »Urworte Orphisch«:

> ...nun zeigt sich erst, wessen der Dämon fähig sei; er, der selbständige, selbstsüchtige, der mit unbedingtem Wollen in die Welt griff und nur mit Verdruß empfand, wenn Tyche, da oder dort, in den Weg trat, er fühlt nun, daß er nicht allein durch Natur bestimmt und gestempelt sei; jetzt wird er in seinem Innern gewahr, daß er sich selbst bestimmen könne, daß er den durchs Geschick ihm zugeführten Gegenstand nicht nur gewaltsam ergreifen, sondern auch sich aneignen und, was noch mehr ist, ein zweites Wesen eben wie sich selbst mit ewiger, unzerstörlicher Neigung umfassen könne.[14]

Nach Goethes Ansicht, die dieser Abschnitt erkennen läßt, wird der Mensch eines Tages in seinem Innern gewahr, daß er einen »vom Geschick zugeführten Gegenstand« und »ein zweites Wesen eben wie sich selbst« mit ewiger Neigung umfassen kann. Der vom Geschick zugeführte Gegenstand ist hier das Besteck, Natalie das zweite Wesen. Zusammen mit dem »heilsamen Blick«[15] Nataliens bewirkt das Besteck hier, daß Wilhelm sich in der Erfahrung des Leidens herauszulösen beginnt aus dem »Schlendrian« eines planlosen Lebens.[16] Wilhelm erfährt sich im Augenblick des Schmerzes (unmittelbar nach der tödlichen Gefahr) als ein Möglichsein,[17] als ein Wesen, das sich selbst in »Freiheit« ergreifen kann als ein »ewiges« Selbst. Bald nach dem Überfall gelangt er zum Bewußtsein seiner Schuld[18] und gibt seine Unmittelbarkeit auf.[19]

12. Ebenda S. 226 und 228. 13. Ebenda Bd. 8, 280. 14. Ebenda Bd. 1, 406.

15. Ebenda Bd. 7, 228. 16. Vgl. ebenda S. 238.

17. Vgl. meine Dissertation, a. a. O. S. 28 f. – Neuerdings: *W. Emrich*, Die Erzählkunst des 20. Jahrhunderts und ihr geschichtlicher Sinn, in: Deutsche Literatur in unserer Zeit, Göttingen 1959, S. 64: »Wilhelm Meister ist kein fixierter Charakter mit definierbaren Eigenschaften, ein wahrhaft potentieller Mensch, der Mensch als Inbegriff seiner Möglichkeiten...« – Unserer Auffassung nach erfährt Wilhelm sich in der Situation nach dem Überfall als Inbegriff seiner Möglichkeiten. Der Raubüberfall ist also nicht bloß etwas Vordergründiges im Handlungsablauf; an ihm verdeutlicht der Erzähler, daß Wilhelm in einen Integrationsprozeß einzutreten beginnt.

18. Hbg. A. Bd. 7, 242. Wilhelm konnte sich selbst »seine Schuld nicht verleugnen. Er schrieb sich vielmehr ... den ganzen Vorfall allein zu.«

19. Vgl. dazu die Maxime Goethes: »Unser ganzes Kunststück besteht darin, daß wir unsere Existenz aufgeben, um zu existieren.« Ebenda Bd. 12, 381 Max. 126. Das

Der Kommentar zu den »Urworten« paßt unmittelbar auf diese Situation. Mit außerdichterischen Worten Goethes formuliert: Wilhelm erfährt in diesem Moment des Verwundetseins, daß er eine »Ausgeburt zweier Welten«,[20] daß er »zugleich unbedingt und beschränkt«[21] ist und daß er sich gerade dann schuldhaft verfehlt, wenn er, alles von außen erwartend und unbekannt mit sich selbst, »nur von Natur gestempelt« dahinlebt im Schlendrian des unmittelbaren Lebens. Das läßt ein Gespräch erkennen, das Wilhelm am Anfang der »Wanderjahre« mit Montan führt[22] und das der Erzähler zusammengefaßt wiedergibt: »Unser Freund leugnete nicht, daß er es [das Besteck] als eine Art Fetisch bei sich trage, in dem Aberglauben, sein Schicksal hange gewissermaßen von dessen Besitz ab«.[23] Das Besteck ist für Wilhelm ein fetischartiges[24] Zeichen, eine Repräsentanz tiefen Sinns. Es weist ihn darauf hin, daß er sich immer schon in Situationen vorfindet, die er nicht frei gewählt hat, in die er immer schon eingefügt worden ist, die ihn jedoch dahin bringen, daß er sich losreißt aus dem selbstsüchtig-unmittelbaren Leben. Die Erfahrung des heilenden Gegenstandes und des »heilsamen Blicks« Nataliens[25] macht ihm

[Fortsetzung von Fußnote 19:]

Aufgeben der Existenz meint das Absterben des selbstsüchtigen, unmittelbaren Lebens und das Sich-selbst-bestimmen im Sinne des Kommentars zu den »Urworten«.

20. Ebenda Bd. 12, 513, Max. 1049. 21. Ebenda Bd. 9, 352.

22. Welche Bedeutung das wörtliche Nachholen dieses Gesprächs an späterer Stelle des Romans (Bd. 8, 281) hat, können wir hier nicht erörtern. Es ist jedoch ein Moment, durch das das zeitliche Nacheinander der erzählten Welt relativiert wird.

23. Ebenda Bd. 8, 40.

24. Vgl. zum Wort »Fetisch«: Goethe-Handbuch, hrsg. v. *A. Zastrau,* Stuttgart. 2. Lf., Sp. 243: Die Entenmuschel als fetischartiges Heiligtum, die Natur sinnlich vergegenwärtigend.

25. Von Natalie bleibt Wilhelm nur das Kleid (der Überrock des Oheims) zurück, von dem Wilhelm eine »elektrische« Wärme in seinen Körper einzugehen scheint. Ebenda Bd. 7, 229. – Ferner ist zu beachten: bald nach der Begegnung mit Natalie versteht sich Wilhelm als ein zweiter »kranker Königssohn ..., an dessen Lager die schöne, teilnehmende Prinzessin mit stiller Bescheidenheit herantritt.« Ebenda Bd. 7, 235. – *E. Trunz,* Hbg.A. Bd. 7, 635, vergleicht das Motiv vom kranken Königssohn einem Leitmotiv. Vgl. ferner: *E. Staiger,* Goethe, Bd. II, S. 137 f. – Unserer Auffassung nach bildet dieses Gemälde (Bd. 7, 70) – neben der Figur Chlorinde – den Horizont der vertrauten Welt, in der Wilhelm sich in seiner Jugend weiß und versteht. Es gibt den Spielraum seiner Möglichkeiten sich zu verstehen und zu handeln ab. Gerade nach dem Raubüberfall reflektiert Wilhelm: »Sollten die Keime dessen, was uns begegnen wird, nicht schon von der Hand des Schicksals« in den »Jugendträumen« ausgestreut sein? Ebenda S. 235. Später wird er, sofern er mit Natalie vereinigt wird, auch wieder mit

bewußt, daß er als Mensch ein Wesen ist, das sich zu sich selbst verhalten kann,[26] das der Inbegriff seiner Möglichkeiten und die Aufgabe seines Selbstvollzugs ist und das sich bemühen kann, eine »Synthese« von Unbedingtem und Bedingtem herzustellen.[27] Freilich hat Wilhelm sich zunächst, wie wir später erfahren, nur das »Band«, das von der Instrumententasche herabhängt, mit wirklichem Interesse eingeprägt. Er erkennt so später bei Lotharios Verwundung den Gegenstand an dem Band wieder, über das es heißt: »... Lebhafte, widersprechende Farben, ein seltsames Muster, Gold und Silber in wunderlichen Figuren, zeichneten dieses Band vor allen Bändern der Welt aus.«[28] Dieses Band, dessen »wunderliche Figuren« Wilhelm, der bald nach dem Raubüberfall über die »seltsamen Knoten« im »Faden seines Schicksals«[29] reflektiert, sich so deutlich einprägt, wird der Leitfaden der Suche nach der »schönen, teilnehmenden Prinzessin«. Freilich: nach der Situation des Raubüberfalls verliert Wilhelm den Gegenstand völlig aus den Augen. Und erst nach Mignons Tod[30] eignet er ihn (den er wiederum am Band erkennt!) sich bewußt zu und besitzt ihn so bereits, als er am Ende der »Lehrjahre« mit Natalie vereinigt wird. Denken wir hier einen Augenblick an Goethes Maxime: »Was einem angehört, wird man nicht los, und wenn man es wegwürfe«.[31] Wilhelm hat sich am Ende der »Lehrjahre« in Freiheit zu dem gemacht, wovon er nicht loskommen kann (auch wenn er etwa das Besteck wegwürfe); daher trägt er den Gegenstand, von dem her er sich selbst erworben hat, auf seiner Wanderschaft als den ihm zugehörigen Teil ständig bei sich.

seinem Lieblingsbild, mit der Welt seiner Herkunft (Gemälde des Großvaters, die in Wilhelms Jugend verkauft wurden) vereinigt.

26. Der Mensch ist nach Goethes Auffassung kein dinglich Seiendes (res), sondern Vollzug.

27. Die Synthese gelingt freilich nur durch göttlichen Beistand, durch glücklichen Zufall. Vgl. unsere späteren Hinweise. Ferner allgemein: *K. Vietor,* Goethes Anschauung vom Menschen, in: Geist und Form, Bern 1952, S. 72 f. u. bes. 117 f.

28. Hbg. A. Bd. 7, 428 – Ähnlich zeichnen sich die Personen, die das Band verbinden wird, als »erwählte«, begünstigte Menschen aus. Vgl. Thereses Worte, Wilhelm sei Natalie ähnlich! Bd. 7, 531. Ferner: »Ja, er hat von Dir das edle Suchen und Streben nach dem Bessern, wodurch wir das Gute, das wir zu finden glauben, selbst hervorbringen... Wenn ich an ihn denke, vermischt sich sein Bild immer mit dem Deinigen, und ich weiß nicht, wie ich es wert bin, zwei solchen Menschen anzugehören.« Ebenda S. 531. Dazu: meine Dissertation, a. a. O. S. 34 f.

29. Hbg. A. Bd. 7, 241.

30. Ebenda S. 546. 31. Ebenda Bd. 12, 530, Max. 1216.

Dieser »Fetisch« wird im weiteren Erzählverlauf (besonders durch Montans Ermahnungen) das »Objekt«, an dem Wilhelm sich als ein soziales Selbst in der Härte der Arbeit verwirklicht.[32] Zugleich aber ist das Mittragen des »Bandes«, das zum Besteck gehört, ein Ausdruck dafür, daß zwischen Wilhelm und Natalie während der »Wanderjahre« ein »dauerhafter Faden«[33] der Vereinigung geknüpft ist. Wilhelm hat sich am Ende der »Lehrjahre« von Natalie, dem eben gewonnenen »Königreich«, losreißen müssen. Sein »Glück« währt wirklich nur einen »Augenblick«.[34] Er muß erfahren, daß er sich in seiner glückhaften Einheit mit Natalie nicht verstehen kann als ein fertiges Sein und daß die Einheit nicht durch seine Macht zu garantieren ist. Muß er den Schmerz der Trennung[35] aufsichnehmen, so deshalb, weil er nach des Dichters Auffassung nur so »um so mehr Fremdes an sich vorübergehen«[36] lassen kann. Das Tragen des Fetischs weist uns aber dabei darauf hin, daß trotz der Trennung zugleich eine Bewahrung der Vereinigung bestehen bleibt. Ja, der Sonderungsprozeß ist insofern sogar etwas Positives, als er das wirkliche, konkrete Selbstsein Wilhelms und die Rückkehr zu Natalie auf der Stufe einer erhöhten Bewußtheit überhaupt erst möglich macht.[37]

Daß der Erzähler im zweiten Buch der »Wanderjahre« seinen Helden auf den Prozeß der Selbstrealisierung brieflich bewußt reflektieren, jedoch dabei die Sinnfunktion des Bestecks (oder gar des Bandes) nicht direkt deuten oder erklären läßt, ist grundlegend wichtig für die Art der Darbietung der Ding-»Symbolik« in Goethes Spätwerk. Das Besteck bekommt seine Bedeutung erst aus dem Zusammenhang, in den es nach und nach tritt und dem wir nachgin-

32. Wilhelms »einsichtige Behandlung« (Bd. 8, 281) als Rettung der körperlich Verletzten durch den Arzt wird vom Erzähler dem »einsichtigen Wohlwollen« Makariens (ebenda S. 116) als der Rettung der Selbstverlorenen durch den Arzt der Seelen zugeordnet. Vgl. zu Makarie: meine Dissertation, a. a. O. S. 80 ff.

33. Ebenda Bd. 8, 11. 34. Hbg. A. Bd. 7, 610.

35. Vgl. Bd. 8, 11: »Mein Leben soll eine Wanderschaft werden.« Dazu: meine Dissertation a. a. O. S. 36 f.

36. Goethes Gespräche, hrsg. v. *W. v. Biedermann,* 1889, Bd. IV, 88.

37. Das dialektische Gesetz von Vereinigung, Trennung und Wiedervereinigung ist unserer Deutung nach ein wesentliches Strukturgesetz des Romans. Es begegnet auf vielen Ebenen und in vielen Teilen der erzählten Welt variiert wieder. Wir meinen, daß es Goethe mit dem »trilogischen« Aufbau seines Romans (*v. Biedermann,* Gespräche, IV, 88) ernst gewesen ist. Vgl. erste Hinweise in meiner Dissertation, a. a. O. S. 22 f., S. 38 f., S. 86 u. S. 99 f. Die Vermutungen *Alex. R. Hohlfelds,* Zur Frage der Fortsetzung von Goethes ›Wilhelm Meisters Wanderjahre‹, in: PMLA 60, 1945, S. 399 bis 420, zeigen sich so als nicht unwahrscheinlich.

gen. Bedeutung erhält es im Prozeß des Erzählens. Sie kommt ihm von Natur aus nicht zu. Freilich: von der Naturbedeutung und vom Äußeren des Bandes wird ausgegangen. Daß sich aber bei diesem »Symbol«-Stiften als einem Moment, durch das der Erzähler die Realität des Romans episch aufbaut, das Erzählen als Erzählen nicht verleugnet, zeigen mehrere Stellen des Romans. Einen Fingerzeig bietet indirekt auch Wilhelms Brief, in dem es über das Vorgehen des Briefschreibers (aber mittelbar auch über das des Erzählers) heißt:

> ... sollte es dem Verständigen, dem Vernünftigen nicht zustehen, auf eine seltsam scheinende Weise ringsum nach vielen Punkten hinzuwirken, damit man sie in e i n e m Brennpunkte zuletzt abgespiegelt und zusammengefaßt erkenne, einsehen lerne, wie die verschiedensten Einwirkungen den Menschen umringend zu einem Entschluß treiben, den er auf keine andere Weise, weder aus innerm Trieb noch äußerm Anlaß, hätte ergreifen können? [38]

Der Brief Wilhelms spiegelt als ein Brennpunkt, vielfältig ansetzend, das Problem einer bedingten Selbstbedingung des Menschen ab; er zeigt, wie Wilhelm mit Notwendigkeit dahin gelangt ist, sich in Freiheit als »ewiges« Selbst zu ergreifen. Wir müssen aber beachten, daß wir Wilhelms Worte vom »Abspiegeln« in einem Brennpunkt mittelbar auch beziehen können auf das Vorgehen des Erzählers, der auf vielen Erzählebenen diesen Brennpunkt abspiegelt und der so die Wirklichkeit des Romans, dessen »disparate Teile« der Leser sich bewußt zu vergegenwärtigen hat, aufbaut. In den Worten Wilhelms deutet der Erzähler schweigend darauf hin, daß er durch sein Gesetz der »Spiegelung« [39] innerhalb der erzählten Welt den Dingen eine Bedeutung zuspricht, die ihre Natur übersteigt, über das Symbolische im Sinne der goetheschen Definition hinausgeht und die erst aus dem Zusammenhang des Ganzen erfaßbar wird. Wir verfolgen dieses Vorgehen des Erzählers zweitens am Kästchen-»Symbol«.

II

Am Anfang der »Wanderjahre« heißt es: »... weil aber dennoch Felix darauf bestand«,[40] begab sich Wilhelm zum Riesenschloß. In diesem Schloß verschwindet Felix, sogleich nachdem er dort angelangt ist. Was bedeutet es, daß er sich so gerade in einem Raum verliert, über den der Erzähler vorher ausdrücklich Fitzens Worte, »niemand finde sich aus diesen Höhlen und Klüften jemals wieder heraus«,[41] erwähnt hat? Der Abstieg bezeichnet nach unserer

38. Hbg. A. Bd. 8, 279. 39. Ebenda S. 582. 40./41. Ebenda S. 42.

Auffassung den Moment, in dem Felix sich in die »Labyrinthe« des eigenen Inneren und in die Scheinverfangenheit, die bis zum Ende der »Wanderjahre« anhält und bei der der »Weg ... ein Irrtum« ist,[42] verliert. Die »Höhlen und Klüfte« des Riesenschlosses verweisen auf die »Höhlen und Klüfte« in Felix' eigenem Inneren. Um den Abstieg in den Gefahrenbezirk des Labyrinths zu verstehen, beachten wir: nach dem Kommentar zu den »Urworten« zeigt sich Tyche in der Erziehung durch »Vater, Vormund, Lehrer oder Aufseher«, durch »Lokalität« und »Gespielen«, d. h. vor allem in der Jugend, die sich in ihrem »flüchtigen Wesen bald da-, bald dorthin wirft.«[43] Dieser Satz erläutert in auffallend genauer Weise die Formen, in denen Tyche am Beginn der »Wanderjahre« auf Felix einwirkt: durch Montan (Felix' Erzieher in Gesteinsfragen), durch Wilhelm (Vater), durch das Riesenschloß (Lokalität) sowie durch Fitz (Gespielen) gelangt er in ihren Bereich. Mit dem Riesenschloß begegnet ihm dabei die »elementare« Natur in einer übergroßen, »kolossalen« Form. Das Riesenschloß (Schloß der Riesen) ist zugleich das kolossale Schloß, ist ein Ausdruck des »kolossalen« Elementes.[44] Über die Berührung Felixens mit dem kolossalen Gegner der Natur sagt der Erzähler: »... und bald darauf schaute Felix am Boden aus einer Kluft des schwarzen Gesteines hervor.«[45] Felix befindet sich innerhalb des aus Granit und Basalt verschränkten Naturraums[46] in einer Basalthöhle und berichtet Wilhelm, er sei »aus innerem geheimem Antrieb«[47] gerade in den Basalt gelangt. Seine schon vorher vom Erzähler hervorgehobene Affinität zum Gestein[48] differenziert sich hier zur Affinität zum Basalt. Der Basalt steht nach Goethes Ansicht jedoch mit dem »erschütterlichsten Teil der Schöpfung«, »mit dem Herzen«,[49] in einem Bezug der Ähnlichkeit. Felix, der auf dieser Stufe des Erzählvorgangs aus seiner kindlich-vorbewußten Einheit, aus dem Stand der Unschuld herausfällt, wird vom Erzähler gerade in das Gestein, das hier als eine Chiffre für den Bereich der Triebe und Leidenschaften benutzt wird, geschickt.

42. Ebenda Bd. 1, 406. 43. Ebenda S. 405.

44. Ebenda Bd. 13, 309. Felix steigt ab in das »Innere der Erde«, ins Reich der Pygmäen, gelangt an den Ort, wo der »wißbegierig Denkende« nach Montans Worten seinen Platz nehmen soll. Aber er ist kein Denkender, vielmehr handelt er leidenschaftlich-unbedingt. Auch besitzt er nicht das »kostbare Gestein« (Kreuzstein), ohne das nach Fitzens Worten »kein Schatz« zu heben ist, das sich aber Montan in diesem Augenblick von Fitz beschaffen läßt. Ebenda Bd. 8, 36 u. 42.

45. Ebenda S. 43. 46. WA I, 25, II 18. 47. Hbg. A. Bd. 8, 43.

48. Ebenda S. 29 (»... eine gewaltsame Neigung zum Gestein ...«).

49. Insel-Ausgabe: Goethes Werke, Bd. XVI, Leipzig 1925 f., S. 865.

Bei dem Abstieg in das Labyrinth findet Felix das Kästchen.[50] Was bedeutet es? Folgende Vorbemerkung kann uns hier weiterhelfen: im Gebirge lernt Felix kurz vor dem Abstieg Fitz kennen,[51] den Montan einen »Schelm« nennt,[52] der Züge des Listigen, Verschlagenen, Schadenfrohen zeigt und der mit Obstdieben und Schatzgräbern unter einer Decke steckt.[53] Dieser pygmäische Naturdämon Fitz, der Wilhelm zunächst als Bote im Gebirge dient, der aber später Sohn und Vater in die Falle führt, die den Obstdieben zugedacht ist,[54] ist ein Abbild, eine Kopie des Gottes Hermes und weist auf dessen doppelte Funktion, Seelengeleiter und Seelenverführer zu sein, hin.[55] Felix ist so (und mit ihm Wilhelm, später auch Hersilie) in den Bereich des Hermes geraten, findet bald danach das Kästchen und zeigt sich, nachdem er zum Dieb geworden ist (Raub des Kästchens) und seinen kostbaren Besitz verheimlicht (Andeutung einer Trugrede),[56] als ein rechter Diener des Hermes.

Über das Kästchen, das »von Gold zu sein« scheint, »mit Schmelz geziert«,[57] äußert später der Erzähler, als Wilhelm es dem Sammler zur Verwahrung übergibt:

> Der Alte betrachtete es mit Aufmerksamkeit, gab die Zeit an, wann es verfertigt sein könnte, und wies etwas Ähnliches vor. Wilhelm brachte zur Sprache: ob man es wohl eröffnen sollte? Der Alte war nicht der Meinung. »Ich glaube zwar, daß man es ohne sonderliche Beschädigung tun könne«, sagte er; »allein da Sie es

50. Genauer: das Kästchen liegt in der Höhle in einem »eisernen Kasten«, der, »kaum zu lüften«, nur mit den von Wilhelm herbeigeschafften Holzscheiten geöffnet werden kann; d. h. nur mit äußerster Mühe und mit Hilfe seines Vaters gelingt Felix der Raub.

51. Im Bild von der Wildheit des wilden Tieres heißt es über das Spiel der beiden: »Indes nun ... die Knaben ... wie Wölfe heulten, wie Hunde bellten...« Bd. 8, 38. Das ist ein indirekter Hinweis des Erzählers auf das Erwachen der Leidenschaften.

52. Bd. 8, 41. 53. Ebenda S. 41.

54. Ebenda S. 43 f. Felix wird hier erneut von den »Gewölben« angezogen. Daß er dabei (mit seinem Helfer Wilhelm) »eingekerkert« wird, ist ein Hinweis auf sein Eingesperrtsein in die Welt der Leidenschaften und Triebe.

55. Vgl. zur Gestalt des Hermes: *K. Kerényi,* Hermes der Seelenführer, Zürich 1944. – Freilich: Goethe »spielt« hier ironisch-ernst mit dem Mythischen der Hermesfigur, die er als Ausdrucksträger einer bestimmten Seite des göttlichen Wirkens benutzt. Vgl. allgemein zu Goethes Spiel mit dem Mythischen: *W. Kayser,* Goethe und das Spiel, in: Die Vortragsreise, Bern 1958, S. 119 f.

56. Hbg. A. Bd. 8, 44: Felix »tat alles mögliche, um an den Tag zu geben, daß er heimlich besitze und daß er sich verstelle.«

57. Ebenda S. 43.

durch einen so wunderbaren Zufall erhalten haben, so sollten Sie daran Ihr Glück prüfen. Denn wenn Sie glücklich geboren sind und wenn dieses Kästchen etwas bedeutet, so muß sich gelegentlich der Schlüssel dazu finden, und gerade da, wo Sie ihn am wenigsten erwarten.«[58]

Das Kästchen ist im Sinne der eingangs zitierten Worte aus dem Kommentar zu den »Urworten« der Felix durch »wunderbaren Zufall« vom »Geschick zugeführte Gegenstand«. Falls es etwas bedeutet, soll es nach des Sammlers Worten dem Finder (sofern dieser glücklich geboren ist) ein Prüfstein seines Glückes sein. Diese Worte müssen wir auf Felix (nicht auf Wilhelm) beziehen. Dessen Name weist aber bereits darauf hin, daß die eine Voraussetzung, die der Sammler für das Auffinden des Schlüssels macht, gegeben ist: die glückliche Geburt des Finders. Felix ist ein glücklicher Dämon (eudaimon), ein Auserwählter, ein »Glückswurf« der Natur. Seine Erzieher in der Pädagogischen Provinz erwähnen z. B. seine »glückliche Stimme«.[59] Sein »glückliches Naturell« bestätigt sich an dem glücklichen Fund. Aber: bedeutet dieser Gegenstand etwas? Wir sind der Auffassung,[60] daß der Erzähler dem Gegenstand schweigend die Bedeutung zuerteilt, ein ἕρμαῖον, der glückliche Fund eines Zufalls zu sein, dem Felix, der z. T. selber hermesartige Züge trägt,[61] vertraut und dessen Besitz ihm nach der gewaltsamen Aneignung doch nicht geheuer vorkommt.

Während der »Wanderjahre« zeigt Felix eine verkehrte Einstellung zu dem Gegenstand und zu dem »zweiten Wesen« (Hersilie), das ihm bald darauf begegnet. Er ergreift Kästchen und Hersilie leidenschaftlich-unmittelbar und hat (trotz aller Bemühungen der Pädagogen der Provinz!) nicht gelernt, daß man den Gegenstand »sich aneignen und ... ein zweites Wesen eben wie sich selbst mit ewiger, unzerstörlicher Neigung umfassen« kann. Scheinverfangen und nur von Natur gestempelt, ja, in Furcht vor der eigenen Freiheit,[62] weicht er

58. Ebenda S. 146.

59. Ebenda S. 152. Ferner: Bd. 7, 251. Felix ist der »Sonne« vergleichbar. Durch glücklichen Zufall rettet ihn ein »guter Genius« vor der Vergiftung. Ebenda S. 603.

60. Unsere Deutung unterscheidet sich von der Auslegung *W. Emrichs*, a. a. O. Deutsche Vierteljahrsschrift für Literaturwissenschaft und Geistesgeschichte 1952, S. 342 f., die das Kästchen als ein »Symbol des Symbolischen« versteht.

61. Vgl. »schalkhafte« Züge: Bd. 7, 282, 356, 497. Zum Geistig-Klugen (Musik, Lesen, Schreiben): Bd. 8, 124, 127, 151.

62. Die Furcht vor der Last der Freiheit zeigt sich unmittelbar nach dem Raub des Kästchens. Felix versucht dem Ruf des Gewissens auszuweichen, indem er den Ort sei-

der wirklichen Aufgabe, die Gegensätze seiner zugleich unbedingten und bedingten Existenz zu verbinden, aus. Das zeigt sich, nachdem Hersilie (unerwartet, wie vom Sammler erwähnt) in der Jacke der Kopie des Hermes (Fitz) den Schlüssel gefunden hat und nachdem das Kästchen nach des Sammlers Tod in ihre Hände gelangt ist; Felix versucht, das Kästchen zu öffnen, aber der Schlüssel bricht ab. Felix ruft: »Ich habe nichts vom Kästchen noch vom Schlüssel ... dein Herz wünscht' ich zu öffnen.«[63] Felix ergreift nicht nur das Kästchen gewaltsam, er ist auch in seiner Liebe leidenschaftlich-ungezügelt. Seine Schuld ist, daß er »sich selbst betrügt«,[64] sich nicht selbst ergreift und nicht die Gegensätze, die in ihm aufgebrochen sind, vermittelt und ausgleicht. Er ist zwar Herr geworden über das Elementare des Riesenschlosses, aber nicht über das Elementare seines eigenen Inneren. Die Leidenschaften seines natürlichen Lebens sind sein eigentlicher Gegner, über den er im Prozeß der Selbstbekümmerung überhaupt noch Herr werden muß. Seine Lage können einige Worte Mephistos erhellen: »Wie sich Verdienst und Glück verketten, / Das fällt den Toren niemals ein; / Wenn sie den Stein der Weisen hätten, / Der Weise mangelte dem Stein.«[65] Fehlt das »Verdienst« des bewußten Sichergreifens, so bleibt der Einzelne (hier Felix), auch wenn er den »Stein der Weisen« findet und wenn sich daran sein auserwähltes Sein bestätigt, selbstverloren und gelangt nicht zur Selbstverwirklichung. Felix ist zwar seiner vorgegebenen Seinslage nach immer noch ein Erwählter, durch »angeborenes Verdienst« ausgezeichnet. Er findet den Stein, aber der Weise mangelt – vorläufig noch – dem Stein: Felix ist ein Tor. Er hat noch nicht begriffen: »Nicht allein das Angeborene, sondern auch das Erworbene ist der Mensch.«[66] Er hat sich noch nicht in Freiheit selbst erworben und beherrscht das Kästchen noch nicht in der Art, die Montan von einem Denkenden erwartet, wenn er sagt: »... um einen Gegenstand ganz zu besitzen, zu beherrschen, muß man ihn um sein selbst willen studieren.«[67] Felix ist jung. Erst am Ende der »Wanderjahre« beginnt er, sich in Freiheit loszureißen aus dem »Labyrinth« und aus der Planlosigkeit seines

nes Aufenthaltes ändern will: »Felix aber, besonders unruhig, sehnte sich von dem Orte weg, wo der Schatz irdischer oder unterirdischer Wiederforderung ausgesetzt schien... Er glaubte die Sorge loszuwerden, wenn er den Platz veränderte.« Diese Furcht vor der Last der eigenen Freiheit dauert bei Felix bis zum Ende der »Wanderjahre« an. Bd. 8, 44.

63. Ebenda S. 457. 64. Vgl. ebenda Bd. 12, 522, Max. 1141.

65. Ebenda Bd. 3, 158, V. 5061 f. 66. Ebenda Bd. 12, 530, Max. 1219.

67. Ebenda, Bd. 8, 36. – Er kann auch sonst von Montan noch viel lernen, z. B. »...›Sinn auf!‹, denn Sinn ist mehr als Glück...« Ferner: »Das Glück tut's nicht allein, sondern der Sinn, der das Glück herbeiruft, um es zu regeln.« Ebenda S. 263.

Lebens; bezeichnenderweise erfolgt das jedoch erst, als er durch unbedingtes Wollen »bankerott« zu gehen droht[68] (Sturz in den Fluß) und nur durch die Hilfe seines Vaters gerettet wird. Er sagt jetzt zu Wilhelm: »›Wenn ich leben soll, so sei es mit dir‹...«.[69] Sturz in den Fluß und Rettung durch Wilhelm werden so gleichbedeutend mit Felix' Preisgabe des unmittelbaren Lebens (auch bei Felix also nach der Erfahrung des Todes!) und mit seiner Wiedergeburt; in der äußersten Zerrissenheit beginnt nun auch Wilhelms Sohn, »sich im Sittlichen dem Gewissen, das nicht irrt«,[70] zu unterwerfen und die Gegensätze von Zeitlichem und Ewigem zu synthetisieren.[71]

Wir sind der Auffassung, daß der Dichter in den »Meisterjahren« Felix mit Hersilie (d. h. aber auch mit seinem Kästchen) wieder vereinigen wollte. Über die »Symbolik« des Gegenstandes läßt sich freilich nichts Abschließendes ausmachen, da der dritte Teil der Trilogie fehlt. Doch ist das kein Unglück. Als Hersilie in einem Brief an Wilhelm eine Deutung des ständigen »Findens und Trennens« [72] erbittet, bleibt die Deutung aus. Nirgendwo wird sie auch vom Erzähler direkt gegeben. Ja, die erste Maxime aus »Makariens Archiv«, die unmittelbar der Romanhandlung angefügt ist, heißt: »Die Geheimnisse der Lebenspfade darf und kann man nicht offenbaren; es gibt Steine des Anstoßes, über die ein jeder Wanderer stolpern muß. Der Poet aber deutet auf die Stelle hin.« [73] In diesem Roman deutet der Erzähler besonders mit Besteck und

68. Ebenda Bd. 12, 517, Max. 1081. – Ferner: Felix sieht vorerst den Wert nur im Nutzen, er übersieht Montans Worte: »Was nützt ist nur ein Teil des Bedeutenden.« Ebenda Bd. 8, 36. Der Anfang des Findens war leicht, aber die »letzten Stufen« sind für Felix vorerst noch nicht zu ersteigen. Für ihn gilt: »Was man nicht versteht, besitzt man nicht«. Ebenda Bd. 12, 398, Max. 241. Schließlich: »Wir würden gar vieles besser kennen, wenn wir es nicht zu genau erkennen wollten. Wird uns doch ein Gegenstand unter einem Winkel von fünfundvierzig Graden erst faßlich.« Ebenda Bd. 12, 430, Max. 468.

69. Ebenda Bd. 8, 459.

70. Ebenda Bd. 12, 528, Max. 1203.

71. Vorher soll Wilhelm bereits durch Flavios analoges Schicksal die Bedeutung des Ereignisses bewußt gemacht werden. Er liest, daß Flavio sich in der äußersten Zerrissenheit losreißt aus der Passivität des Selbstgenusses. Ebenda Bd. 8, 203. Flavio geht durch »Nacht und Tod und Hölle« (ebenda S. 206), will »sterben« und wird gerade in dem Augenblick durch das ideale Selbst (Hilarie) gerettet, das ihn herausreißt aus der Selbstverlorenheit. Auch Flavio ist zum »Jugendglück geboren« (ebenda S. 206), aber droht sich zu verfehlen. Die Spiegelungsreihe heißt hier: Flavio – Felix – Wilhelm und: Hilarie – Hersilie – Natalie. Auch Felix will »umkommen« (ebenda S. 457) und stürzt darauf in den Fluß. Die Rettung durch Hersilie war wohl für die »Meisterjahre« aufgespart. Auf die strukturell ähnliche Handlung um Wilhelm und Natalie wiesen wir hin.

72. Vgl. ebenda S. 378.

73. Ebenda Bd. 12, 514, Max. 1058.

Kästchen »auf die Stelle« hin. Bei beiden Ding-»Symbolen«, deren Bedeutung sich, wie wir sahen, im Prozeß des Erzählens entfaltet, fragten wir daher auch nur, »wie sich die Sache verhalte in sich selbst und zu den andern Dingen.«[74] Wir erkannten so, daß das Kästchen mit einer Bedeutung angereichert wird, die ihm von Natur aus nicht zukommt. Von Natur aus ist es ein historisch datierbarer Schmuckgegenstand. Dem Gehalt nach, der ihm schweigend vom Erzähler zudiktiert wird, ist es ein ἕρμαιον.

Es gehört wesentlich zu unserer Deutung, daß wir Felix einen Erwählten nannten und daß sich im dritten Teil zeigen sollte: nur sofern Felix zum Glück bestimmt ist, gelingt ihm schließlich die Synthese, die ausgleichende Vermittlung der Gegensätze. Das Gesetz der Vereinigung, Trennung und Wiedervereinigung wollte der Erzähler auch an diesem Handlungszweig mit Hilfe eines Ding-»Symbols« darstellen.

III

Besteck und Kästchen sind im »Wilhelm Meister« nur zwei dingliche Zeichen neben anderen. Aber sie sind die wichtigsten Ding-Chiffren;[75] an ihnen wird der urphänomenale Sachverhalt der goetheschen Auffassung von naturhaft-vorbestimmtem Sein und freier Selbstbestimmung des Menschen »gegenständlich« gemacht. Bei dieser gegenständlichen Kunstrealität des Romans handelt es sich offenbar um »jene ›Objektivität‹ im hohen Sinne, der es um die ›Menschheit‹, um das Ganze, um das ›Allgemeine‹ geht; die im ›Besonderen‹ das ›Allgemeine repräsentiert‹ sieht...«[76] Freilich muß, wollen wir an der einen Frage der Ding-»Symbolik« der Art des epischen Aufbaus der Realität nachgehen, beachtet werden, daß der Erzähler, der weiß, daß sich »manches unserer Erfahrungen nicht rund aussprechen und direkt mitteilen läßt«,[77] den Dingen einen funktionalen Charakter zuerteilt. Wir müssen daher noch genauer fragen, »wie sich die Sache verhalte ... zu andern Dingen«, d. h. wie sich Besteck und Kästchen zu den andern Ding-»Symbolen« verhalten. Wir geben hier ab-

74. Ebenda S. 431, Max. 479.

75. Man sollte vielleicht dem verschwommenen und für Goethes Spätwerk nur uneigentlich zu gebrauchenden Wort »Symbol« das Wort »Chiffre« vorziehen. Vgl. dazu bereits: *W. Emrich,* Zur Ästhetik der modernen Dichtung, in: Akzente 1954, H. 4. Ferner: *B. v. Wiese,* Hbg. A. Bd. 6, 653 und: *W. Hellmann,* a. a. O.

76. *Rich. Brinkmann,* Wirklichkeit und Illusion, Studien über Gehalt und Grenzen des Begriffs Realismus für die erzählende Dichtung des neunzehnten Jahrhunderts, Tübingen 1957, S. 320.

77. Hbg. A. Bd. 8, 582.

schließend nur einige Hinweise. Felix' Kästchen spiegelt sich z. B. in den »Körbchen und Kästchen« des Tabulettkrämers.[78] Wir glauben: diese Spiegelung kann uns einen Fingerzeig dafür bieten, daß wirklich Hermes in diesem Handlungszweig der »Wanderjahre« sein Spiel treibt. Der Tabulettkrämer, dessen »schöne schwarze, etwas listige Augen, wohlgezeichnete Augenbrauen, reiche Locken, blendende Zahnreihen«[79] erwähnt werden und der als Bote zwischen Felix und Hersilie vermittelt, ist eine Kopie, ein Abbild des Hermes. Im entscheidenden Augenblick erscheint dieser als Händler verkleidet und unerkannt[80] am sinnbildlichen Ort[81] und bewirkt, daß Hersilie eine »Brieftasche« (eine weitere Ding-Chiffre innerhalb der erzählten Welt!) an Felix (und nicht an Wilhelm) schickt. Die Übergabe der Tasche bedeutet in dieser Handlung – sowie auch in dem sich mit ihr spiegelnden Geschehen der Novelle »Der Mann von fünfzig Jahren«[82] – die sinnbildliche Vorverwirklichung der rechten Zuordnung der Personen, die in der Liebe über Kreuz verstrickt sind. Hersilie handelt hier, fasziniert von der hermesartigen Gestalt, die ihr »angenehm, doch verdächtig, fremdartig, doch Vertrauen erregend«[83] erscheint. Dieses Geschehen um den Tabulettkrämer benutzt der Erzähler, um den Bedeutungsgehalt des Hauptkästchens anzureichern. Um das zu erreichen, fügt er ferner das Kästchen der Erzählung »Die neue Melusine«[84] ein, an dem uns aufgeht, wie wirklich das Glück zerstört wird, wenn man in übereilt-selbstsüchtiger Weise (gierig nach der Kostbarkeit, dem Schatz) Einblick in den Gegenstand erlangt. Der Erzähler reichert so die Bedeutung von Felix' Kästchen auch mit dieser Erzählung an, die als ein »wahrhaftes Märchen«[85] ein Warnbeispiel ist, das Wilhelm bewußtgemacht werden soll.

78. Ebenda S. 265. Bereits vorher begegnet Felix der Tabulettkrämer: ebenda S. 246.

79. Ebenda S. 265.

80. Vgl. dazu Bd. 8, 159: »... woraus wir lernen können, daß, wenn die Götter den Menschen erscheinen, sie gewöhnlich unerkannt unter ihnen wandeln«.

81. Es ist für Felix und Hersilie der Ort des Eros, ebenda S. 65.

82. Ebenda S. 185. Ferner: Wilhelm hat früher eine Brieftasche Mariane gegeben, so daß diese Spiegelungs-Reihe wiederum bis zur Wilhelm-Meister-Handlung reicht. Bd. 7, 482 wird der Gegenstand erwähnt. – Überdies wird auch die Besttecktasche zeitweilig Brieftasche genannt. Auch hierdurch werden geheime Verweisungen gestiftet. Vgl. Bd. 7, 435 u. Bd. 8, 40. Wir behalten uns eine genauere Analyse vor.

83. Ebenda Bd. 8, 267. Hersilie sieht sich erst nach Verschwinden der Gestalt wieder auf den »gewöhnlichen, flachen Tagesboden« versetzt und glaubt »kaum an die Erscheinung«. Ebenda S. 267.

84. Ebenda S. 355, 361 f., 366 f.   85. Ebenda S. 353.

Das häufige Wiederkehren eines chiffrehaften Gegenstandes in bestimmten Erzählzusammenhängen (Besteck) und das Auftreten ähnlicher Gegenstände auf verschiedenen Erzählebenen (Kästchen) – beides gehört zum Kompositionsprinzip der Bedeutung und Einheit stiftenden Reflexion des Erzählers. Zu diesen beiden Formen gesellt sich noch eine dritte: das ungesagte In-Bezug-Setzen zweier bedeutender Gegenstände. Wir denken besonders an Felix' Kästchen und an das Kruzifix des Sammlers[86] sowie an Wilhelms Besteck und an den Ruderpflock aus der parabelhaften Erzählung. Aber es gibt noch weitere Beispiele. Kurz noch zum Ruderpflock: in seinem Brief an Natalie berichtet Wilhelm von einem Menschen, der einen Ruderpflock findet und der, von diesem »glücklichen Fund« angetrieben, sich alles, was zur Schiffahrt nötig ist, beschafft, so daß er schließlich, vom »Glück begünstigt ... Wohlhaben, Ansehen und Namen unter den Seefahrern« erlangt.[87] Diese Geschichte läßt uns erkennen: Wilhelm kann jetzt selber »analogisch« darstellen, er bezieht die eigenen am Gegenstand erlangten Erfahrungen funktional auf das Geschehen dieser (wohl auch Natalie bekannten) Erzählung. Er hat also auf seiner Wanderschaft nicht nur ein bestimmtes Handwerk gelernt und will sich nicht nur in die soziale Ordnung einfügen, sondern ist sich überdies der Tatsache bewußt geworden, daß der Mensch nur durch die dialektische Verkettung von Verdienst und Glück an sein Lebensziel gelangt. Schon als Friedrich den mit Natalie vereinigten Helden am Ende der »Lehrjahre« vor dem Bild vom »kranken Königssohn«[88] heiter-ironisch mit Saul vergleicht,[89] antwortet Wilhelm, »ich weiß, daß ich ein Glück erlangt habe, das ich nicht verdiene...«.[90] Wilhelm, dessen Schicksal hier ironisch-ernst als exemplarisches Schicksal erscheint, erreicht nach des Erzählers Ansicht die Synthese der Gegensätze nur, weil er zum Glück vorbestimmt, weil er durch »angeborenes Verdienst« erwählt ist. Auch Felix ist ein Erwählter. Da aber der Roman ein Fragment ist, läßt sich über beide Personen nichts Abschließendes ausmachen. Mit Wilhelm und Felix wären uns wohl in der neuen Welt Amerika auch Besteck und Kästchen wiederbegegnet. Der Bedeutungsgehalt der Ding-»Symbole« – und damit der »eine Sinn« des Romans als ein »Sinn der Wahrheit«[91] – läßt sich aber, wie wir aufzuweisen suchten, aus den »Lehr- und Wanderjahren« hinlänglich erfassen. Die sinnhaften Gegenstände (eines wahrhaft »gegenständlichen Den-

86. Ebenda S. 146 f. 87. Ebenda S. 268. 88. Ebenda Bd. 7, 610.

89. Der Vergleich mit Saul erschien Goethe besonders wesentlich bei der Frage nach dem Sinngehalt seines Romans. Vgl. Hbg. A. Bd. 8, 520. Dazu: meine Dissertation, a. a. O. S. 23, S. 36 f. und bes. zur ironisch-ernsten Umfunktionierung der christlichen Form von Typologie: S. 99 f.

90. Hbg. A. Bd. 7, 610. 91. Ebenda Bd. 8, 255.

kens«) sind in diesem Roman Träger der Auffassung des Dichters von der Frage, wie der Mensch sich selbst im vollen Sinne des Wortes von der dinghaften Realität her und auf sie hin realisiert.[92] Ihre Sinnfunktion erschließt sich, wenn man weiß, daß Aussage und Gemeintes in diesem Werk nicht zusammenfallen, und wenn man sich daher den Zusammenhang der beiden Romanteile und den Prozeß des Erzählens[93] bewußt vergegenwärtigt.

92. Es wäre wahrscheinlich fruchtbar, auf dem Boden unserer Ergebnisse erneut den Zusammenhängen nachzufragen, die zwischen Goethes und Thomas Manns Auffassung vom Menschen, von der Realität und von der Bedeutung des Kunstwerkes bestehen.

93. Den Bauformen des »Wilhelm Meister« suche ich nachzugehen in einer Arbeit »Der epische Aufbau der Realität in Goethes ›Wilhelm Meister‹«, die noch nicht abgeschlossen ist [jetzt im hier vorliegenden Band, S. 55–72] und die ansetzt bei erzähltechnischen Gesichtspunkten, die *E. Lämmert* in seinem Buch »Bauformen des Erzählens«, Stuttgart 1955, aufgewiesen hat.

Die Darstellung der Realität in Goethes »Novelle«

Die Bedeutung, die der »Novelle« innerhalb des goetheschen Spätwerks zukommt, ist erst durch Untersuchungen der neueren Forschung erfaßt worden.[1] Diesen Interpretationen fügen wir hier eine weitere hinzu, weil wir der Auffassung sind, daß neues Licht auf das Thema der »Novelle« fällt, wenn wir im Anschluß an Wolfgang Schadewaldts Ausführungen über Goethes Begriff der Realität[2] fragen: wie wird in diesem Werk Realität dargestellt? Was ist mit der Darstellung der Tat des Kindes im Raum der Stammburg vom Dichter eigentlich gemeint? Zur Erläuterung unserer Auffassung ziehen wir theoretische Äußerungen Goethes über das Wesen der bildenden Kunst heran.[3]

I

In der »Novelle« findet sich eine Szene, der, wie folgende Worte Goethes erkennen lassen, eine besondere Bedeutung zukommt: »... den ... Moment, wo Honorio auf dem Tiger kniet und die Fürstin am Pferde gegenübersteht, habe

1. *Kurt May*, Goethes »Novelle«, in: Euphorion 33, 1932, S. 277 f. – *E. Beutler*, Ursprung und Gehalt von Goethes »Novelle«, in: DVjs 16, 1938, S. 324 f. – *E. Staiger*, Goethes »Novelle«, in: Meisterwerke deutscher Sprache, Zürich 1948², S. 136 f. – *P. Stöcklein*, Wege zum späten Goethe, Hamburg 1949, S. 58 f. – Goethes Werke, Hamburg 1955², Bd. 6, S. 713 ff. Anmerkungen *Benno von Wieses*. – *Herman Meyer*, Raumgestaltung und Raumsymbolik in der Erzählkunst, in: Studium Generale, 10. Jg. 1957, S. 623 f. – Den Text der »Novelle« und die Äußerungen Goethes zitieren wir nach der Hamburger Goethe-Ausgabe (abgek.: Hbg. A.).

2. *W. Schadewaldt*, Goethes Begriff der Realität, in: Goethe, Neue Folge des Jahrbuchs der Goethe-Gesellschaft 1956, S. 44 f.

3. Dieser Aufsatz faßt Ergebnisse zusammen, zu denen der Verfasser in einem Kapitel seiner Dissertation »Die Auslegung der Wirklichkeit in Goethes Spätdichtung, Untersuchungen zu Goethes ›Wilhelm Meister‹, den ›Zahmen Xenien‹ und der ›Novelle‹«, Tübingen 1957 (Masch.schr.), gelangt ist.

ich mir wohl als Bild gedacht, und das wäre zu machen«.[4] Einen ersten Hinweis auf die Bedeutung dieses Moments der Zuordnung von Mensch und Tier können wir erhalten, wenn wir zwei Äußerungen Goethes aus dem Aufsatz »Über Laokoon« beachten: »... der höchste pathetische Ausdruck, den sie [die bildende Kunst] darstellen kann, schwebt auf dem Übergange eines Zustandes in den andern.« Und: »... so entsteht der herrlichste Gegenstand für die bildende Kunst ..., wo Streben und Leiden in einem Augenblick vereinigt sind...«[5] Einen solchen »prägnanten« Moment des Übergangs von einem Zustand in einen anderen stellt der bildhaft-plastische Augenblick der »Novelle«, auf den Goethe hinweist, dar. Die Gruppe (Fürstin, Honorio, Tiger) steht da wie »ein fixierter Blitz, eine Welle, versteinert im Augenblick, da sie gegen das Ufer anströmt...«[6]. Dieser Augenblick eines »höchsten Interesses«[7], der den Beteiligten und auch dem Leser zunächst als ein Moment der Rettung erscheint,[8] ist in Wahrheit ein Augenblick, der die Situation des »ohne Not« ermordeten Tigers festhält.[9] Er ist wirklich ein Moment des Übergangs, insofern die Fürstin, Honorio und der Leser nur wenig später erfahren müssen, daß der Tiger zahm war und sich gern »ruhig niedergelassen« hätte.[10] Im Mittelpunkt dieses Hauptteils des Erzählvorgangs steht daher nicht die heldenhafte Rettung der Fürstin durch Honorio, im Mittelpunkt steht der Tod des zahmen Tigers, der ein Opfer des Geschehens wird, das mit dem Brand der Buden und mit der »Übereilung«[11] des für einen Augenblick unbesonnenen Tierbesitzers beginnt. Der »Streben und Leiden« umfassende, bildhaft-prägnante Moment enthält so in Wahrheit das Bild eines *geopferten Tieres*. Honorio, der in sich selbst zerrissene Mensch, der sich noch nicht in innere Ordnung gebracht hat, vollzieht, durch die Bänkelsänger, die frech das Bild der Welt gefälscht haben,[12] in eine falsche Richtung gelenkt, eine gut gemeinte Tat am falschen Ort. Er stiftet Schmerz und Trennung, fügt den Tierbesitzern Verlust zu. Erst die Erfahrung

4. Hbg. A. Bd. 6, 724. 5. Hbg. A. Bd. 12, 60 u. 62.

6. Ebenda S. 60. Dazu die Stelle: »... kurz vorher darf kein Teil des Ganzen sich in dieser Lage befunden haben, kurz hernach muß jeder Teil genötigt sein, diese Lage zu verlassen.«, ebenda.

7. Ebenda S. 64.

8. Die Fürstin fühlt sich gerettet und ist zugleich noch besorgt um Honorio: Hbg. A. Bd. 6, 503.

9. Vgl. die Worte der Tierbesitzerin: Hbg. A. Bd. 6, 504. 10. Ebenda.

11. Vgl. ebenda S. 506. Vgl. ferner allgemein zur Bedeutung des Wortes »Übereilung« in Goethes Werk: *E. Staiger*, Goethe, Bd. I, Zürich 1952.

12. Vgl. zur Bedeutung der Bänkelsänger: *E. Staiger*, Goethes »Novelle«, a. a. O. S. 144.

des geopferten zahmen Tieres wird für ihn der entscheidende Anstoß für sein ethisches Sich-ergreifen.[13] Seinen Weg in die »Entsagung« stellt die »Novelle« jedoch nicht dar. Sie stellt ferner auch nicht dar, wie das »seltne Fest« der höfischen Welt, zu dem doch »viele Fremde«[14] im neuen Schloß eingetroffen sind, verläuft. Ja, sogar die Fürstin scheidet aus dem weiteren Erzählverlauf aus. Alles, was die »Novelle« bis zur Opferung des Tigers darstellt, ist überhaupt nur eine Vorbereitung der Schlußszene.

II

Am Ende der »Novelle« muß das Kind in den Hof der alten Stammburg hinabsteigen. Dieser Raum der »Stammburg« ist der eigentliche Bezugspunkt innerhalb der Erzählebene der »Novelle«.[15] Auf ihn wird vom Erzähler in vierfacher Weise hingewiesen. Überdies ist er als eine Art von »Symbol«-Raum ein wichtiger Schlüssel zum Verständnis der Sinnebene des Werkes. Wir weisen hier auf folgendes hin: da die Fürstin, die der Jagdgesellschaft nachsehen will, das Teleskop noch auf die Stammburg gerichtet findet, wird der Leser gleich am Anfang des Erzählgeschehens auf den räumlichen Bezugspunkt gelenkt.[16] Bald darauf werden die einzelnen Teile der Burg vom Oheim anhand von Zeichnungen genau erläutert. In der Vermittlung[17] durch die exakte, »charakteristische« Kunst des Zeichners[18] erfährt der Leser zunächst etwas über die

13. Honorios heiter-gelassene Entsagung erfolgt, nachdem die Klage der Frau, die Rede des Tierbesitzers und das Lied des Kindes ihm die Bedeutung seiner Tat bewußt gemacht haben.

14. Hbg. A. Bd. 6, 492.

15. Vgl. zur Raumgestaltung: *Herman Meyer*, a. a. O. S. 623 ff. »Das Raumbild ist klar geordnet und plastisch ...«. Und: »... durch was für höchst indirekte, ebenso kühne wie kuriose Mittel wird diese klare Ordnung erzielt.« Ebenda S. 624. – Vgl. ferner meine Dissertation, a. a. O. S. 153 f., in der ich unabhängig von den Untersuchungen *H. Meyers* zu sehr ähnlichen Ergebnissen gelangt bin.

16. Hbg. A. Bd. 6, 492.

17. Zum Mittel der »Indirektheit« bei der Darstellung der Räumlichkeit: vgl. *H. Meyer*, a. a. O. S. 624 f.

18. *E. Staiger* weist in seiner Deutung auf das »Charakteristische« des Raumes hin, a. a. O. S. 138. – Unserer Auffassung nach ist überdies der Zeichner hier im Sinne der goetheschen Unterscheidungen ein »Charakteristiker«. Durch seine exakte Kunst erfahren wir zunächst das »Skelett« des Raumes. Vgl. zum Sprachgebrauch: Hbg. A. Bd. 12, 75 u. 77. In dem charakteristischen und dem Leser durch einem Charakteristiker plastisch-bildhaft gemachten Raum entstehen später als »höchstes Ziel der Kunst« die Schönheit und ihre Wirkung »Gefühl der Anmut«. Ebenda S. 77.

Außenansicht der Burg. Ihm wird die Einzigkeit und Unvergleichlichkeit dieses Raumes bewußtgemacht.[19] Ausdrücklich läßt der Erzähler dabei den Oheim hervorheben, der Ort, an dem die Stammburg liegt, sei »eine Wildnis wie keine«[20]. Durch das Wildnishaft-Ungeformte und Elementare seiner Umgebung ist dieser Raum des Uralten von der Welt der Stadt und des Geschäfts, in der man auf Leistung und Gebrauch[21] ausgeht, d. h. von der praktisch-ökonomischen Welt des »Flachlandes« getrennt. Über den Hofraum hören wir, er sei durch Mauersturz »unzugänglich« und sei »seit undenklichen Jahren von niemand betreten«[22] worden. Der Raum des vom Flachland abgesonderten und von ihm umschlossenen Innenhofes erhält so gleichsam den Charakter eines vom »profanum« abgetrennten »heiligen« Bereichs.[23] Er wird daher auch vom Erzähler vor allen anderen Räumlichkeiten hyperbolisch hervorgehoben: ein solcher Raum ist nach des Oheims Worten »in der Welt vielleicht nicht wieder zu sehen«[24]. Er ist seiner äußeren Struktur nach »flach«, »von Natur geplättet«, »regelmäßig«, »aufgeräumt«[25]. So verbirgt sich hinter der wildnishaften Landschaft ein äußerst gesetzhafter und vollkommener Raum. Wir sind der Auffassung, daß der Dichter mit ihm gleichnishaft eine paradiesische Räumlichkeit vergegenwärtigen wollte.

Im Erzählverlauf bleibt dieser Raum auch insofern weiter der Bezugspunkt, als er der Zielpunkt der »Wallfahrt« der Fürstin und Honorios ist.[26] Jedoch zeigt er sich diesen Gestalten von seiner »steilsten, unzugänglichsten Seite«[27]. Die Fürstin gelangt daher nicht in die Burg. Vor ihr aber spielt sich die Tigerszene ab. Und viertens: mit äußerster Konsequenz wird vom Dichter gerade die Stammburg als Aufenthaltsort des Löwen gewählt. So muß das Kind, das den Löwen bändigen soll, in eine »Arena«[28] hinabsteigen, d. h. in einen Ort, in dem die Gefahr droht, vom Löwen getötet zu werden; dabei muß es, will es den Löwen auffinden und besänftigen, in einer »düstern Öffnung«[29], in einer Höhle, verschwinden: es muß durch das Dunkel einer Gefahrenzone hindurchgehen. Nach der Auffassung des Wärtels, des Repräsentanten der praktisch-

19. Hbg. A. Bd. 6, 493. 20. Ebenda.

21. Vgl. die Schilderung des Marktes: ebenda S. 496 f. 22. Ebenda S. 494.

23. Vgl. allg. zur Absonderung des Heiligen vom Profanen in Goethes Werk: *W. Emrich*, Die Symbolik von Faust II, Bonn 1957², S. 209. Zum Sakralraum in der »Novelle«: *H. Meyer*, a. a. O. S. 625. Ferner: meine Dissertation, a. a. O. S. 154 u. 163.

24. Hbg. A. Bd. 6, 494. 25. Ebenda.

26. Ebenda S. 498 u. 499. 27. Ebenda S. 499.

28. Ebenda S. 511. Der Wärtel gebraucht dieses Bild der Arena.

29. Ebenda S. 511.

ökonomischen Welt des Geschäfts und Erfolgs,[30] ist die Chance für eine Rückkehr des Kindes aus dem Dunkel der Höhle nur gering.[31] Wir können daher sagen: der Abstieg in das Dunkel der Höhle schließt auf der Seite der Tierbesitzer die Bereitschaft, das Kind zu opfern, in sich ein. Das Geschehen in der Burg zeigt jedoch auch die Rückkehr des »verklärten«[32] Kindes in den Hofraum. Das Kind, das sich in der größten Gefahr in seinem Wesen gleichbleibt und in seinem Spiel fortfährt, handelt bei Abstieg und Rückkehr nicht aus einem leidenschaftlichen Wollen heraus, wie das z. B. Honorio tut. Vielmehr ist es in diesem Handeln nach eingeborenem Gesetz durch die selbstlose Hingabe an die vorgegebene Aufgabe geprägt. Dem subjektiv-wollenden, dem Bewußtsein der Mächtigkeit entspringenden Handeln Honorios, das jedoch Tod und Trennung bewirkt, stellt der Erzähler die »Willenlosigkeit« des spielenden Kindes gegenüber, dem die Überwindung des Löwen gelingt und das so als Werkzeug eines höheren Geschehens durch seine Liebe[33] die Versöhnung von Mensch und Welt in einem Augenblick wirklich werden läßt.

Nachdem das Kind sich wie verklärt im Hofraum niedergesetzt hat, entsteht ein zweiter »prägnanter« Moment, der von großer Bedeutung ist für das Verständnis des Werkes und der sich in dem ersten Moment (Honorio auf dem Tiger) »spiegelt«[34]: dem angeblich siegreich auf dem Tiger knieenden Honorio wird vom Dichter das Kind gegenübergestellt, das den Löwen »anmutig streichelt« und seine verwundete Tatze verbindet.[35] Da sich die Bedeutung dieses zweiten Momentes aus einer rein immanenten Interpretation nicht zureichend erfassen läßt, ziehen wir auch hier eine Äußerung aus Goethes theoretischen Schriften zur bildenden Kunst heran. In dem Aufsatz »Myrons Kuh« heißt es über die Darstellung der »römischen Wölfin«:

30. Dieser Repräsentant der Welt des Geschäfts hätte den Löwen gern getötet und hätte sich seines Felles »wie billig, zeitlebens gebrüstet«. Ebenda S. 506.

31. Ebenda S. 511 und 512.

32. Ebenda S. 511. Zur Bedeutung des Kindes vgl. *W. Emrich,* Die Symbolik von Faust II, S. 175 f.

33. Vgl. zur Bedeutung der Liebe in der »Novelle«: *E. Staiger,* a. a. O. S. 159; *B. v. Wiese,* a. a. O. S. 714; *W. Emrich,* a. a. O. S. 411.

34. Vgl. zu Goethes Begriff der »Spiegelung«: *E. Trunz'* Hinweise in: Hbg. A. Bd. 8, 582 f.

35. Hbg. A. Bd. 6, 512: »... der Knabe ... bemerkte, daß ein scharfer Dornzweig zwischen die Ballen eingestochen war. Sorgfältig zog er die verletzende Spitze hervor, nahm lächelnd sein buntseidenes Halstuch vom Nacken und verband die greuliche Tatze des Untiers.«

> Wenn an dem zitzenreichen Leibe dieser wilden Bestie sich zwei Heldenkinder einer würdigen Nahrung erfreuen und sich das fürchterliche Scheusal des Waldes auch mütterlich nach diesen fremden Gastsäuglingen umsieht, der Mensch mit dem wilden Tiere auf das zärtlichste in Kontakt kommt, das zerreißende Monstrum sich als Mutter, als Pflegerin darstellt, so kann man wohl von einem solchen Wunder auch eine wundervolle Wirkung für die Welt erwarten.[36]

Diese Stelle, die ausdrücklich von einem Kontakt spricht, der sich zwischen dem Menschen und dem wilden Tier bilden kann, ist von besonderer Bedeutung für das Verständnis des Schlußgeschehens der »Novelle«. In der für das Sinngefüge dieses Werkes entscheidenden Szene wird ein solcher Kontakt dargestellt. Der Löwe, dessen Gefährlichkeit die Exposition ausdrücklich erwähnt,[37] wird hier dem selbstlosen und ohne subjektiven Willen handelnden Kind zugeordnet. Das wilde Tier begegnet uns in dieser Szene aber nicht nur als das gebändigte Tier. Es wird ausdrücklich in eine wirkliche Beziehung zum Kind gesetzt: es wird in seiner Schwäche und Hilflosigkeit vorgeführt als leidende Kreatur, die erst durch das Mitleid des Kindes von ihrem Schmerz befreit wird.[38] Diese Zuordnung von Löwe und Kind, von äußerer Mächtigkeit im Zustand der Ohnmacht und von innerer Mächtigkeit in der Form des kindlich-gewaltlosen Seins, läßt einen Augenblick sichtbar werden, auf den eine Äußerung Goethes zutrifft, in der es heißt, das höhere Kunstwerk solle »das Gleichgewicht im Ungleichen, den Gegensatz des Ähnlichen, die Harmonie des Unähnlichen und alles, was mit Worten kaum ausgesprochen werden kann«[39], darstellen. Diese Aufgabe erfüllt der »prägnante« Moment: die Liebe des Kindes setzt in dieser Szene die *Harmonie des Unähnlichen* ins Werk. In der Zuordnung beider, des Kindes und des Löwen, in der Einigkeit des Entgegengesetzten, in der »anmutigen Gruppierung«[40] zum Harmonisch-Entgegengesetzten, gestaltet der Dichter in dieser Szene ein wirklich-seiendes Grundverhältnis. Darstellung von Realität in der »Novelle«, das meint also bisher: Darstellung der Harmonie des Entgegengesetzten an einem »profund-naiven«

36. Hbg. A. Bd. 12, 135. Vgl. ferner dazu: ebenda S. 132 über »Myrons Kuh«: »Aber ein Lebendiges konnte der Künstler ihr zugesellen, und zwar das einzige Mögliche und Schickliche, das Kalb. Es war eine säugende Kuh: denn nur insofern sie säugt, ist es erst eine Kuh...«.

37. Vgl. Hbg. A. Bd. 6, 733.

38. Der »höhere Kunstsinn« dieses Geschehens erhellt, wenn man an das Bild des Dornausziehers denkt, über das Goethe schreibt: »...Wir gedenken hier ... des anmutigen Knaben, der sich den Dorn aus dem Fuße zieht...«. Hbg. A. Bd. 12, 59.

39. Ebenda S. 133. 40. Ebenda S. 134.

Gegenstand, Darstellung der hintergründigen Bezüge des Wirklichen an einem Gleichgewichtszustand, in dem sich der »herrlichste Kontrast« zum »vertraulichsten Bild«[41] formt und an dem sich so ein »einfacher Ur- und Weltsinn«[42] offenbart. In dieser Darstellung eines profund-naiven Gegenstandes verschwistern sich – im Sinne des goetheschen Sprachgebrauchs formuliert – Wirklichkeit und Dichtung, äußere Tat und tieferer Sinn,[43] um etwas Wirkliches sichtbar zu machen.

Die Bedeutung, die einem solchen Grundverhältnis innerhalb der goetheschen Auffassung von der Realität zukommt, läßt sich folgenden Worten des Dichters entnehmen:

> Vielleicht kommen wir auf diesem Wege am ehesten zu dem hohen philosophischen Ziel, das göttlich Belebende im Menschen mit dem tierisch Belebten auf das unschuldigste verbunden gewahr zu werden.[44]

Die »Novelle« gelangt im Sinne dieses Sprachgebrauchs zu einem »hohen philosophischen Ziel«. Sie stellt dar, wie sich das göttlich Belebende im Menschen (das sich im selbstlosen Sein des Kindes anzeigt) mit dem tierisch Belebten (das der gebändigte Löwe repräsentiert) »auf das unschuldigste« in »ursprünglicher Verwandtschaft« und »notwendigster Neigung« verbinden kann. Dem Verständnis dieses Kontaktes kann überdies noch eine weitere Äußerung Goethes behilflich sein:

> ... Diesem braven Neueren ist also zuerst beigegangen, daß es im Altertum so viele ideelle Tiergestalten gibt, ja daß sie ... sehr geeignet sind, das Zusammentreffen von Göttern und Menschen zu vermitteln.[45]

41. Ebenda S. 134.

42. Vgl. zum Sprachgebrauch: *W. Schadewaldt,* Nachwort zu: *Grumach,* Goethe und die Antike, Berlin 1949, S. 1000 f. – *Schadewaldt* erwähnt dort: das, was Goethe bei der Erläuterung von Werken der bildenden Kunst als das »Poetische« bezeichnet, sei identisch mit »jenem Etwas ..., das ihm in Dichtung und Literatur als das ›Bildhafte‹ entgegentrat.« – Wir erwähnten eingangs bereits, daß Goethe das »Bildhafte« der Tigerszene ausdrücklich hervorhebt. In ähnlicher Weise läßt die Szene des Kontaktes zwischen Löwe und Kind etwas »Bildhaftes« erkennen. Fast alle Äußerungen über das »Poetische« der bildenden Kunst lassen sich auf den bedeutenden Gegenstand der Schlußszene der »Novelle«, der, wie wir sahen, in Entsprechung zu bedeutenden Gegenständen der bildenden Kunst konzipiert worden ist, anwenden. – *Herman Meyer,* a. a. O. S. 623, betont, man bemerke »mit Staunen, wie klar umrissen und plastisch einem die Szenen und Gruppen, einzeln und in Verbindung miteinander, vor Augen stehen.«

43. Vgl. *Grumach,* S. 667. 44. Hbg. A. Bd. 12, 137. [Anm. 45 siehe S. 32.]

An dieser Stelle spricht Goethe von »ideellen Tiergestalten«. Eine solche Gestalt, die Goethe aus seiner Beschäftigung mit antiken Bildwerken kannte, steht im Mittelpunkt der Schlußszene: der gebändigte und verwundete Löwe ist in diesem Moment eine ideelle Tiergestalt. Genauer: im ideellen Raum, in dem entwirklichten, zur paradiesischen Räumlichkeit gesteigerten Innenhof der Burg verwandelt die ideelle Musik des Kindes den Löwen in eine ideelle Tiergestalt. Aber warum fügt der Dichter dieses mehrfach Ideelle zusammen, warum läßt er alles sich in diesem Raum abspielen?

Daß Goethe sich bei der Gestaltung der Realität an ideellen Tiergestalten der antiken bildenden Kunst orientiert, weist uns bereits darauf hin, daß es ihm in seiner »Novelle« nicht darum geht, etwas Einmaliges, etwas bloß Zufällig-Wirkliches darzustellen. Mit dem hintergründig gemeinten »Wunder« des Schlußgeschehens wiederholt sich offenbar etwas auf eine neue Weise, was in ähnlicher Form schon in anderer Zeit geschichtlich verwirklicht worden ist.

III

Es ist von Bedeutung, daß mit dem Geschehen in der Stammburg dem äußeren Fest der Gesellschaft ein Vorgang gegenübergestellt wird, den wir mit Recht ein »inneres« Fest nennen können. Der Erzähler nennt ihn einen »seltenen menschlichen Fall«[46]. Nicht das – lange geplante und öfter hinausgeschobene – Jagdfest wird das eigentliche Ereignis der »Novelle« (es fällt ja gerade durch den Brand der Jahrmarktbuden aus), sondern das unerwartete und unvorhergesehene Ereignis im Schloßhof, das an keine berechenbare Bedingung gebunden ist. Auch dieses Ereignis hat Zuschauer.[47] Wir nennen dieses sinnerschließende Zentrum des Werkes das eigentliche Fest[48] der »Novelle«, insofern in ihm – durch das ideelle Kind, die ideelle Musik, den ideellen Raum und

45. Ebenda S. 136. – Erst indem der Dichter dem ideellen Kind die ideelle Tiergestalt zuordnet, wird der prägnante Moment zu einer wirklich »großen Konzeption«. Der Aufsatz »Myrons Kuh« erscheint uns geradezu als ein Schlüssel zum Verständnis der »Novelle«. Es ist erstaunlich, daß die Forschung diese Zusammenhänge bisher übersehen hat.

46. Hbg. A. Bd. 6, 511.

47. Die Zuschauer sind Frau und Wärtel. Hbg. A. Bd. 6, 511.

48. Zum Wesen des Festes vgl. besonders: *K. Kerényi,* Vom Wesen des Festes, in: Die antike Religion, S. 45 f.; *Bruno Snell,* Mythos und Wirklichkeit in der griechischen Tragödie, in: Die Antike, 20, 1944, S. 115; *W. Schadewaldt,* Zu Sappho, in: Hermes 71, 1936, S. 363 f.

das ideelle Tier – das Göttliche sich flüchtig verwirklicht in der Welt der Erscheinungen. Dieses Ereignis spielt sich ab in dem seit langem unbetretenen, vom Flachland durch die Wildnis getrennten Raum der Stammburg, es erfolgt abseits der höfischen Gesellschaft und abseits der Welt des Geschäfts. Gerade dieses unscheinbare, lautlose, aller Planung sich entziehende Ereignis besitzt für Goethe eigentliche Bedeutung, wie folgender Äußerung zu entnehmen ist:

> Zu zeigen, wie das Unbändige, Unüberwindliche oft besser durch Liebe und Frömmigkeit als durch Gewalt bezwungen werde, war die Aufgabe dieser Novelle, und dieses schöne Ziel, welches sich im Kinde und Löwen darstellt, reizte mich zur Ausführung. Dies ist das Ideelle, dies die Blume. Und das grüne Blätterwerk der durchaus realen Exposition ist nur dieserwegen da und nur dieserwegen etwas wert. Denn was soll das Reale an sich? Wir haben Freude daran, wenn es mit Wahrheit dargestellt ist, ja es kann uns auch von gewissen Dingen eine deutlichere Erkenntnis geben; aber der eigentliche Gewinn für unsere höhere Natur liegt doch allein im Idealen, das aus dem Herzen des Dichters hervorging.[49]

In dieser Bemerkung spricht Goethe von dem »ideellen« Schluß und weist darauf hin, daß erst von ihm aus die Konzeption der »Novelle« verständlich wird und daß jedes vorangehende Einzelmoment (also auch die Opferung des Tigers) nur in bezug auf diesen Schluß bedeutsam ist. Brand der Jahrmarktbude, Übereilung der Menschen und geopfertes Tier werden so zu Momenten, die eine »ideelle« Situation überhaupt erst möglich machen. Sie erhalten eine ideelle Rechtfertigung.[50] Nur im Durchgang durch den Streit, die Trennung, den Tod und die Erfahrung des Leidens wird die Einheit in neuer Weise hergestellt, entsteht der ordnende Ausgleich in der Harmonie des Entgegengesetzten. Nur im Gegenüber beider Ereignisse (Tieropfer und Bändigung) erschließen sich in der in diesem Werk erfaßten vorläufig-irdischen Welt Wahrheit und Wirklichkeit. Das Fest der »Novelle«, in dem das Ideelle als das im Wirklichen wirkende Grundwesen erfahrbar wird,[51] entsteht aus der zerrissenen Wirklichkeit der »realen Exposition«.

Dieses Fest spielt sich nach einem vorgeprägten mythischen Bild ab: der Raum des festlich-sakralen, vom »profanum« abgeschlossenen »Zauberschlos-

49. Hbg. A. Bd. 6, 714.

50. Vgl. allg. zum Sprachgebrauch »ideelle Rechtfertigung«: *Klaus Ziegler,* Zu Goethes Deutung der Geschichte, in: Deutsche Vierteljahrsschrift für Literaturwissenschaft und Geistesgeschichte« 1956, H. 2/3, S. 89 ff.

51. Vgl. allg. zu Goethes Auffassung von der Realität: *W. Schadewaldt,* Goethes Begriff der Realität, a. a. O. S. 44 f.

ses«[52], macht es möglich, daß in dem Geschehen im Hofraum eine menschliche Grundsituation sich wiederholt. Wir meinen die Situation, in der *Orpheus* die wilden Tiere mit seiner Musik bezaubert.[53] Über das Spiel des Kindes auf der Flöte erfahren wir bereits in der Vorform des Schlusses: »Das Kind verfolgte seine Melodie, die keine war, eine Tonfolge ohne Gesetz, und vielleicht eben deswegen so herzergreifend; die Umstehenden schienen wie bezaubert von der Bewegung einer liederartigen Weise«[54]. Das Spiel auf dem lebenspendenden Instrument der »Flöte«[55] ist ein Ausdruck des Seins des Kindes, das – nach eingeborenem Gesetz handelnd – Mensch und Tier »bezaubert«. Während des Gesangs vor dem geopferten Tier und dann besonders während der festlichen Bewegung im in sich ruhenden Kreisraum des Schloßhofes[56] reinkarniert sich der Mythos von Orpheus. Die Gestalt des Orpheus besitzt für Goethe eine besondere Bedeutung, wie zwei Äußerungen des Dichters erkennen lassen: Orpheus gelang es, »durch seine Melodien manche Tiere« herbeizuziehen. Und: durch Orpheus' Gesang fanden sich die Bürger »am gemeinsten Tage ... in einem ideellen Zustand: ohne Reflexion, ohne nach dem Ursprung zu fragen«. Sie seien so »des höchsten sittlichen und religiosen Genusses teilhaftig« geworden[57]. Bei dem Versuch, das eigentliche Fest der »Novelle« zu verstehen, muß diese mythische Präfiguration, die das Schicksal des Kindes zu einem exemplarischen Schicksal macht, mitbeachtet werden. Insofern das Kind in den

52. Dieses Wort wird zwar nur beiläufig und nebenher ausgesprochen: Hbg. A. Bd. 6, 507. Kraft eines Verweisungscharakters deutet es jedoch auf einen hintergründig gemeinten Sachverhalt hin: auf die Verzauberung ins Zeitlose, die in diesem Raum möglich wird.

53. Bisher hat die Forschung nur von dem musikalischen Wunder der Poesie gesprochen, das sich im Schlußgeschehen ereignet. Vgl. *W. Emrich*, a. a. O. S. 35; *E. Staiger*, Goethes »Novelle«, a. a. O. S. 150 f. – Auf die ungesagt gestiftete Orpheustypologie habe ich in meiner Dissertation, a. a. O. S. 163 f., hingewiesen.

54. Hbg. A. Bd. 6, 507.

55. Die Flöte gibt der Dichter dem Kind bei, weil sie ein geistig-ideelles Instrument ist. Die Kunst des Spiels auf der Flöte ist hier die ideelle Kunst, durch die der Knabe, der in seinem Zug in den Schloßhof ganz der Flötende ist, das Elementare verzaubert.

56. Die Bewegungsweise ist charakteristisch für dieses Geschehen: das Kind geht im »Halbkreis«: Hbg. A. Bd. 6, 511. Der Kreisbewegung entspricht der Kreisraum des Hofes: das Hier des Umkreises, der als Hof das Kind umfängt, macht es möglich, daß eine Gleichzeitigkeit von Altem und Neuem entsteht. In diesem abgeschlossenen Raum ist die geradlinige, chronologische Zeit aufgehoben. – Der Kreisbewegung des Kindes steht in der realen Exposition die »Eile« entgegen, die häufig erwähnt wird (ebenda Bd. 6, 496, 500, 504, 505) und aus der sich die Übereilung der Menschen bildet.

57. Vgl. *Grumach*, a. a. O. S. 703.

Spuren des Orpheus geht, kehrt mit dem Schlußgeschehen der »Novelle« ein »Wahres«, das das Reale als Reales konstituiert, im Spiralprozeß der Geschichte gesteigert wieder. »Realismus« der goetheschen »Novelle«, das meint daher: Darstellung der höheren Wirklichkeit eines »idealisierten Realen«[58]. Was aber ist dann das eigentliche Thema dieses Werkes? In welcher Weise stellt es höhere Realität dar?

Das Thema der »Novelle« ist die Wiederverknüpfung des Menschen mit der Welt durch die opferbereite Liebe des selbstlosen, spielend handelnden Kindes, das in der wahren Selbstbekümmerung innesteht. Das Werk stellt in der Schlußszene einen Umschlagspunkt dar, es zeigt, wie durch die »wundertätige« Kraft der selbstlos an die vorgegebene Aufgabe hingewandten Liebe des Kindes der Löwe ins Lamm verkehrt wird und wie damit die »erfüllte« Zeit in einer gesteigerten Weise wiederkehren kann. Mit der Gestalt des Kindes steht so die Figur eines Heilbringers im Mittelpunkt der »Novelle«, d. h. aber zugleich: im Mittelpunkt steht die Bereitschaft der Tierbesitzer, das Kind für ein höheres Ziel zu opfern. Die erfüllte Zeit entsteht nur auf dem Boden der Opferbereitschaft der Tierbesitzer und der völligen Hingabe des Kindes an seine Aufgabe.[59] Offenbar will Goethe hervorheben: ein solcher Wendepunkt[60] wird nicht erreicht vom subjektiv-wollenden Menschen. Der selbstverlorene, übereilt handelnde Honorio bewirkt Trennung, Tod und Schmerz. Der ethisch sich ergreifende Honorio wird vom Erzähler nicht gezeigt. Aber die Tat, die die zerrissene Wirklichkeit hervorruft und das Opfer der schuldlosen Kreatur fordert, macht die erhöhte Wiederkehr eines anfänglichen Zustandes doch überhaupt erst möglich: sie führt die Opferbereitschaft der Tierbesitzer und damit den Kontakt von ideellem Menschen und ideellem Tier überhaupt erst herbei.[61] Die Versöhnung der gegensätzlichen Wirklichkeit kann jedoch nach Goethes Auffassung nur durch eine Gestalt bewirkt werden, die ihrem Sein nach vor bzw. jenseits der Alternative von Selbstverlorenheit und Entsagung steht. Indem in die Mitte dieses Werkes die Gestalt eines kindlichen Heilbringers tritt, der die Welt zu einer neuen Unschuld erlöst, überschreitet die The-

58. Zum Sprachgebrauch vgl. allg. *W. Schadewaldt.* a. a. O. S. 44 f.

59. Insoweit das Kind, wie der Text seines Liedes erkennen läßt, ein wissendes Kind ist, schließt sein Handeln auch das Wissen um die Möglichkeit des Selbstopfers in sich ein.

60. Vgl. *E. Staiger,* a. a. O. S. 153, *W. Emrich,* a. a. O. S. 41 und *B. v. Wiese,* a. a. O. S. 715.

61. Eine systematische Untersuchung über die Bedeutung, die das Wort »Opfer« für Goethe besitzt, liegt noch nicht vor. Sie wäre jedoch wichtig für das Verständnis der goetheschen Auffassung von der Realität.

matik der »Novelle« die Themen aller anderen goetheschen Werke. Die hilfreiche Tat der Liebe der zweckfreien Existenz des Kindes übersteigt alle Taten des ethisch sich ergreifenden und in der Arbeit sich verwirklichenden geistigen Selbst, das uns in verschiedener Form die Personen der goetheschen Spätwerke erkennen lassen. Darstellung von Realität in Goethes »Novelle« meint daher: Darstellung der Wirklichkeit der opferbereiten Liebe, die sichtbar wird in der verwandelnden Kraft des Spiels des Kindes, das als zweckfreie Existenz, als reines selbstloses Sein, sich in seiner Tat in einem Zwischenzustand zwischen Verklärung und Erkenntnis befindet und das auf diese Weise die große Sekunde der erfüllten Zeit in der vorläufig-irdischen Welt sich ereignen läßt. Das Spiel auf der Flöte als eine »Tonfolge ohne Gesetz« läßt sichtbar werden, wie groß Goethes Auffassung vom Spiel als von konzentrierter Tätigkeit, von Befreiung von aller Zweckhaftigkeit und von Hingabe an die vorgegebene Aufgabe gewesen ist.[62] Diese Figur des spielenden Kindes gehört zu Goethes Auffassung vom Menschen und von der Realität notwendig hinzu.

IV

In einem Brief an Wilhelm von Humboldt vom 22. 10. 1826 schreibt Goethe über die erneute Arbeit an der »Novelle«: »jetzt, beim Untersuchen alter Papiere, finde ich den Plan wieder und enthalte mich nicht, ihn prosaisch auszuführen, da es denn für eine Novelle gelten mag, eine Rubrik unter welcher gar vieles wunderliche Zeug kursiert.«[63] Bemerkenswerterweise gibt dieser Titel, der, wie die salopp-lässig gesprochenen Worte des Dichters anzeigen, heiter-ironisch dargeboten wird, wenig Aufschluß über die Bedeutung dieses Werkes. Und auch der Erzähler erläutert oder deutet innerhalb der erzählten Welt das Geschehen nirgends unmittelbar. Wir betonen daher ausdrücklich: die Orpheus-Typologie bleibt ungesagt. Eigentlich schweigend wird vom Erzähler dem »offenbaren Rätsel« der Schlußszene die Bedeutung zuerteilt, die wir aufzuweisen suchten und die der Leser sich überhaupt erst bewußt machen kann, wenn er sich das Ganze der »Novelle« wirklich vergegenwärtigt.[64] Sieht man genauer hin, so bemerkt man wohl: erst im Vollzug des Erzählens des

62. Vgl. *W. Kayser*, Goethe und das Spiel, in: Die Vortragsreise, Bern 1958, S. 112 f.

63. Hbg. A. Bd. 6, 723.

64. Vgl. allgemein zur Bedeutung des Erzählers in Goethes Spätwerk: *B. v. Wiese*, Hbg. A. Bd. 6, 656. Ferner: *Winfried Hellmann*, Objektivität, Subjektivität und Erzählkunst, Zur Romantheorie Friedrich Spielhagens, in: Wesen und Wirklichkeit des Menschen, Festschrift für H. Plessner, Göttingen 1957, S. 390 f.

objektiv-gelassenen[65] und höchst indirekt darstellenden[66] Erzählers wird das Wirkliche Schritt um Schritt so sehr mit einer Bedeutung (die aus der Natur des Raumes, des Tieres usf. nicht unmittelbar einsichtig ist) angefüllt, daß sich im Sinne der goetheschen Real-»Symbolik«[67] ein »eminenter Fall« bilden kann, in dessen »Besonderem« ein »Allgemeines« repräsentiert wird. Souverän und distanziert erzählend, baut der Erzähler hier mit der Darstellung der Harmonie von Löwe und Kind eine eigene Wirklichkeit dichterisch auf und macht so sichtbar, welche »Gegenstände« nach der Auffassung der subjektiven, aber »geregelten Einbildungskraft« des Dichters ein höheres, idealisiertes Reales und damit den »Sinn der Natur«[68] offenbaren können. Ähnlich wie die »säugende Kuh« ist nach Goethes Ansicht die Zuordnung des orphischen Kindes und des ideellen Löwen innerhalb der vorläufig-irdischen Welt ein Spiegelbild der göttlichen Idee.

Die »Novelle«, in der dieses »philosophische Ziel« dargestellt wird, ist unserer Auffassung nach nicht ein Muster der Dichtart ›Novelle‹[69]. In einem kurzen Hinweis hat Erich von Kahler versucht, dieses Spätwerk unter dem Begriff »Parabel«[70] zu erfassen. Wie wichtig Goethe sein kleines »parabolisch« gemeintes Spiel der »Novelle« gewesen ist, lassen die Worte erkennen: »... man fühlt es ihr [der »Novelle«] an, daß sie sich vom tiefsten Grunde meines Wesens losgelöst hat«[71]. Vielleicht sollte man sich, wenn man dieses Werk, in dem etwas vom »offenbaren Geheimnis« der Natur aufgedeckt wird, verstehen will,

65. Vgl. zu Goethes Altersstil: *P. Stöcklein,* Wege zum späten Goethe, Hamburg 1949, S. 10 f. – Anmerkungen von *E. Trunz,* in: Hbg. A. Bd. 8, 581 ff. – *Richard Brinkmann,* Wirklichkeit und Illusion, Studien über Gehalt und Grenzen des Begriffs Realismus für die erzählende Dichtung des 19. Jahrhunderts, Tübingen 1957, S. 295 f.

66. Vgl. *H. Meyer,* a. a. O. S. 623 ff.

67. Vgl. bes. *Fr. Strich,* Das Symbol in der Dichtung, in: Der Dichter und die Zeit, Bern 1947, S. 15 f.

68. Zum Sprachgebrauch: Hbg. A. Bd. 12, 136.

69. Mit Recht betont Goethe im Hinblick auf den Titel »Novelle«: »Ich habe Ursache, das Wort Eine nicht davor zu setzen.« WA I, 18, 461. – Der Name »Novelle« als Titel des Werkes meint soviel wie: Neues, Neuigkeit, Gegenwärtiges, an dem freilich ein »altes Wahres« sichtbar gemacht wird. Mit den Novellen der »Wanderjahre« hat dieses Werk jedoch wenig zu tun. So wird verständlich, weshalb es entgegen einem ursprünglichen Plan nicht in den »Wilhelm Meister« eingefügt worden ist.

70. Vgl. *E. v. Kahler,* Untergang und Übergang der epischen Kunstformen, in: Die Neue Rundschau 64, 1953, S. 39: »Die ›Wanderjahre‹ sind fast schon eine Parabel, die ›Novelle‹, das ›Märchen‹, der ›Faust‹ sind es ganz ...«.

71. Hbg. A. Bd. 6, 727.

an Goethes Wort vom *»inneren Märchen«* erinnern.[72] Das Märchen galt Goethe zeitlebens als eine der echtesten poetischen Formen.[73] Die »Novelle«, in der durch das »glückliche Naturell« des kindlichen Heilbringers eine »märchenhafte Wirkung«[74] erzielt wird, läßt sich wohl ihrer poetischen Form nach am ehesten unter dieser Kennzeichnung »inneres Märchen« erfassen.

72. Hbg. A. Bd. 3, 457.

73. Vgl. *W. Kayser,* a. a. O. S. 116.

74. Vgl. *B. v. Wiese,* Hbg. A. Bd. 6, 714.

Mephistos Verwandlungen

Vorbemerkungen zum Aufbau von »Faust II«

Am 16. April 1800 schreibt Goethe an Schiller: »Der Teufel, den ich beschwöre, gebärdet sich sehr wunderlich.«[1] Wer ist Goethes Mephisto? Inwiefern gebärdet er sich wunderlich? Wir müssen, wollen wir diese Fragen beantworten, beachten, daß sich mit dem Stilwandel und mit dem Wandel der Konzeption des »Faust«[2] auch ein Wandel in der Konzeption der Gestalt Mephistos vollzieht. Um das Jahr 1800, also in der Zeit, aus der die briefliche Äußerung Goethes stammt, arbeitet Goethe an dem Helenaakt, vorüber ist die Arbeit an wichtigen Szenen für »Faust I«, in denen Mephisto eine große Rolle spielt.[3] Vergleicht man die Funktionen Mephistos in den Szenen, die aus der Zeit der Jahrhundertwende stammen, miteinander, so erscheint freilich eine sich wunderlich gebärdende Teufelsgestalt.

Wenn wir im Folgenden die Bedeutung Mephistos in »Faust II« angemessen verstehen wollen, müssen wir uns klar machen, daß es Goethe im zweiten Teil seines Dramas um »die Natur der Dinge – de rerum natura – um den Staat, um Jugend und Alter, Antike und Neuzeit, den Norden und Hellas, Anfang und Ende des Lebens, das Chaos und die Gestalt«[4] geht, nicht jedoch um Faust als Charakter, als Individualität. »Faust ist – zwar nicht immer, aber auf weite Strecken – nur dazu da, das Wesen der Dinge in einem Gemüt, in einem Geist aufleuchten zu lassen.«[5] Genau das gilt auch von Mephisto: auch ihn benutzt der Dichter (ebenfalls zwar nicht immer, aber auf weite Strecken), um von seinem Geist aus Licht auf das Wesen der Dinge zu werfen. So gehen mit dieser Figur Verwandlungen vor, die sie aus der ihr im ersten Teil des Dramas angestammten Rolle fallen lassen. Goethe scheint sich ohne Bedenken die Aufhebung der Identität der Person zu erlauben.[6]

1. Wir zitieren im allgemeinen nach der Hamburger Goethe-Ausgabe (abgek.: Hbg. A.) Hbg. A. Bd. 3, 428.

2. Vgl. *E. Staiger,* Goethe III, Zürich 1959, S. 483.

3. Vgl. bes. Prolog im Himmel, zweite Studierzimmerszene, Walpurgisnacht.

4. Vgl. *Staiger,* a. a. O. S. 356.

5. Ebenda.

6. Ebenda S. 363.

Welche Bedeutung das Gesetz der Verwandlung für Goethe besitzt, wissen wir aus neueren Arbeiten der Forschung.[7] Ähnlich wie der Dichter es häufig in seinem Leben getan hat, spielen offenbar auch seine dramatischen Personen, besonders Mephisto, gerne Versteck und wunderliche Rollen, tragen Masken verschiedener Art. Haben wir uns das klar gemacht, so wird vielleicht der Zugang leichter zu der Frage: welche Funktionen überlagern sich in der Figur Mephistos?

I

Am Ende der Szene »Kaiserpfalz« äußert der allein auf der Bühne zurückbleibende Mephisto:

> Wie sich Verdienst und Glück verketten,
> Das fällt den Toren niemals ein,
> Wenn sie den Stein der Weisen hätten,
> Der Weise mangelte dem Stein. (5061 f.)

Diese Worte sind eine direkte Publikumsansprache; mit ihnen hält Mephisto den Gang der Handlung für einen Augenblick an und spricht in die konkrete Lebenswirklichkeit der Zuschauer von »Faust II«, d. h. er tritt in eine relativ starke Verbindung mit dem Zuschauer.[8] Ein solches Verhalten Mephistos ist uns aus »Faust I« nicht bekannt. Er spricht dort nur als Partner der Mitfiguren. In »Faust II« dagegen bleibt er, wie dieses erste Beispiel zeigt, nicht auf den Dialog mit seinen Szenenpartnern angewiesen, sondern erhält die Fähigkeit, sich zu »teilen«, die Perspektive zu wechseln. Indem er das Kontinuum der Handlung verläßt und eine zweite Perspektive aufnimmt, wird er zum Partner des Publikums.[9] Aufführungstechnisch vollzieht sich dieser Wechsel der Perspektive als »volle Wendung« zum Publikum. Warum aber verwandelt Goethe seinen Mephisto zum Sprecher?

7. Vgl. bes.: *Hans Pyritz,* Goethes Verwandlungen, Hamburg 1950; *Wolfgang Kayser,* Goethe und das Spiel, in: Die Vortragsreise, Bern 1958, S. 111. – In Dankbarkeit denke ich ferner an *Wolfgang Kaysers* Oberseminar »Faust II«, Göttingen WS 1953/54, in dem ich meine Auffassung von der Bedeutung Mephistos zum erstenmal ausarbeiten konnte.

8. Für die Ausbildung der Terminologie verdanke ich in dieser Hinsicht viele Anregungen Gesprächen mit *Klaus Ziegler;* ferner dem Buch von *Walter Hinck,* Die Dramaturgie des späten Brecht, Palaestra, Bd. 229, Göttingen 1959.

9. Vgl. allg. zum Wortgebrauch: *W. Hinck,* a. a. O. S. 88.

Mit seinen Schlußworten demaskiert Mephisto dem Zuschauer die Welt des Kaiserhofes: Kaiser, Minister, Höflinge, d. h. die Mitfiguren, die Mephisto in der voraufgehenden Szene darauf hingewiesen hat, daß »zerstreutes Wesen« nicht zum Ziel führt und daß alle sich erst »das Untre durch das Obere verdienen« müssen (5052), werden als *Narren* entlarvt.[10] Sie übersehen, daß sich nur durch die Verkettung von Verdienst und Glück etwas im menschlich-gesellschaftlichen Leben erreichen läßt. Mephistos Worte meinen: fehlt das ethische Sichergreifen, so bleibt der Einzelne, auch wenn er den Stein der Weisen[11] findet, in der Selbstverlorenheit und gelangt nicht zur Selbstverwirklichung. Der Kaiser ist in diesem Sinne selbstverloren: unbekannt mit sich selbst, erwartet er in übereiltem und ungeduldigem Handeln alles von außen, durch glückliche Umstände. Die Worte Mephistos weisen jedoch nicht nur kommentierend zurück auf die vorangehende Szene, sie lenken die Aufmerksamkeit des Lesers, dem kurz vorher der Mummenschanz angekündigt worden ist, in eine bestimmte Richtung voraus; der Zuschauer soll sich vergegenwärtigen, daß der Karneval von Toren veranstaltet wird. In diesem Mummenschanz, der eigentlich ein »heiteres Fest« (5067) werden soll, in dem aber dem Herold schon bald die Fäden aus der Hand gleiten und in dem Mephisto mehr und mehr die Regie führt,[12] werden die Toren wirklich als Toren entlarvt. Der Kaiser wird zu »übereilter Tatausübung«[13] verlockt und erscheint im szenischen Vorgang des Karnevals genauso, wie wir es seit dem Ende der Szene »Kaiserhof« erwarten: als ein Narr.[14]

Mephistos Worte in der zitierten Publikumsansprache (»...das fällt den Toren niemals ein...«) gehen freilich über die konkrete Bühnensituation hin-

10. Der Kaiser überhört die Worte, die Mephisto als Szenenpartner gesprochen hat, völlig! Vgl. V. 5059.

11. Der Stein ist hier der Schatz, das aurum potabile. Vgl. *Staiger,* a. a. O. S. 290. – Mephisto, der in der Rolle des Hofnarren den Staatsrat zum Theater macht (vgl. das Volksgemurmel: »Der Tor bläst ein – der Weise spricht«, V. 4954; dem Astrologen wird eine Rolle aufgezwungen!), will (und wird) mit dem Gold jedoch gerade Zwietracht, Chaos und Krieg bewirken.

12. Nach dem Auftritt des Zoilo-Thersites verwandelt sich der Mummenschanz zwar nicht in »Teufels-, Narren- und Totentänze« (5066), aber doch in eine Welt von »luftigen Gespenstern«, von »Spuk und Zaubereien« (5502). Diese bildet sich aus der sich verwandelnden Mephistogestalt (5475 f.).

13. Vgl. zum Sprachgebrauch: Hbg. A. Bd. 12, 344.

14. Die Maske des Kaisers verbrennt, d. h. der Kaiser wird vor den Augen seines Hofes demaskiert. Gierig nach dem Schatz, ist er im wörtlichsten Sinne scheinverfangen. Vgl. »Ihr Täppischen! ein artiger Schein / Soll gleich die plumpe Wahrheit sein.« V. 5733.

aus. Jeder, der alles von außen erwartet und unbekannt mit sich selbst im Schlendrian des unmittelbaren Lebens dahinlebt, wird von diesen Worten mitbetroffen. Der lehrhafte Gestus Mephistos weist so von dem dramatischen Vorgang fort, und wir bemerken: die Welt des Kaiserhofes steht nur gleichnishaft für das Menschsein in der Selbstverlorenheit. Der eigentliche Adressat der Schlußworte Mephistos ist der Zuschauer. Für Mephisto, der, insofern er Partner des Publikums wird, nur noch in einem gebrochenen Identitätsverhältnis zu sich selbst steht, sind die Leute, von denen er spricht, und die, zu denen er spricht, nicht eigentlich verschieden, sondern vielmehr dieselben. Es besteht für ihn eine Nähe zwischen dem Szenisch-Vorgänglichen und dem Theaterpublikum. In seiner Funktion als Sprecher in überlegen-distanzierter Haltung über dem Szenischen stehend, will er mit seinen Worten sagen, daß die Bühnenvorgänge nichts wesentlich anderes sind als das, was die Zuschauer in ihrem eigenen Leben bemerken könnten und sollten. Er gebärdet sich in der Tat wunderlich: er wird zum Träger der Wirkungsabsicht des Dramas; er konfrontiert den Zuschauer mit dem Bühnengeschehen, indem er ihn mit seiner Ansprache aus der ästhetischen Realität herauslöst und ihm die konkrete dramatische Situation als ein sehr reales Warnbeispiel bewußtmacht.

Solche Publikumsansprachen Mephistos kommen in »Faust II« häufiger vor und zeitigen Folgen. Wir sind der Auffassung, daß mit ihnen die Vorstellung von der in sich geschlossenen dramatisch-ästhetischen Realität relativiert wird und daß damit Mephisto an der Ausbildung des dramatischen Spätstils Goethes, in dem die ästhetische Realität zur Realität des Publikums hin geöffnet wird und in dem epische Bauformen stark hervortreten,[15] maßgeblich beteiligt ist. Wir verfolgen im weiteren genauer, welche Zeichen zu finden sind, durch die »Faust II« die Form des neuzeitlichen Dramentypus zu übersteigen beginnt.

II

Noch im ersten Akt findet sich eine zweite wichtige Publikumsansprache Mephistos. Faust, der Helena mit Gewalt gewinnen will und paralysiert zu Boden fällt, wird den Lesern von Mephisto folgendermaßen präsentiert:

> Da habt ihr's nun! mit Narren sich beladen,
> Das kommt zuletzt dem Teufel selbst zu Schaden. (6564 f.)

Faust, der im Mummenschanz die Geister mit Magie befriedigt hat (5985),

15. Welche Folgen das Hervortreten des Epischen für die Bauform von »Faust II« hat, untersuche ich in einer eigenen Abhandlung über den Aufbau dieses Dramas.

jetzt aber in übereiltem Handeln sich selbst zu zerstören droht, wird den Zuschauern des »Spiels im Spiel« (die selber Toren sind!), sowie den Zuschauern des »Faust II« als ein Narr demaskiert. Mephisto zeigt mit seinen Worten erneut auf die szenische Situation, hält den Gang der Handlung an und löst sich wiederum aus dem szenisch-ästhetischen Gefüge. Für den Zuschauer bildet sich so mit Mephistos Worten eine Nähe zwischen dem Vorgang am Kaiserhof und dem Geschehen um die Faustgestalt. Faust, der als Plutus in dem Karneval sowie später beim Abstieg zu den Müttern distanziert und überlegen handelnd begegnete, gibt sich jetzt selber unvorsichtig-übereilt, droht von den Geistern, die er doch selber herbeigezaubert hat (6546), geschädigt und überwältigt zu werden. Er ist noch nicht Herr über das Elementare seines eigenen Innern geworden. Auch er ist ein Tor, freilich in anderer Weise als der Kaiser. Einzelpersonen sowie auch Personen und Gesamtheit (Hofwelt) »spiegeln« sich jedoch aus der Perspektive des Publikumpartners Mephisto in ihrem Narrsein ineinander ab. Wir sind der Auffassung, daß der lehrhafte Gestus Mephistos hier vom Dichter geplant ist als eine Information des Zuschauers über das Wesen des Helden am Anfang von »Faust II«. Auch nach dem Heilschlaf irrt Faust und verliert sich, wenn auch in einem höheren Sinne als im ersten Teil, in »phantastische Irrtümer«[16]. Dem Zuschauer soll mit Mephistos Worten bewußtgemacht werden, daß er Sympathien mit einem Helden hat, der aus der Sicht des vom Bühnengeschehen weggerichteten Mephisto ein Narr ist. Ein Spruch aus den »Zahmen Xenien«, der vielleicht als ein Paralipomenon (von Mephisto zu sprechen) gedacht werden könnte, heißt:

> Mit Narren leben wird dir gar nicht schwer,
> Versammle nur ein Tollhaus um dich her.
> Bedenke dann – das macht dich gleich gelind –
> Daß Narrenwärter selbst auch Narren sind.[17]

Hier taucht unerwartet das Bild vom Tollhaus auf. Aus der Perspektive des mephistophelisch-satanischen Humors erscheint die Welt als ein *Tollhaus*[18],

16. Vgl. Hbg. A. Bd. 3, 455. 17. WA I, 3, 3, 240.

18. In *Bonaventuras* »Nachtwachen« (1805) erscheint die Welt aus der Perspektive des satanischen Humoristen als Tollhaus. Vgl. *Wolfgang Kayser,* Das Groteske. Seine Gestaltung in Malerei und Dichtung. Oldenburg 1957, S. 62 f. – Das Groteske als Struktur gibt es in Goethes sinnorientierter Weltdeutung nicht. Wohl aber mischen sich in Mephistos Sicht auf die Welt groteske Züge. Dabei ist zu beachten, daß Mephisto in »Faust II« ein recht säkularisierter christlicher Teufel ist und zeitweilig aus der Perspektive des satanischen Humoristen und Nihilisten zu sprechen scheint. Vgl. V, 11597 f.

in dem die Menschen (Narren und Narrenwärter) zwischen »Übereilung« und »Versäumnis« dahinleben und sich so im Sinne des folgenden Spruches selbst verfehlen: »Suche nicht vergebne Heilung! / Unsrer Krankheit schwer Geheimnis / Schwankt zwischen Übereilung / und zwischen Versäumnis.« [19] Mit dem Bild des Tollhauses drückt Goethe seine Auffassung von dem »Narrenleben der leidigen Welt« [20] aus, in das der Mensch wesensmäßig durch sein unmittelbares, faktisches Sein verstrickt ist. Mephisto wird mit seinen Hinweisen auf das Narrsein der Menschen nur das Sprachrohr der Auffassung Goethes: »Die Welt ist so voller Schwachköpfe und Narren, daß man nicht nötig hat, sie im Tollhaus zu suchen.« [21] Seiner Mitteilung an das Publikum kommt eine wirkungspoetische Verbindlichkeit zu: Mephisto soll mit seinen Worten nach dem Plan des Dichters das unreflektierte Einschwingen des Zuschauers in die Gefühlswelt der dramatischen Handlung und ihres Helden (die naive Parteinahme für ihn!) verhindern. Den Zuschauern soll die dramatische Hauptfigur aus der souveränen und distanzierten Haltung Mephistos fremd gemacht werden.

Noch eine dritte Publikumsansprache Mephistos wollen wir betrachten: in der Maske des Dozenten doziert Mephisto nicht nur dem Baccalaureus etwas vor, sondern besonders auch den Zuschauern des »Faust II«. Ohne Rücksicht auf seinen Dialogpartner unterbricht er den szenischen Vorgang mit einer direkten Wendung zum Publikum:

> Mephistopheles, der mit seinem Rollstuhle immer näher ins Proszenium rückt, zum Parterre
>
> Hier oben wird mir Licht und Luft benommen;
> Ich finde wohl bei euch ein Unterkommen? (6772 f.)

So lautet seine Entgegnung auf die Worte des Baccalaureus: »Im Deutschen lügt man, wenn man höflich ist« (6771). Mephisto wendet sich, da er der fiktiven dramatischen Figur Baccalaureus im Augenblick nichts mehr beizubringen

19. Artemis Gedenkausgabe, Zürich 1949, I, 428.

20. WA IV, 49, 223.

21. Goethes Gespräche, hrsg. von *W. v. Biedermann,* 1889, 1280. In dieser Hinsicht scheint uns Mephisto als Partner des Publikums zeitweilig als ein »gesteigerter Werther« zu sprechen. »Ihr ließet verrückten Werther schalten, / So lernt nun, wie das Alter verrückt ist« (WA I, 3, 3, 286), könnte auch Mephisto zum Publikum sagen. Mephisto ähnelt Werther insofern, als auch Werther um die »absurde« Welt weiß. Vgl. Hbg. A. Bd. 6, 533 f. Der Lebensekel, das taedium vitae Mephistos, ist jedoch anders geartet als das Werthers, ist jedenfalls zeitweilig ein Ausdruck der Welthaltung eines nihilistischen Humoristen.

hat, mit einer Frage von der Bühne weg ans Publikum; er erhofft bei den in die Lüge der Höflichkeit verstrickten Zuschauern ein Unterkommen, d. h. er hofft, daß es in der Lebenswirklichkeit der Zuschauer für ihn in der Richtung des Entlarvens und Demaskierens noch viel zu tun gibt. Er stellt sich dem Parterre in seiner Funktion des ironischen Entlarvens von Scheinwahrheiten bloß. Diese Haltung des Sich-selbst-kommentierens verstärkt sich noch am Ende der Szene. Mephisto wendet sich an das »jüngere Parterre«, das nicht applaudiert. Die Stelle heißt:

> Ihr bleibt bei meinem Worte kalt,
> Euch guten Kindern laß ich's gehen;
> Bedenkt: der Teufel, der ist alt,
> So werdet alt, ihn zu verstehen! (6815 f.)

Es ist, als ob Fausts Pelz auf den Träger abfärbt und ihn wirklich einsichtig reden läßt. Denken wir einen Augenblick an die Worte, die Schiller in einem Brief an Goethe über Faust und Mephisto schreibt: »zuweilen aber scheinen sie ihre Rollen zu tauschen...«[22] Der Dichter des »Faust II« beginnt hier in der Form des Spiels im Spiel ein heiter-ironisches Rollentauschen. Mephisto spielt den Dozenten Faust, und zwar so, daß er zunächst (in halber Wendung zum Publikum, 6811 f.) den selbstsüchtigen, unbedingt-wollenden Baccalaureus ironisiert; daraufhin wendet er sich voll ans jüngere Parterre, das ihm nicht applaudiert, und redet zu ihm von sich in der dritten Person (»...der Teufel, der ist alt...«). Mit diesem lehrhaften Gestus des Zeigens auf sich selbst und auf die eigene Erfahrenheit fällt er aus seiner Rolle des bösen Teufels heraus, redet als der Einsichtige und will damit das scheinverfangene, selbstsüchtig-wollende, baccalaureushafte Wesen der Jugend – ähnlich wie das Montan in den »Wanderjahren« macht – zur Selbstsorge ermahnen. Er spricht ironisch-sokratisch, um die Zuschauer »einigermaßen über sich selbst aufzuklären.«[23] Er warnt vor den »gefährlichen Dämonen« Übereilung und Dünkel.[24] Auch der Baccalaureus ist aus der Perspektive Mephistos ein Narr, und zwar im Sinne der Maxime Goethes: »Das Närrischste ist, daß jeder glaubt, überliefern zu müssen, was man gewußt zu haben glaubt.«[25] Das Spiel im Spiel wird in der Publikumsansprache zum Ernst: Mephisto weist ernsthaft-einsichtig auf die Gefahren hin, die den Menschen bedrohen und die ihn von der Selbstverwirklichung abhalten. In einer Variation kehrt hier das Thema von der Verkettung von Verdienst und Glück wieder.[26]

22. Hbg. A. Bd. 3, 425. 23. Hbg. A. Bd. 8, 467, Max. 47.
24. Hbg. A. Bd. 12, 424, Max. 430. 25. Ebenda S. 429, Max. 463.
26. In ironischer Variation taucht das Thema bereits in V. 6684 auf.

III

Im dritten Akt begegnet uns Mephisto, der sich in die Gestalt der Phorkyas verwandelt hat, wiederum in überlegen-distanzierter Haltung. In seiner Funktion als Partner der Mitfiguren – als »Sohn des Chaos« (8027, 8695) – ist er auch hier der Geist, der verneint[27] und aus dessen Perspektive nicht nur der Chor, sondern die Menschen insgesamt als Gespenster erscheinen: »Die Menschen, die Gespenster sämtlich gleich wie ihr...« (8930 f.).

Von besonderer Bedeutung ist jedoch, daß Goethe ursprünglich Phorkyas mit folgenden Worten, zum Publikum gerichtet, hervortreten lassen wollte:

> Denn Liebespaaren zeigtet ihr euch stets geneigt
> Euch selbst ertappend gleichfalls in dem Labyrinth
> Doch werdet ihr dieselben alsbald wieder sehn
> Durch eines Knaben Schönheit elterlich vereint
> Sie nennen ihn Euphorion so hieß einmal
> Sein Stief-Stiefbruder, fraget hier nicht weiter nach.
> Genug, ihr seht ihn, ob es gleich viel schlimmer ist
> Als auf der brittischen Bühne wo ein kleines Kind
> Sich nach und nach heraus zum Helden wächst.
> Hier ist's noch toller kaum ist er gezeugt so ist er auch geboren...
>
> Ich aber bin nichts nütze mehr an diesem Platz.
> Gespenstisch spinnt der Dichtung Faden sich immer fort
> Und reißt am Ende tragisch! alle seyd gegrüßt
> Wo ihr mich wieder findet, werd es euch zur Lust.
>
> (Paral. Nr. 176, WA I, 15, 2, S. 234)

Diese Worte, die wahrscheinlich am Ende der Szene »Innerer Burghof« eingefügt werden sollten und die übergeleitet hätten zum Schauplatz »Schattiger Hain«, hätten Mephisto in der Funktion eines Epilogsprechers hervortreten lassen. Als Sprecher sollte Mephisto – über dem Szenisch-Vorgänglichen stehend – mit einer Vorausdeutung die Zuschauer auf die Euphorion-Handlung vorbereiten. Er wäre so – in bezug auf den dramatischen Vorgang – als allwissend und über Vergangenes und Zukünftiges verfügend erschienen. Darüber hinaus wäre er uns aber auch noch in einer weiteren Hinsicht in anderer

27. Vgl. *E. Staiger*, a.a.O. II, 332 u. 343. – Auf die Bedeutung der Verwandlung Mephistos in die Phorkyasgestalt brauchen wir hier nicht näher einzugehen, da *W. Emrich* in: Die Symbolik von Faust II, Bonn 1957², S. 273 ff. u. S. 313 f. diese Zusammenhänge eingehend deutet.

Funktion begegnet als im ersten und zweiten Akt. Er hätte hier mit den Worten: »Genug, ihr seht ihn...« eine Reflexion auf die Struktur des »Faust II« gegeben, hätte dem Zuschauer Einblick verschafft in die *Werkstatt* des Dichters und die Schwerverständlichkeit dieser Dichtung. Goethe wollte offenbar auf diese Weise dem Zuschauer das Drama als gemachtes, als geschaffenes Werk (und überdies als anders gemacht als das Drama Shakespeares) bewußt vor Augen führen. Der Vorgang des »Faust II« wäre damit dem Publikum direkt als fiktiver Vorgang sichtbar gemacht worden. Mit dem Hinweis auf das englische Theater hätte Mephisto ferner dem Zuschauer einen Abstand zum gegenwärtigen dramatischen Vorgang verschafft; er hätte ihn auf das Besondere der Zeitstruktur des »Faust II« aufmerksam gemacht[28] und hätte ihm die Rolle eines kritischen Beurteilers zuerteilt. Dem Zuschauer wäre so gleichsam ein Schlüssel zum Verständnis der Intention dieser Art von Dramatik an die Hand gegeben worden.

Mephisto hätte hier als Epilogsprecher einen völlig anderen Bewußtseinshorizont gehabt als in seiner Rolle als Handlungspartner. So hätte er auch, zwischen Bühne und Parkett vermittelnd, voll aus dem Illusionskreis der Bühne heraustreten und ganz vorne an der Rampe spielen müssen. Mit den Schlußworten »Ich aber bin nichts nütze...«, die einen recht geringen Abstand des Sprechers vom Publikum erkennen lassen,[29] hätte er noch eine direkte Vorausdeutung auf den tragischen Ausgang der Euphorionhandlung[30] gegeben und hätte nochmals sein Verfügen über das Zukünftige hervortreten lassen. Die Aufhebung der Identität der Person Mephistos wäre mit diesem Epilog um ein Beträchtliches weiter vorangetrieben worden als mit den kurzen Ansprachen ad spectatores. Mephisto wäre zum ironisch-ernsten Kommentator der Technik des Herstellens des »Faust II« geworden. Der Zuschauer wäre damit ohne eigentliche Überleitung aus dem Szenisch-Vorgänglichen der Begegnung Fausts mit Helena in die Erläuterung der Bauform des Dramas verwickelt worden. Auf diese Weise wäre gerade der – in spätklassischer Zeit um 1800 entstandene – Helenaakt ein Gegenbeispiel des in sich ruhenden und in sich geschlossenen autonomen Kunstwerks geworden. Es wäre unmittelbar hervorgetreten, wie wenig der nachklassische Goethe die Vorstellung erwecken will, daß der »Faust II« eine vom Zuschauer abgekapselte, in sich geschlossene ästhetische Realität im Sinne des »schönen Scheins« ist.

28. Mephisto weist besonders auf die Zeitordnung, die dieses Drama enthält, auf die Relativierung der Vorstellung von der Zeit im Sinne der Chronologie.

29. Die Vertrautheit des Sprechers mit dem Zuschauer ist hier noch größer als in der Publikumsansprache V. 6815 f.

30. Der tragische Ausgang des »Faust II« ist hier wohl nicht gemeint.

Freilich: Goethe hat diesen Epilog nicht voll ausgeführt und nicht in den endgültigen Dramentext aufgenommen. Intention und Charakter des »Faust II« werden uns jedoch durch den Blick auf die Entstehungsgeschichte des Werkes deutlicher. Übrig bleiben im ausgeführten Drama von dem Plan schließlich nur noch eine Publikumsansprache Mephistos nach Euphorions Tod (9955 f.) und eine längere Regieanmerkung ganz am Ende des Aktes nach der Szene »Schattiger Hain«. Sie heißt:

> Der Vorhang fällt. Phorkyas im Proszenium richtet sich riesenhaft auf, tritt aber von den Kothurnen herunter, lehnt Maske und Schleier zurück und zeigt sich als Mephistopheles, um, insofern es nötig wäre, im Epilog das Stück zu kommentieren. (nach 10038)

Goethe beschränkt sich auch in diesem Fall schließlich auf »Miene, Wink und leise Hindeutung«[31]. Die publikumgerichtete Haltung Mephistos bleibt jedoch voll gewahrt. Mephistos dirigierende Stellung innerhalb des Vorgangs des dritten Aktes wird sichtbar. Der stumme pantomimische Kommentar, der, sofern das überhaupt noch nötig ist, das Geschehen entzaubert, genügt vollauf zur Erläuterung dessen, was in diesem Akt vorgefallen ist.

IV

Im vierten Akt soll Faust, der den Zenith des Lebens überschritten hat,[32] nach Mephistos Wunsch zum Narren der Macht werden. Seine Unzufriedenheit soll sich, nachdem er mit dem Strand belehnt worden ist, im »Tatengenuß« zur Unersättlichkeit der Macht verwandeln.[33] Mephisto scheint jedoch auch uns in diesem Akt, in dem er fast alle Elementargeister für seine Pläne benötigt, »nicht mehr ganz auf der Höhe seiner Kraft«[34] zu sein. Auffallend ist aber vor allem, daß *er selber* im fünften Akt – und im Gegensatz zu dem, was mit Faust geschieht – zum Narren wird. Beide Figuren scheinen hier – nicht zum ersten Mal, jetzt aber in einem höheren Sinne – »ihre Rollen zu tauschen«. Während Faust, für den die Magie auf jeder Stufe an Würde verloren hat,[35] nur zum Schluß »das Weilen im ständigen Weiterschreiten, den reinen Frieden der ›Stufe‹[36] begrüßt, möchte Mephisto nach Fausts Tod den Augenblick des nied-

31. Vgl. Hbg. A. Bd. 3, 457. 32. Vgl. *Staiger,* a. a. O. III, 404.
33. Ebenda S. 434. 34. Ebenda S. 414.
35. Ebenda S. 437. 36. Ebenda S. 448.

rigen Genusses (Liebe zu den Engeln) festhalten. Als ihn dabei das »überteuflisch Element« (11754) zu verbrennen droht, kommt er zu folgender Selbstreflexion:

> Und wenn ich mich betören lasse,
> Wer heißt denn künftighin der Tor? (11765)

Mephisto wird im fünften Akt durch eigene Schuld zum Toren und wird so in dieser Hinsicht mit vollem Recht um seine Beute gebracht. Eine Umkehrung des Motivs von der Narrheit findet statt: der Demaskierende wird demaskiert. Denken wir hier einen Augenblick zurück an die »Klassische Walpurgisnacht«; in ihr bereits muß Mephisto es sich gefallen lassen, daß er von den Sphinxen und Lamien ironisiert und demaskiert wird.[37] Im Raum der Antike erscheint er bereits als der eigentliche Narr. Faust könnte hier nicht so bezeichnet werden. Denken wir besonders an die Szene, in der die Lamien Mephisto nach sich ziehen (7696 f.), in der Mephisto sich närrischer verhält als der Kaiser im ersten Akt und in der er in einem Selbstkommentar[38] sagt: »Alt wird man wohl, wer aber klug? / Warst du nicht schon vernarrt genug!« (7712 f.). Er zeigt sich hier unbesonnen, in einer Umkehrung das Verhalten Fausts gegenüber Helena spiegelnd. Er ist nicht übereilt in dem Versuch, die »einzigste Gestalt« zu erlangen, sondern übereilt in der Begier nach den Lamien, von denen er doch selber sagt: »Man weiß, das Volk taugt aus dem Grunde nichts.« (7714) Diese Szene »spiegelt« sich in der Engelsszene des fünften Aktes ab. Mephistos Verhalten nach Fausts Tod wird mit seinem Verhalten während der »tollen Nacht« vorbereitet. Dieses kehrt im fünften Akt in gesteigerter Form wieder. Aber noch in anderer Hinsicht dient die Szene »Klassische Walpurgisnacht« der Vorbereitung des endgültigen Abgangs Mephistos: die Empuse hat sich eigens wegen Mephisto (»In vieles könnt' ich mich verwandeln«, 7745) in den Esel verwandelt (»Doch Euch zu Ehren hab' ich jetzt / Das Eselsköpfchen aufgesetzt«, 7746). Und obwohl Mephisto antwortet: »Den Eselskopf möcht' ich verleugnen« (7751), zeigt ihn die folgende Szene als den wahren Narren der Walpurgisnacht. Er wird zum Spielzeug der Gespenster, die ihn dirigieren. So bereitet der Dichter mittelbar vor, was er Mephisto im fünften Akt in gesteigerter Form zuzuerteilen gedenkt. Nach Fausts Tod zeigt sich der weise Ratgeber Mephisto in eigener Sache unweise, vernarrt, indem er das Schicksal, das er Faust bereiten wollte, sich selbst bereitet und so wahrhaft als Esel den »großen Aufwand« (11837) selbst vertut. Er gehört selber ins Tollhaus der Welt.

37. Das Herzlose seiner Demaskierungen, die selbst vor dem Herzen (Herz für Mephisto auch nur Maske) nicht haltmachen, wird sichtbar.

38. Ähnlich wie im fünften Akt in der Form der Frage. Es wäre lohnend, den Beziehungen zwischen Ironie und Reflexion in der Redeform Mephistos nachzugehen.

Von seiner Funktion als Partner des Publikums merken wir im vierten[39] und fünften Akt nichts mehr. Mephisto spricht nicht mehr vom Proszenium aus. Im Gegenteil, die Regieanmerkung heißt jetzt:

Mephistopheles, der ins Proszenium gedrängt wird. (vor 11780)

Mephisto wird jetzt nicht nur genarrt, sondern auch dirigiert: er erscheint als der in die Passivität gedrängte Teufel. Darüber hinaus wird jetzt sichtbar, daß er in der konkreten Situation nach Fausts Tod kein Wissen davon hat, wie sich im Schicksal des Menschen Verdienst und Glück verketten können. Seine »Eselsaugen« fassen nicht das Mysterium, wie Faust, da trotz aller Schuld das Verdienst des strebenden Sichergreifens bei ihm gegeben ist, durch göttlichen Beistand (Glück) gerettet werden kann. Faust gelangt nach der letzten »ungeduldigen Tat« (11341)[40] im Rückblick auf seinen Lebensprozeß zur Reflexion auf sein eigenes Torsein. Ein Selbstgericht setzt bei ihm ein (11398ff.). Freilich: bis zu seinem Tod bricht Faust nicht zum freien, von Magie gelösten Selbstsein durch. Aber er ergreift sich doch, und im zweiten Teil in einem höheren Sinn, als seine eigene Aufgabe, versteht sich nicht (auch im Vorgefühl des erfüllten Augenblickes nicht) als ein fertiges, abgeschlossenes Sein.[41] Er ist zwar – in mehrerlei Hinsicht – ein »halbschuldiger Verbrecher« geworden, wie wir im Anschluß an Goethes Sprachgebrauch sagen können.[42] Er hat durch »übereilte Tatausübung« sich und andere (Gretchen, zuletzt Philemon und Baucis) in das »tiefste, unherstellbarste Elend«[43] gestürzt. Aber er kann, da er nur halbschuldig ist und da Mephisto so seine Wette nur halb gewinnt,[44] doch schließlich in die göttliche Sphäre erhoben werden. Durch Mephisto ist er eingangs in eine Klemme geraten, der er nicht gewachsen ist. Und so bleibt er als eine »Ausgeburt zweier Welten«, als zugleich unbedingtes und bedingtes Zwischenwesen[45] während seines Lebensvollzuges im Zwiespalt seiner Existenz

39. Allenfalls könnte man sich vorstellen, daß die ironisch umfunktionierten Bibelzitate Mephistos in einer Halbwendung zum Publikum gesprochen werden.

40. Gemeint ist die Philemon-und-Baucis-Handlung.

41. Auch nach V. 11585 gilt noch: »Im Weiterschreiten find' er Qual und Glück,/ Er, unbefriedigt jeden Augenblick!« (11451).

42. Zum Sprachgebrauch vgl. bes. Hbg. A. Bd. 12, 344. Eine genaue Deutung der Faustgestalt aus Goethes theoretischen Äußerungen zur antiken und modernen Dichtung behalten wir uns vor.

43. Ebenda S. 344. 44. Ebenda Bd. 3, 433.

45. Ebenda Bd. 12, 513, Max. 1049 u. Bd. 9, 352.

stecken. Über die mit seiner Endlichkeit mitgegebenen Fehler und Verblendungen kommt er aus eigener Kraft nicht heraus. Aber er ergreift sich im Prozeß des Selbstlernens bewußt als ein Wesen, das immer in Funktion ist, das in Richtung auf das Ewige hin streben kann.[46] Nicht zufällig sagen die Engel: »Doch dieser hat gelernt.« (12082) Faust hat sich Schritt um Schritt herausgearbeitet aus den »realen« und »phantastischen« Irrtümern und beginnt nach der Begegnung mit Helena mit einer im höchsten Sinne bejahenden, positiven Aufgabe[47] als ein konkretes soziales Selbst tätig-handelnd eine ursprüngliche gesellschaftliche Ordnung aufzubauen. Die Begegnung mit dem höchsten irdischen Gut, mit Helena, hat eine »innere Potenzierung« seines Daseins bewirkt, sie hat ihn nicht geändert (oder gar gebessert), aber sie hat ihn höher, fester, in sich versammelter, wirklicher gemacht.[48] Und da er seither in seinem »beirrten Streben« höher, reifer, wirklicher irrt und leidet,[49] kann er schließlich durch göttlichen Beistand gerettet werden.

Aber gerade Rettung und Verwandlung Fausts, der in der Szene »Bergschluchten« zunächst im »Puppenstand« (11982) existiert, jedoch schon bald danach die Seligen Knaben »überwächst« (»Er überwächst uns schon / An mächtigen Gliedern«, 12076), sind Mephisto unfaßbar. Der in der eigenen Falle gefangene Mephisto kann in der konkreten Situation nicht anwenden, was er einst als weisen Spruch dem Astrologen eingeblasen hat: »Wer Wunder hofft, der stärke seinen Glauben.« (5056) Das Wunder Euphorions vermochte er ironisch dem Chor im dritten Akt zu erklären. (9579) Das Wunder der Rettung und Verwandlung Fausts übersteigt sein Fassungsvermögen. Überhaupt ist ihm jede Verwandlung nach oben, d. h. jede wahre innere Verwandlung verschlossen und unbegreiflich. Bei ihm finden wir nur die Verwandlungen nach unten, z. B. in dem Mummenschanz. Dort heißt es von Zoilo-Thersites, der sich unter der Hand des Herolds verwandelt: »Wie sich die Doppelzwerggestalt / So schnell zum eklen Klumpen ballt! – / – Doch Wunder! – Klumpen wird zum Ei, / Das bläht sich auf und platzt entzwei. / Nun fährt ein Zwillingspaar heraus, / Die Otter und die Fledermaus.« (5474 f.). Mephisto, der Herr der Insekten und des Ungeziefers, verwandelt sich hier selber ins Ungeziefer, d. h. aber in eine Tierart, die alles das, was unrein und daher nicht des Opfers würdig ist, be-

46. Vgl. zum Terminus »Streben« und zum Wortgebrauch »Entelechie« bei Goethe: *W. Schadewaldt,* Faust und Helena, Zu Goethes Auffassung vom Schönen und der Realität des Realen im Zweiten Teil des ›Faust‹, in: Deutsche Vierteljahrsschrift für Literaturwissenschaft und Geistesgeschichte 1956, S. 34 f. Dazu *E. Staiger,* Goethe, a. a. O. Bd. III, S. 453 ff.

47. Vgl. *Schadewaldt,* a. a. O. S. 29.

48. Ebenda S. 17, S. 29, S. 27.

49. Ebenda S. 34 f.

zeichnet.[50] Eigentlicher Verwandlung oder Steigerung aber ist er nicht fähig. Am Ende von »Faust II« offenbart er, daß er trotz aller Erfahrenheit nichts gelernt hat. Diesen sich in seiner Narrheit selbst offenbarenden Betrüger Mephisto verwandelt der Dichter schließlich zum Betrogenen.

V

In einem Faustparalipomenon finden wir den Satz:

> Und wenn der Narr durch alle Szenen läuft,
> So ist das Stück genug verbunden. (Nr. 14)

Dieser Vers, der von Goethe wohl für die »Lustige Person« des »Vorspiels« gedacht war, zielt nicht auf Mephisto. Die Lustige Person, d. h. der Schauspieler, der im Drama den Mephisto spielt,[51] weist mit diesen Worten auf den Titelhelden, auf Faust. Wie wir sahen, erscheint Faust im zweiten Teil aus Mephistos Perspektive als ein Narr. Ob freilich mit Fausts tragischer Narretei das Stück wirklich genug verbunden ist, und welcher Art Aufbau und Bauform von »Faust II« sind,[52] können wir hier nicht mehr erörtern. Wir versuchten hier nur zu zeigen, wie der Wandel in der Konzeption Mephistos, der vom Dichter im Lauf der Jahre verschiedene Funktionen zuerteilt erhält, mit einem allgemeinen Stilwandel des »Faust II« parallel geht. Als das wichtigste Merkmal eines Stilwandels des Dramas – soweit wir das von unserer Fragestellung her erfassen konnten – erschien uns die Aufhebung oder Relativierung der autonomen, in sich geschlossenen ästhetischen Realität durch die Publikumsansprachen Mephistos. In der Tat zerbricht so die Geschlossenheit des dramatischen »Organismus«, so daß der »Faust II« aus dem Rahmen des neuzeitlichen Dramentypus und dessen geschlossener Kunstrealität herausfällt. Der »Faust II« läßt strukturelle Ähnlichkeiten mit dem früh- und vorneuzeitlichen Drama erkennen.[53] Die Absicht des Dichters des zweiten Teils ist es nicht mehr, die

50. Vgl. zum Wesen des Ungeziefers: *W. Kayser*, Das Groteske, a. a. O. S. 196. Ferner: »Das groteske Tier schlechthin aber ist die Fledermaus.«, S. 197. Dazu unsere Anmerkung 18.

51. Vgl. *E. Trunz*, in: Hbg. A. Bd. 3, 493.

52. Darauf versuche ich in meinem Aufsatz über den Aufbau des »Faust II« einzugehen.

53. Zur Terminologie vgl.: *Klaus Ziegler*, Das deutsche Drama der Neuzeit, in: Deutsche Philologie im Aufriß, hrsg. v. *W. Stammler*, 13.–15. Lf., S. 990 u. S. 1294 f. Dort wird besonders auf die Analogien zwischen der früh- und spätneuzeitlichen Dra-

Zuschauer zu verzaubern oder zu überwältigen durch eine Illusion im Sinne des schönen Scheins. Der »Faust II« ist ein theatrum mundi, und der Zuschauer soll erfahren, daß es sich in der ästhetischen Welt des Dramas um die Welt handelt, in der er selber als ein endliches Wesen lebt. Haben wir uns das klar gemacht, dann wird verständlich, daß die dramaturgischen Formen der Publikumsansprachen und des Epilogs, deren Mephisto sich bedient, eine wirkungspoetische Verbindlichkeit erhalten: sie sollen bewirken, daß der Zuschauer sich nicht bloß rezeptiv verhält, sondern daß er sich aus seiner mit der Endlichkeit mitgegebenen Narrheit aufrütteln läßt.

Es ist aber nicht zufällig, sondern ein sehr »ernster Scherz« Goethes, daß gerade Mephisto diese Rolle des Aufrüttelns übernimmt. Denn so bestätigt Mephisto sich – auch technisch von seiner Funktion innerhalb des Kunstwerkes her – als derjenige, »der reizt und wirkt und muß als Teufel schaffen.« (343) Mit seinen provozierenden Kommentaren macht er die »unbedingte Ruh« (341), d. h. Trägheit und Stillstand als das eigentlich Negative schwer und ermöglicht, obwohl er das Böse will, bei den Menschen das Gute. Nicht eigentlich christlich will uns dieser Teufel erscheinen. Ähnlich wie die Schlußszene des zweiten Teils ist auch Mephisto nur zu verstehen vor dem Hintergrund des »Säkularisationsprozesses«[54], der Goethe und seine Konzeption des »Faust« ergriffen hat. Goethe bediente sich offenbar nur deshalb der Gestalt des christlichen Teufels, weil sie seinen »poetischen Intentionen«[55] am weitesten entgegenkam, und begann mit ihr von seiner modernen Bewußtseinslage aus ein *ironisch-ernstes Spiel.* Von allen Geistern, die verneinen, war auch Goethe der »Schalk« (339)[56] am wenigsten zur Last. Mit den Publikumsansprachen dieses »Schalkes« konnte Goethe dem »vernünftigen Leser«[57] entgegenarbeiten.

matik hingewiesen. Vgl. auch: *W. Hinck,* a. a. O. S. 122 f. – Von Bedeutung erscheint uns, daß auf dem Höhepunkt der Neuzeit der nachklassische Goethe mit »Faust II« die Ablösung des spezifischen Formtypus des neuzeitlichen Kunstdramas zu vollziehen beginnt.

54. Vgl. allgemein *Staiger,* a. a. O. II, 320.

55. Hbg. A. Bd. 3, 456.

56. Vgl. zur Worterklärung: *Staiger* a. a. O. II, 332. Mephisto als Partner der Mitfiguren scheint uns an mehreren Stellen des zweiten Teils vom Geist der Commedia dell'Arte her konzipiert zu sein. Wir behalten uns eine Untersuchung darüber vor, inwiefern das freie Schalten mit den Bedingungen psychologischer Wahrscheinlichkeit, die zeitweilige spielerische Turbulenz, das Motiv der Doppelrolle und die Struktur der Verwandlung bei der Konzeption Mephistos von der Commedia dell'Arte her bedingt sind. Zu bedenken wären auch die Worte der Lustigen Person: »Laßt Phantasie mit allen ihren Chören, / Vernunft, Verstand, Empfindung, Leidenschaft, / Doch, merkt euch wohl! nicht ohne Narrheit hören!« (86 f.). Allgemeines zur Commedia dell'Arte vgl. *W. Hinck,* a. a. O. S. 21.

57. Hbg. A. Bd. 3, 455.

Mit den Ansprachen des zum Publikum gerichteten Mephisto versuchte Goethe eine hohe Möglichkeit der Wirkung von Kunst zu erreichen: die Sammlung[58] des Menschen aus dem zerstreuten Leben, d. h. die Befreiung aus Übereilung und Versäumnis (Stillstand). Indem Goethe so seinem Mephisto den Zuschauer als den eigentlichen Adressaten seiner Reden gab, führte er die Wirkung seines Dramas über eine bloß ästhetische hinaus. Das gehört zum Spätstil[59] des »Faust II« notwendig mit hinzu.

58. Vgl. allgemein zur sammelnd-versammelnden Wirkung der Kunst Goethes: *W. Schadewaldt,* a. a. O. S. 16. Und: *W. Kayser,* Goethes Auffassung von der Bedeutung der Kunst, in: Die Vortragsreise, a. a. O. S. 145 f.

59. Der gattungspoetologischen Frage gehen wir in unserer Untersuchung des Aufbaus von Faust II nach.

Zum epischen Aufbau der Realität in Goethes »Wilhelm Meister«

Der Frage nach dem epischen Aufbau der Realität in Goethes »Wilhelm Meister« gehen wir hier in ersten Vorbemerkungen[1] nach, indem wir an einigen Beispielen untersuchen, welche *Bauformen* den Erzählvorgang dieses Romans konstituieren, gliedern und verweben.[2] Da nur die Berücksichtigung beider Teile des Romans die Frage nach dem epischen Aufbau hinlänglich anpacken kann, betrachten wir Stellen aus den »Lehr-« und »Wanderjahren«.[3] Dabei halten wir uns vorwiegend an die Reihenfolge, in der sie vom Erzähler im Werk dargeboten werden, da der Stellenwert,[4] der ihnen innerhalb der erzählten Welt zukommt, so besser berücksichtigt werden kann.

I

Im vierten Buch der »Lehrjahre« wird Wilhelm Meister bei einem Raubüberfall schwer verwundet. Der Erzähler erläutert den Vorgang mit den Worten: »... von einem Hiebe, der ihm [Wilhelm] den Hut spaltete und fast bis auf die Hirnschale durchdrang, betäubt, fiel er nieder.«[5] Diesen Raubüberfall

1. Diese Arbeit ist ein erster Teil meiner größeren Untersuchung: Der epische Aufbau der Realität in Goethes »Wilhelm Meister«, die noch nicht abgeschlossen ist. – Vgl. auch: *Wolfgang Staroste*, Die Darstellung der Realität in Goethes »Novelle«, in: Neophilologus 1960, S. 322–333 [jetzt im hier vorliegenden Bande, S. 25–38].

2. Vgl. allgemein zu den Aufbaufunktionen epischer Erzählelemente: *E. Lämmert*, Bauformen des Erzählens, Stuttgart 1955.

3. Da beide Teile vom Erzähler miteinander verknüpft worden sind, ist eine Gesamtbetrachtung eigentlich unumgänglich. Das bedeutet jedoch nicht, daß wir die »Wanderjahre« als eine direkte »Fortsetzung« der »Lehrjahre« verstehen. Den Unterschieden in der Erzählhaltung, in Stil und Kompositionsart gehen wir in einer eigenen Abhandlung nach.

4. *E. Lämmert*, a. a. O. S. 244.

5. Wir zitieren im folgenden nach der Hamburger Goethe-Ausgabe, hrsg. von *E. Trunz* (abgek.: Hbg. A.). – Hier: Bd. 7, 224.

läßt der Erzähler an einer bestimmten Stelle des vordergründigen Erzählverlaufs eintreten. Kurz vor diesem Ereignis erwähnt er, daß Wilhelm, der seit seinem Aufenthalt bei der Schauspielertruppe Melinas allmählich in ein »unbestimmtes Schlendern geraten«[6] ist, sich aus »Selbstbetrug« (zu dem er »eine fast unüberwindliche Neigung«[7] spürt) verkleidet und in seinem Leben Shakespeares »Prinzen Harry« zu spielen beginnt. Er kommentiert das mit den Worten: »Ein runder Hut mit einem bunten Bande ... machte die Maskerade vollkommen.«[8] Diese Verkleidung ist ein prägnanter Ausdruck des sich selbst betrügenden Scheinlebens, in das Wilhelm planlos-schlendernd geraten ist. Ja, die Scheinhaftigkeit seines Lebens gerät gerade in dieser Szene auf ihren Höhepunkt. Nur wenig später aber wird der so maskierte »Vagabund«[9] verwundet und seines Besitzes beraubt. In dieser Situation der Hilflosigkeit und der Erfahrung des Todes begegnet ihm jedoch zum erstenmal Natalie. Ihr »heilsamer Blick«, das von »Strahlen« umgebene Haupt[10] sowie das Band des »heilenden« Bestecks[11] prägen sich dabei tief in sein Gedächtnis ein, und als er bald darauf Natalie wieder aus den Augen verloren hat, ruft er sich die Begegnung mit der »Gestalt aller Gestalten«[12] erneut in die Erinnerung zurück: »Alle seine Jugendträume knüpften sich an dieses Bild... ›Sollten nicht‹, sagte er manchmal im stillen zu sich selbst, ›uns in der Jugend wie im Schlafe die Bilder zukünftiger Schicksale umschweben und unserm unbefangenen Auge ahnungsvoll sichtbar werden? Sollten die Keime dessen, was uns begegnen wird, nicht schon von der Hand des Schicksals ausgestreut ... sein?‹«[13] Auf dem Krankenlager beginnt Wilhelm eine *intensive Besinnung auf sich selbst* in der Form eines Rückblicks auf seine »Jugendträume«.[14] Er deutet sich dabei seine Begegnungen mit Natalie von der Situation der »heldenmütigen Chlo-

6. Ebenda Bd. 7, 141. 7. Ebenda S. 210. 8. Ebenda.

9. Wilhelm nennt sich später selber so: ebenda S. 511.

10. Ebenda S. 228.

11. Vgl. zur Bedeutung dieses Gegenstands: *Wolfgang Staroste,* Zur Ding-»Symbolik« in Goethes »Wilhelm Meister«, in: Orbis Litterarum, Kopenhagen 1960 [jetzt hier im vorliegenden Bande, S. 9–24]. – Hier nur der Hinweis: daß gerade in dieser Situation das entscheidende dingliche Zeichen, an dem Wilhelm sich in der Härte der Arbeit selbst verwirklichen wird, auftaucht, bestätigt unsre These, daß hier wirklich eine für den Erzählaufbau und für den Sinnzusammenhang des Werkes entscheidende Stelle vorliegt.

12. Hbg. A. Bd. 7, 445. 13. Ebenda S. 235.

14. Vgl. allgemein zum »Rückblick«: *E. Lämmert,* Bauformen des Erzählens, Stuttgart 1955, S. 128 f.

rinde«[15] und von der des »kranken Königssohns«[16], d. h. von Vorstellungen seiner Kindheit, die den Horizont der Möglichkeiten seines Sichverstehens frühzeitig abgesteckt haben. In diesem Rückblick der Erinnerung an das Lieblingsgemälde seiner Jugendzeit – und das meint: in der ersten wirklichen Reflexion auf sein eigenes Leben – beginnt Wilhelm sich herauszulösen aus der Passivität des Selbstgenusses und des Selbstbetruges. Den Entschluß, den er jetzt faßt, berichtet der Erzähler mit den Worten: »Er wollte nicht etwa planlos ein schlenderndes Leben fortsetzen, sondern zweckmäßige Schritte sollten künftig seine Bahn bezeichnen.«[17] Wilhelm beginnt so nach der Erfahrung des Todes und in der Erfahrung des »Eros« sich selbst zu bestimmen,[18] in der unzerstörlichen Neigung zu Natalie aus den Träumen zu erwachen und sich selbst als »ewiges« Selbst zu ergreifen. Er faßt den Entschluß, dem Schlendrian des unmittelbaren Lebens zu entsagen und die Gegensätze, aus denen er als ein zugleich unbedingtes und bedingtes Wesen[19] besteht, zu vermitteln. Die Begegnung mit Natalie bewirkt so zweierlei: zunächst den Rückblick, der seine Gespanntheit damit von einem entscheidenden Ereignis, das ihm *voraus*geht, erhält,[20] zweitens den Entschluß zu einem neuen Leben, in den die Kraft der Besinnung des Rückblicks umschlägt. Bei diesem Entschluß kommt Wilhelm zu Hilfe, daß er jetzt die Worte Nataliens, »...leidet er nicht um unsertwillen?«[21], versteht. Der Erzähler deutet das mit den Worten an: »Wenn er nun vergnügt und glücklich sein konnte, daß ein vorsichtiger Genius ihn zum Opfer bestimmt hatte, eine vollkommene Sterbliche zu retten...«[22] Wilhelm erfährt sich als ein Opfer. Die Szene des Überfalls enthält so in Wahrheit eine Erzählsituation, in deren Mitte Wilhelms stellvertretendes *Opfer* und Leiden steht. Wilhelms Entschluß, die Truppe gerade den gefährlichen Weg zu führen, wird die Vorbedingung für Nataliens Rettung. Gleichzeitig aber wird diese Situa-

15. Hbg. A. Bd. 7, S. 235.

16. »...ihm fiel der kranke Königssohn wieder ein, an dessen Lager die schöne, teilnehmende Prinzessin ... herantritt.« Ebenda S. 235.

17. Ebenda S. 238.

18. Vgl. dazu den Kommentar zur Stanze »Eros« der »Urworte Orphisch« (Bd. 1, 406): »... jetzt wird er in seinem Innern gewahr, daß er sich selbst bestimmen könne, daß er ... ein zweites Wesen eben wie sich selbst mit ewiger, unzerstörlicher Neigung umfassen könne.«

19. Nach Goethes Auffassung ist der Mensch als »Ausgeburt« zweier Welten (Hbg. A. Bd. 12, 513, Max. 1049) ein Zwischenwesen, zugleich unbedingt und bedingt. Vgl. auch Bd. 9, 352.

20. Vgl. zur Terminologie: *E. Lämmert*, a. a. O. S. 137.

21. Hbg. A. Bd. 7, 227.

22. Ebenda S. 239 f.

tion des Leidens für Wilhelm der entscheidende Anstoß für den späteren Durchbruch zu einer neuen Bewußtseins- und Lebensstufe. So ist nicht verwunderlich, daß der Erzähler hervorhebt: Obgleich Wilhelm sich vor der Schauspielertruppe »herausgeredet hatte, so konnte er sich doch selbst seine Schuld nicht verleugnen. Er schrieb sich vielmehr in hypochondrischen Augenblicken den ganzen Vorfall allein zu.«[23] In Wilhelm erwacht jetzt ein wirkliches Schuldbewußtsein. Dem aufmerksamen Leser wird damit die Situation des Überfalls zu einer markanten Stelle des inneren Vorgangs und zu einem *Spannungshöhepunkt.* Die Frage legt sich nahe: Was wird Wilhelm tun? Wird er seinen Entschluß verwirklichen?

Wilhelm verwirklicht seinen Entschluß während der Zeit, die die folgenden Bücher des Romans schildern, nicht. Trotz der Wirkung der Vergangenheit bleibt er weiterhin beim Schauspielertum, ja, der Komödiantenberuf beginnt für ihn eigentlich jetzt erst wirklich mit dem Hamlet-Spiel. Und wenn auch dieses Spiel überzeugend ist, weil Wilhelm das Hamlethafte, Geistig-Schwermütige, Kranke vom jüngst wieder erneuerten Sichverstehen von der Lage des »kranken Königssohn« vertraut ist und weil er tatsächlich (wie Jarno ihm später vorhält) gerade in dieser Rolle sich selbst spielt,[24] so bleibt sein Weg doch ein Irrweg. Selbst der Tod seines Vaters[25] und die Ermahnung des Abgesandten des »Turms«, der als »Geist des Vaters« Wilhelm bewußt an seinen Vater erinnert,[26] bewirken nicht die Loslösung aus der Welt des Theaters. Ja, sogar die Lektüre der »Bekenntnisse einer schönen Seele«, die Wilhelm einen Menschen vorführen, der während seiner Jugend im »Gewand der Torheit« lebt und zeitweilig ganz von »Narrheit« durchdrungen ist,[27] erreicht das nicht.

Erst die Erfahrung vom Tod Marianens bewirkt spät die wirkliche Loslösung aus der Scheinverfangenheit. Der Erzähler vermerkt: »Wilhelm wollte nun seinen förmlichen Abschied vom Theater nehmen, als er fühlte, daß er schon abge-

23. Ebenda S. 242. 24. Ebenda S. 551. 25. Ebenda S. 284.

26. Ebenda S. 322, in der Hamletaufführung.

27. Die »Bekenntnisse«, deren Platz an dieser Stelle der »Lehrjahre« notwendig ist und die keine bloß retardierende Episode im Erzählverlauf sind, haben einen stark funktionalen Charakter. Einmal soll Wilhelm durch die Lektüre der Bekenntnisse erfahren, was geschehen kann, wenn man sich in »törichter Zerstreuung« (ebenda S. 377) ins »Gewand der Torheit« kleidet, wenn es dann nicht bei der Maske bleibt und die Narrheit einen durchdringt (ebenda S. 378). Er hört ferner: »wer kommt früh zu dem Glück, sich seines eignen Selbst ... in reinem Zusammenhang bewußt zu sein?« (ebenda S. 388). Schließlich: er erfährt bereits von Natalie (ebenda S. 418), über die später gesagt wird, sie verdiene den Namen »schöne Seele« noch mehr als die Tante! (ebenda S. 608).

schieden sei.«[28] Im unmittelbar anschließenden Kapitel wird er daraufhin von Jarno in den Saal des »Turms« regelrecht »hineingeschoben«,[29] wie der Erzähler, da Wilhelm ja überdies seit seinem Aufbruch aus der Heimat ständig von Abgesandten des Turms auf den Turm hin *geschoben* worden ist, heiter-ironisch anmerkt. Die Situation im Turm markiert neben der des Raubüberfalls eine besonders wichtige Stelle im Erzählvorgang. In ihr wird Wilhelm noch einmal an die entscheidenden Entwicklungsstadien seiner Vergangenheit erinnert[30] und versteht nun seinen Lebensgang. Wichtiger aber ist die *Vorausdeutung*, die ihm hier im Saal gemacht wird: »...›du bist gerettet und auf dem Wege zum Ziel. Du wirst keine deiner Torheiten bereuen und keine zurückwünschen, kein glücklicheres Schicksal kann einem Menschen werden.‹«[31] Dieses Mittel der Vorausdeutung, durch das der Gesamtausgang des Lebens Wilhelm Meisters (und indirekt auch der des Romans) mehr oder weniger orakelhaft von einer Person der Handlung antizipiert wird, hat die funktionelle Bedeutung der Steuerung des Lesers und des Helden in eine bestimmte Richtung. Um so wichtiger ist, daß Wilhelm noch hier im Turm die Frage stellt, mit der seine Lehrjahre enden. Sie heißt: »Könnt ihr mir sagen, ob Felix wirklich mein Sohn sei?«[32] Mit dieser Frage hat Wilhelm, dessen Schuldbewußtsein seit der Nachricht vom Tod Marianens[33] wieder erwacht ist, sich für seine Vergangenheit entschieden und so den Entschluß zu einem neuen Leben endgültig gefaßt. Er sieht seither Felix als den »besten Teil« seiner selbst[34] an. Die Situation im Turm ist so wirklich ein neuer Höhepunkt des Erzählgeschehens und ein *Einschnitt:* Wilhelm wird »von der Natur« losgesprochen. Seine Lehrjahre enden.[35]

Aber Wilhelm spricht noch *nicht* von einer erfüllten Gegenwart aus. Er muß, bevor er sein Ziel erreicht, »eben zur rechten Zeit«[36] aus freien Stücken seine eigenen Lehrjahre, die, fixiert zum Bericht, im Saal des Turms aufbewahrt werden, lesen. Darüber heißt es: »Es ist eine schauderhafte Empfindung, wenn ein edler Mensch mit Bewußtsein auf dem Punkte steht, wo er über sich selbst aufgeklärt werden soll. Alle Übergänge sind Krisen, und ist eine Krise

28. Ebenda S. 490. Das Wort »abgeschieden« entstammt der Sprache der Mystik; es wird hier von Goethe jedoch »säkularisiert« gebraucht. Vgl. allgemein zu diesem Phänomen: *A. Langen,* Deutsche Sprachgeschichte vom Barock bis zur Gegenwart, in: Deutsche Philologie im Aufriß, hrsg. von *W. Stammler,* Berlin 1952, Bd. I, Sp. 1263.

29. Hbg. A. Bd. 7, 493.

30. Wilhelm wird an das Bild vom kranken Königssohn und an die Hamlet-Aufführung erinnert. Ebenda S. 494 f.

31. Ebenda S. 495. 32. Ebenda S. 497. 33. Ebenda S. 491.

34. Ebenda S. 509. 35. Ebenda S. 497. 36. Ebenda S. 504.

nicht eine Krankheit? Wie ungern tritt man nach einer Krankheit vor den Spiegel! ... er [Wilhelm] sah zum erstenmal sein Bild außer sich, zwar nicht, wie im Spiegel, ein zweites Selbst, sondern wie im Porträt ein anderes Selbst...«[37] Wilhelm wird so noch einmal mit seinem planlos-schlendernden Leben konfrontiert und beginnt damit den Prozeß seines Sichherauslösens aus der Selbstverlorenheit im Gedächtnis *aufzubewahren*. Danach darf er in Nataliens Haus geführt werden. Dem Losgesprochenen begegnet dort völlig überraschend sein Lieblingsbild vom »kranken Königssohn«[38]. Vor diesem Bild, das enthält, was er seit seiner Jugend ersehnte und was er sich im Rückblick reflektierend vergegenwärtigte, scheint erfüllt zu werden, was der Leser zumindest seit der Vorausdeutung im »Turm« antizipiert: die Vereinigung Wilhelms mit Natalie. Von der Schlußszene des »Augenblicks des höchsten Glückes«[39] fällt so noch einmal Licht auf die Situation des Raubüberfalls, in der Wilhelms »Glück begann«[40] und die so wirklich ein markanter Punkt des inneren Vorgangs der Selbstverwirklichung Wilhelms ist. Jedoch: das Glück Wilhelms währt wirklich nur einen Augenblick. Wilhelm muß sich von Natalie trennen. Die Vorausdeutung hat sich *noch nicht* erfüllt.

II

Am Anfang seiner Wanderjahre schreibt Wilhelm nach der Begegnung mit der Josephsfamilie an Natalie: »Soeben schließe ich eine angenehme, halb wunderbare Geschichte, die ich für dich aus dem Munde eines gar wackern Mannes aufgeschrieben habe. Wenn es nicht ganz seine Worte sind, wenn ich hie und da meine Gesinnungen bei Gelegenheit der seinigen ausgedrückt habe, so war es bei der Verwandtschaft, die ich hier mit ihm fühlte, ganz natürlich. Jene Verehrung seines Weibes, gleicht sie nicht derjenigen, die ich für dich empfinde? und hat nicht selbst das Zusammentreffen dieser beiden Liebenden etwas Ähnliches mit dem unsrigen?«[41] Wilhelm legt also dem Brief eine Fassung der Geschichte der Josephsfamilie bei, in die er, da er eine Ähnlichkeit zwischen seinem und Josephs Schicksal bemerkt, seine eigenen Gesinnungen eingeflochten hat. Da sich die Ähnlichkeit nach Wilhelms Worten darauf bezieht, wie sich die Liebenden getroffen haben, stoßen wir am Anfang der »Wanderjahre« bereits wieder auf die wichtige Situation des Raubüberfalls. Auch in der Josephsgeschichte finden sich die Liebenden nach einem Raubüberfall (und wir dürfen sogar vermuten, daß zeitlich beide Ereignisse etwa paral-

37. Ebenda S. 504 f. 38. Ebenda S. 513. 39. Ebenda S. 610.
40. Ebenda Bd. 8, 280. 41. Hbg. A. Bd. 8, 28.

lel laufen!); darüber hören wir aus der Perspektive Josephs: »Was ich so lange gesucht, hatte ich wirklich gefunden. Es war mir, als wenn ich träumte, und dann gleich wieder, als ob ich aus einem Traume erwachte. Diese himmlische Gestalt... kam mir jetzt wie ein Traum vor, der durch jene Bilder in der Kapelle sich in meiner Seele erzeugte. Bald schienen mir jene Bilder nur Träume gewesen zu sein, die sich hier in eine schöne Wirklichkeit auflösten.«[42] Joseph, der sich seit seiner Jugend in seinen Möglichkeiten im Horizont der heilsgeschichtlichen Bilder versteht und weiß, erwacht im Augenblick der Begegnung mit der »Himmelskönigin«[43] aus dem Traum seines Lebens und lebt seither (nach kurzer Trennungszeit[44]) mit Marie im »Aufenthalt einer ruhigen Sammlung«[45]. Diese Josephsgeschichte, die, wie wir sahen, nicht bloß additiv als eine reine Episode der Haupthandlung zugefügt ist, wird als ein integrierender Teil *funktional* auf Wilhelms Prozeß der Selbstverwirklichung bezogen. An einem Reifepunkt des Erzählgeschehens, als Wilhelm sich zu den Geboten der Wanderschaft entschieden hat, wird ihm im Raum einer »ruhigen Sammlung« diese Geschichte erzählt, die er dann selber ausdrücklich korrelativ verknüpft mit seinem eigenen Geschick. Obwohl dabei die relative thematische Gleichstimmigkeit der Handlungen direkt erwähnt wird und obwohl der Josephsgeschichte so ein hoher Grad an *Spiegelung* des Hauptgeschehens zukommt, liegt doch kein völliger Parallelismus der Verläufe vor. Die Selbstverwirklichung Josephs, der sich seit seiner Jugend vom Gedanken der *imitatio* her versteht,[46] ist in dem Augenblick, in dem die Geschichte erzählt wird, abgeschlossen. Wilhelm dagegen befindet sich (obwohl zeitlich die Raubüberfälle etwa parallel laufen) durch eigene Fehler und Verblendungen erst auf dem mühsamen Weg zur Selbstverwirklichung. Joseph braucht den Schmerz eines langen Sonderungsprozesses der Wanderjahre nicht auf sich zu nehmen, da er sich immer schon von der heilsgeschichtlichen Wirklichkeit her, genauer: vom

42. Ebenda S. 23.

43. *André Gilg*, Wilhelm Meisters Wanderjahre und ihre Symbole, Zürich 1954, S. 29, nennt Marie mit Recht so.

44. Über die Trennung heißt es: »... und ich stand bei meinem Esel vor der Tür, wie einer, der kostbare Waren abgeladen hat und wieder ein ebenso armer Treiber ist als vorher.« Hbg. A. Bd. 8, 25. – Dem entspricht die Trennung Wilhelms von Natalie vom Raubüberfall bis zum Ende der »Lehrjahre«. Doch ist aus Wilhelms Worten auch die jetzige Trennung von Natalie mit herauszuhören.

45. Ebenda S. 14.

46. Vgl. dazu bes. *W. Flitner*, Goethe im Spätwerk, Hamburg 1946, S. 209.

Bild des »Thrones des Herodes«[47], versteht und sich bereits vor der Begegnung mit Marie als Zimmermann in der Härte der Arbeit verwirklicht hat. Etwa in der Zeit, in der Wilhelm melancholisch-theatralisch im Leben und auf der Bühne schauspielert, hat Joseph bereits »manches Haus ... verziert«[48], d. h., hat er sich als ein Sachverständiger in der Zimmermannsarbeit realisiert. Gerade die Verwirklichung in einer bestimmten Arbeit aber fehlt Wilhelm, der während seiner Lehrjahre immer nur sich selbst gespielt, jedoch nichts gelernt hat, der aber bezeichnenderweise nun kurz nach dem Aufenthalt bei der Josephsfamilie seinem Freund Montan gegenüber äußert, er sei »schon längst geneigt«, sich »einem besondern Geschäft, einer ganz eigentlich nützlichen Kunst« zu widmen.[49] Da das aber noch aussteht, ist die Haupthandlung hinter der Handlung der Josephsgeschichte zurück, oder umgekehrt formuliert: die Josephsgeschichte geht der Wilhelm-Meister-Handlung im ganzen *voran.* In ihr ist auf engem Raum ein musterbildlicher Gesamtvorgang enthalten, wie ihn der Roman im großen sogar am Ende der »Wanderjahre« noch nicht enthält. Erst »Lehr-, Wander- und Meisterjahre« zusammen hätten in der Haupthandlung einen parallelen Gesamtverlauf sichtbar machen können.[50] Aber gerade dieses Moment, daß die Josephsgeschichte der Haupthandlung vorangeht, soll den Leser, der auf die Verknüpfung beider Handlungen aufmerksam geworden ist, zu bestimmten *Antizipationen* reizen. Am Anfang der »Wanderjahre« spricht Wilhelm in einem Brief an Natalie vom Schmerz der Trennung, wenn es heißt: »Mein Leben soll eine Wanderschaft werden.«[51] Gleichzeitig aber läßt der Brief erkennen, daß zwischen Natalie und Wilhelm ein »dauerhafter Faden«[52] geknüpft ist, auch wenn der Held sagt: »... wenngleich ein wunder-

47. Dieses Bild bildet den Horizont des Sichverstehens Josephs, so wie das vom »kranken Königssohn« Wilhelms Spielraum der Möglichkeiten des Sichverstehens absteckt. Bei Joseph fördert das Bild, das darstellt, wie der Mensch durch das Miteinander von Verdienst und gnadenhafter Erwählung durch den persönlich handelnden Gott an sein Lebensziel gelangt, rasch die Selbstverwirklichung. Wilhelm wird – zunächst – auf Umwegen (jedoch auch vom Bild her) herausgerissen aus dem unmittelbaren, fraglosen Leben. Die Selbstverwirklichung in der Arbeit steht jedoch noch aus.

48. Hbg. A. Bd. 8, 20.

49. Ebenda S. 41. Der Erzähler, der das Gespräch referiert, hüllt sich freilich verschweigend-offenbarend in eine recht ungewisse Vorausdeutung.

50. Wir sind der folgenden Auffassung: Der Aufbau des Ganzen und der eingelagerten Handlungszweige legt nahe, daß Goethes Wort von der »Trilogie« (Goethes Gespräche, hrsg v. *W. v. Biedermann,* 1889, Bd. IV, 88) wahrscheinlich auch für die Arbeit des Dichters nach 1821 noch Gültigkeit besitzt.

51. Hbg. A. Bd. 8, 11. 52. Ebenda.

sames Geschick mich von dir trennt und mir den Himmel, dem ich so nahe stand, unerwartet zuschließt.«[53] Die Vereinigung mit Natalie bleibt trotz der Trennung bewahrt,[54] und der Erzähler wollte später in den geplanten »Meisterjahren« seinen Helden als ein konkretes, sozial-taugliches Selbst in erhöhter Bewußtheit auch tatsächlich wieder mit Natalie vereinigen. Indem das analoge Geschehen der Josephsgeschichte indirekt auf dieses Ziel vorausdeutet, wirkt es an bestimmtem Platz des Vorgangs am Aufbau des Romans konstituierend mit.

Zweitens wollen wir jetzt den Erzählmoment betrachten, in dem Wilhelm die Aufgabe erhält, Getrennte zu verbinden, genauer: auf die Weise helfend zu wirken, wie die Abgeordneten des »Turms« ihm einst hilfreich zur Vereinigung mit Natalie gedient haben. Dieser Erzählmoment, in dem Wilhelm die Aufgabe erhält, für Lenardo die verlorene Nachodine zu suchen, fällt in die Zeit des Aufenthaltes bei Makarie. Der neuen Aufgabe wird Wilhelm gewürdigt, als er während des Besuches bei Makarie im Traum die »tiefsten Geheimnisse« erfaßt und damit in seinem Prozeß der Selbstverwirklichung eine neue Stufe ersteigt. Wie bietet der Erzähler uns dieses Geschehen dar? Übergangslos werden wir aus der recht profanen Welt, die Hersilie in ihrer Novelle »Wer ist der Verräter?« ausbreitet, in Makariens Schloß geführt, das durch eine »hohe Mauer«[55] von der Welt des Flachlands abgetrennt ist. In dem »wunderbaren« Raum[56] begegnet Wilhelm Makarie, die der Erzähler eine »wunderwürdige Dame«[57] nennt und über die Wilhelm in einer Vorausdeutung Hersilies bereits gehört hat, sie sei einer »Ursibylle«[58] ähnlich. Im Bereich dieser Gestalt, mit der der Dichter auf seine Weise die Welt der »Wundergeschöpfe, Wahrsager und Orakel«[59] in die Spätfassung seiner »Wander-

53. Ebenda S. 11.

54. Diese Bewahrung der Vereinigung versinnbildlicht der Erzähler (wie ich in meinem Aufsatz über die Ding-»Symbole« nachzuweisen suche) daran, daß er Wilhelm den Gegenstand bei sich tragen läßt, den er seit dem Raubüberfall als Faden bei der Suche nach Natalie verstanden hat: das »Besteck«. 55. Hbg. A. Bd. 8, 114.

56. Ebenda S. 115. Zur Raumgestaltung in der Erzählkunst Goethes: *Wolfgang Staroste*, Raumgestaltung und Raumsymbolik in Goethes »Wahlverwandtschaften«; erscheint demnächst in: Études Germaniques, Paris [jetzt im hier vorliegenden Bande, S. 89–103]. – Die Frage nach der Raumgestaltung des »Wilhelm Meister« müssen wir hier noch außer acht lassen.

57. Ebenda S. 115. 58. Ebenda S. 65.

59. Vgl. zur Welt des »Sibyllinischen« Goethes Aufsatz: Über epische und dramatische Dichtung (geschrieben 1797, gedruckt 1827, d. h. in der Zeit, in der die Gestalt Makariens in die Endfassung der »Wanderjahre« aufgenommen wird), Hbg. A. Bd. 12, 250.

jahre« einfügt, reflektiert Wilhelm auf der Sternwarte über die Aufgabe, die ihm erteilt worden ist: »›... meine Absicht ist, einen edlen Familienkreis in allen seinen Gliedern erwünscht verbunden herzustellen... Ich soll erforschen, was edle Seelen auseinanderhält, soll Hindernisse wegräumen...‹ Dies darfst du vor diesen himmlischen Heerscharen bekennen ... sie würden zwar über deine Beschränktheit lächeln, aber sie ehrten gewiß deinen Vorsatz und begünstigten dessen Erfüllung.«[60] Unmittelbar nach diesen Worten sieht er den Jupiter, das Glücksgestirn. Der Erzähler kommentiert: »... er nahm das Omen als günstig auf...«[61] Dieses Zeichen wird Wilhelm ein Omen, eine glückliche *Vorbedeutung* künftiger Geschicke. Die erzählerische Wirkung des Ereignisses auf den Leser ist derart, daß sie ihn in eine bestimmte Richtung steuert, daß sie ihn die Wanderschaftsphase oder gar den Gesamtverlauf der Selbstverwirklichung Wilhelm Meisters antizipieren läßt. Der Leser stellt das Geschehen nach Wilhelms Aufenthalt auf der Sternwarte unter den Aspekt des Glücks. Um so mehr überrascht ihn, daß Wilhelm unmittelbar nach dieser Szene seinen wunderbaren Traum von Makarie hat,[62] auf den der Astronom mit den Worten »Wunder, ja Wunder! Sie wissen selbst nicht, welche wundersame Rede Sie führten«[63], reagiert und über den Angela sagt: »Ihr sonderbares geistiges Eingreifen, Ihr unvermutetes Erfassen der tiefsten Geheimnisse.«[64] Wilhelm darf »weitergeführt« werden und läßt sich von Angela Makariens wunderbares, sibyllinisches Wesen an einem Gleichnis faßlich machen.[65] So erfährt er: Dem gebrechlichen, kränklichen Zustand der »wunderwürdigen Dame« entspricht, daß sie geistig als ein »integrierender Teil«[66] des Sonnensystems aufzufassen ist. Wilhelm erfährt so, wie in dem vom Profanraum (Flachland) abgeschlossenen Sakralraum (Schloß) eine wunderwürdige Gestalt als Vermittlerin höherer Wahrheit wohnt. Später wird er hören, daß diese Gestalt als »Vertraute ... derer, die sich selbst verloren haben«[67], d. h. als ein Arzt der Seelen, eingreift in die irdisch-vorläufige Welt der Verstrickten[68] und gleichzeitig auch »Wunder« vollzieht.[69]

In den Dienst Makariens tritt Wilhelm mit seiner Aufgabe und wird so gleichsam zum Gehilfen dieses Arztes der Seelen. Gleichzeitig aber hat der Erzähler ihn mit dem Aufenthalt bei Makarie auf Erfahrungen *vorbereitet*, die er daraufhin in der »Pädagogischen Provinz« macht. Wir beachten daher drittens:

60. Hbg. A. Bd. 8, 119/120. 61. Ebenda S. 120. 62. Ebenda S. 122.
63. Ebenda. 64. Ebenda S. 126. 65. Ebenda.
66. Ebenda. 67. Ebenda S. 223.
68. Sie rettet z. B. Flavio und Hilarie. 69. Sie heilt Lydie, ebenda S. 441.

Wilhelm wird während seines ersten Besuches von den Oberen durch eine Gemäldegalerie geführt und begreift dabei sogleich, daß alles, was er erblickt, einen »bedeutenden Sinn«[70] hat. Zunächst sieht er »gleichbedeutende und Gleiches deutende Nachrichten«[71] nebeneinandergestellt. Das Zuordnen analoger Fälle ist ihm nicht unbekannt, versteht er sich doch seit seiner Jugend als ein zweiter »kranker Königssohn«. Außerdem ist ihm von Friedrich am Ende der »Lehrjahre« seine Ähnlichkeit mit Saul heiter-ironisch bescheinigt worden. Schließlich hat er schon die *imitatio* Josephs des Zweiten erfahren und hat vor den Gemälden Hersiliens reflektiert: »Und warum sollten sich nur Zwillingsmenächmen aus *einer* Mutter entwickeln? Sollte die große Mutter der Götter und Menschen nicht auch das gleiche Gebild aus ihrem fruchtbaren Schoße gleichzeitig oder in Pausen hervorbringen können?«[72] Er ist so wirklich (und der aufmerksame Leser mit ihm!) vorbereitet auf diese Darstellungsart. Zweitens wird er in einen Raum eingeführt, in dem auf Bildern »Wunder und Gleichnisse« wiedergegeben sind.[73] Und ausdrücklich wird ihm hier vor den Bildern von den Oberen das Wesen von Wunder und Parabel erläutert: »Es ist nichts gewöhnlicher als Krankheit und körperliche Gebrechen; aber diese durch geistige oder geistigen ähnliche Mittel aufheben, lindern, ist außerordentlich, und eben daher entsteht das Wunderbare des Wunders, daß das Gewöhnliche und das Außerordentliche, das Mögliche und das Unmögliche *eins* werden. Bei dem Gleichnisse, bei der Parabel ist das Umgekehrte: hier ist der Sinn, die Einsicht, der Begriff das Hohe, das Außerordentliche, das Unerreichbare. Wenn dieser sich in einem gemeinen, gewöhnlichen, faßlichen Bilde verkörpert, so daß ... wir ihn uns zueignen ... können, das ist denn auch eine zweite Art von Wunder und wird billig zu jenen ersten gesellt, ja vielleicht ihnen noch vorgezogen.«[74] Es ist von besonderer Bedeutung, daß der Erzähler seinen Helden (und den Leser) auch auf die Erfahrungen der Gemälde dieses Raumes vorbereitet hat. Wilhelm kennt das Wesen von Wunder und Parabel schon aus – mehr oder weniger bewußt gemachten – Erfahrungen: bei Joseph dem Zweiten hat er die sinntragende Geschichte vom »Thron des Herodes«[75] gehört, in der etwas Außerordentliches faßlich gemacht wird; er hat ferner vom Sammler die Geschichte vom Kruzifix vernommen, in der eine wunderbare Fügung greifbar gemacht wird.[76] Vor allem aber ist ihm mit Makarie beispielhaft

70. Ebenda S. 158. 71. Ebenda S. 159.

72. Ebenda S. 79. Der Dichter benutzt hier das Bild der »großen Mutter« als Ausdrucksträger seiner Auffassung vom Urgrund aller Werde- und Bildekräfte der Natur.

73. Ebenda S. 161 f. 74. Ebenda S. 162. 75. Ebenda S. 19.

76. Ebenda S. 147. Hier wird der Sinn direkt allegorisch ausgelegt.

begegnet, wie Krankheit durch geistige Mittel gelindert oder aufgehoben werden kann, d. h., er hat in seinem Leben schon das »Wunderbare des Wunders«, bei dem das Gewöhnliche und das Außerordentliche eins werden, erfahren. Zweitens: ihm ist nach seinem »geistigen Eingreifen« das Wesen Makariens von Angela gleichnishaft, d. h. parabelartig, vergegenwärtigt worden. Später wird ihm die »ätherische Dichtung« noch einmal genauer ein »Gleichnis des Wünschenswertesten« geben [77], und er wird erfahren, wie Makarie ein Wunder vollzieht.[78]

Auch die Schilderung der »Pädagogischen Provinz« [79] steht so nicht isoliert im Roman als ein absoluter Einzelteil. Sie ist vielmehr – und das ist ein Moment, durch den sie der epischen Integration dient – mit Wilhelms Prozeß der Selbstverwirklichung eng verknüpft worden.

III

Während Wilhelms Wanderschaft wird Natalie reichlich mit Briefen versehen. Schon am Anfang des ersten Buches der »Wanderjahre« schreibt Wilhelm: »Man vertraut mir, man gibt mir einen Pack Briefe, ein paar Hefte Reisejournale, die Konfessionen eines Gemüts, das noch nicht mit sich selbst einig ist ... ich kenne die Personen, deren Bekanntschaft ich machen werde, und weiß von ihnen beinahe mehr als sie selbst, weil sie denn doch in ihren Zuständen befangen sind und ich an ihnen vorbeischwebe, immer an deiner Hand, mich mit dir über alles besprechend. Auch ist es meine erste Bedingung, ehe ich ein Vertrauen annehme, daß ich dir alles mitteilen dürfe ...« [80] Wilhelm berichtet also alles, was ihm begegnet, Natalie (und das hat auch Gültigkeit, wenn der Erzähler es später nicht alles abdruckt), ja, er nimmt sogar vertrauliche Mitteilungen nur unter der Bedingung an, auch sie mit Natalie brieflich besprechen zu dürfen. Wilhelms Prozeß der Trennung ist so zugleich ein *ständiges briefliches Gespräch* mit der »Gestalt aller Gestalten«, die ihn aus der

77. Ebenda S. 445 f.

78. In den dritten Raum wird Wilhelm trotz einer mehr oder weniger genauen Vorausdeutung auch beim zweiten Besuch noch nicht eingeführt. Ebenda S. 144. Er ist noch nicht reif für die Erfahrung des »Heiligtums des Schmerzes«.

79. Wir müssen uns hier beispielhaft auf die Beachtung der Gemälderäume beschränken. Auch andere Züge der Provinz haben funktionalen Charakter. Auf die Relativierung dieses Teils des Romans weist allgemein: *E. Staiger*, Goethe, Bd. III, Zürich 1959, S. 163 f.

80. Hbg. A. Bd. 8, 78.

Selbstverlorenheit herausgerissen hat. Aus Wilhelms Blickwinkel erfährt Natalie nicht nur von Joseph dem Zweiten und von der Welt des Oheims, sondern auch von Makarie, von der Pädagogischen Provinz und von Hersiliens Bekenntnissen.[81] Wilhelm wird ein geübter Briefschreiber. Um so mehr fällt auf, daß ihm ein Brief an Natalie äußerst schwer fällt. Wilhelm schreibt: »Schon Tage geh' ich umher und kann die Feder anzusetzen mich nicht entschließen...«[82] Dieser Brief, der an einer bestimmten Stelle im Erzählvorgang eingefügt wird, hat eine außerordentliche Bedeutung, und es wäre fehl am Platz, diese Bedeutung wegen der – bewußt – umständlichen Darbietungsform zu ignorieren. Der Erzähler fügt den Brief ein, nachdem Wilhelm vorher im zweiten Buch der »Wanderjahre«, vom Glücksgestirn geleitet, Nachodine gefunden[83] und sich so seines Auftrages entledigt hat. Und bereits vorher hat er selber sich als Arzt in einer bestimmten Arbeit, die Montan das »göttlichste aller Geschäfte«[84] nennt, verwirklicht. Dem Leser erscheint er auf Grund seiner »einsichtigen Behandlung«[85] (Rettung der körperlich Verletzten) dem »einsichtigen Wohlwollen«[86] Makariens (Rettung der Selbstverlorenen) zugeordnet.

An diesem entscheidenden Punkt in Wilhelms Leben erfolgt der lange Brief an Natalie, in dem Wilhelm Rechenschaft ablegt von seiner Vergangenheit und in dem er den Prozeß seiner Selbstverwirklichung in der Erinnerung aufzubewahren beginnt. Wir begegnen hier dem reflektierenden Wilhelm, der im Augenblick einer doch jedenfalls halbwegs erfüllten Gegenwart brieflich eine Rückwendung hält und der die Wirkungen der Vergangenheit sich und Natalie in der schriftlich fixierten, persönlich-intimen Form des Briefes bewußt vor Augen führt. Er macht Natalie jetzt voll zum Vertrauten seiner selbst und teilt ihr (sowie auch dem Leser) eine seiner »frühsten Jugendgeschichten«[87] mit. Der Brief enthält in seinem Mittelteil eine Rückwendung Wilhelms auf eine Phase seiner Entwicklung, die wir, da sie noch vor dem Interesse am Puppenspiel zu datieren ist, als Wilhelms früheste Kindheit bezeichnen können und von der wir im Erzählverlauf bisher überhaupt nichts erfahren haben. Wir hören jetzt, daß Wilhelm in der frühesten Kindheit durch die Erfahrung des Leidens (Tod der Fischerknaben) hindurchgegangen ist und daß er damals das heilende Wesen des Bestecks erkannt und sich vorgenommen hat, »alles zu lernen, was in solchem Falle nötig wäre...«[88] Wilhelm sieht an dem Punkt der relativen Gegenwartserfülltheit von rückwärts (und das gilt auch für den Leser) seine gesamte Lebensvergangenheit mit anderen Augen an als etwa wäh-

81. Ebenda S. 267. 82. Ebenda S. 268. 83. Ebenda S. 225.
84. Ebenda S. 282. 85. Ebenda S. 281.
86. Ebenda S. 116. 87. Ebenda S. 269. 88. Ebenda S. 279.

rend seiner Lehrjahre, wo alles unter der Dominanz der Theaterleidenschaft stand. Wir nennen diese Rückwendung des Briefes eine *auflösende Rückwendung;*[89] mit der Stellung am Ende des zweiten Buches bereitet sie den Erzählungsschluß der »Wanderjahre« vor. Indem jetzt das bislang Natalie und dem Leser unbekannte Kindheitserlebnis mitgeteilt wird, wird der neuerliche Weg Wilhelms als von langer Hand her vorbereitet begreiflich gemacht. Wilhelm erkennt von später Warte aus die schicksalhafte Fügung in seinem Leben: Er teilt Natalie mit, was ihm schon am Ende der »Lehrjahre« bewußt wurde,[90] daß er zunächst und zuerst nicht aus Verdienst, sondern durch Glück den Augenblick der relativen Gegenwartserfülltheit erreicht, d. h. daß er sich wohl in Freiheit losreißen kann aus dem natürlichen Leben, daß ihm als einem endlichen Wesen die Vereinigung mit Natalie und die Verwirklichung in der Arbeit aber nur gelingen, sofern er als ein Erwählter immer schon vorbestimmt ist zum glücklichen Ziel.[91] Beachten wir: Nicht zufällig bietet der Erzähler Wilhelms Brief typographisch in viele kleine Absätze aufgeteilt dar. Nicht auf einen fixierten Einsatzpunkt,[92] sondern auf ein recht vielfältiges, in Stufen und auf Umwegen sich vollziehendes Geschehen richtet Wilhelm an diesem Reifepunkt der Handlung (er ist jetzt tatsächlich reif geworden für seine Meisterjahre!) den Blick zurück. Nicht nur Gegenwart und Vergangenheit antworten hier einander, auch einzelne Stadien der Vergangenheit treten zueinander in einen neuen Wechselbezug. Wir erwähnen zwei Stadien, die der Brief enthält und die das Miteinander von Freiheit und Bedingtheit erkennen lassen: zunächst einmal begegnet – wieder mit großer erzählerischer Konsequenz – die Situation des Raubüberfalls, in der Wilhelm das Besteck unverlöschlich ins Auge gefallen ist.[93] Zweitens wird das entscheidende Gespräch, das Wilhelm mit Montan am Anfang der »Wanderjahre« geführt hat und dessen genaue Mitteilung dort vom Erzähler verschoben wurde, jetzt wortwörtlich (überdies aber innerhalb eines Briefes an Natalie) wiedergegeben. In ihm rühmt Montan das Besteck als einen »Fetisch«, der uns emporhebt »als etwas, das auf ein Unbegreifliches deutet«[94]. Wir erfahren jetzt, daß Wilhelm damals durch die Reflexionen Montans an Hand des fetischartigen Gegenstandes darauf hingelenkt worden ist, daß der Mensch sich immer schon in Situationen vorfindet, die

89. Vgl. allgemein *E. Lämmert,* a. a. O. S. 108 f.

90. Hbg. A. Bd. 7, 610: »... ich weiß, daß ich ein Glück erlangt habe, das ich nicht verdiene und das ich mit nichts in der Welt vertauschen möchte.«

91. Vgl. meine Dissertation, Die Auslegung der Wirklichkeit in Goethes Spätdichtung, Tübingen 1957 (Masch. schr.), S. 20 f., S. 37 f., S. 93 f.

92. Vgl. allgemein *E. Lämmert,* a. a. O. S. 110.

93. Hbg. A. Bd. 8, 280. 94. Ebenda S. 281.

er nicht frei gewählt hat, die ihn aber dahin bringen, sich in Freiheit als ein Möglichsein loszureißen aus dem unmittelbaren Leben.

Die einzelnen Etappen, die der Brief enthält, bilden also thematische Einheiten.[95] Sie weisen darauf hin, wie Wilhelm sich durch die Verkettung von Freiheit und Bedingtheit schließlich mit dem »göttlichsten aller Geschäfte« in die überpersönlichen Ordnungen der Gesellschaft, die ihn als Einzelnen immer schon prägen und bestimmen, einfügt. Die Hineinnahme der Vergangenheit durch den Brief des Helden wirkt auf den Erzählaufbau *synchronisierend,*[96] sie läßt mehrere Augenblicke der erzählten Welt gleichzeitig gegenwärtig sein: eine chorische Vereinigung von verschiedenen Etappen des Geschehens im Augenblick dieser brieflichen Reflexion entsteht.[97] Indem hier ferner jetzt Montans Worte erwähnt werden, nach denen der Arztberuf die Möglichkeit ist, »ohne Wunder zu heilen und ohne Worte Wunder zu tun«[98], wird von rückwärts noch einmal eine Verknüpfung mit der Welt des Wunders hergestellt, die Wilhelm bei Makarie real-gegenwärtig gewesen ist und ihm in der Kunstrealität der Gemälde der Provinz bewußt erläutert worden ist.

Die auflösende Rückwendung wird freilich von Wilhelm nicht isoliert mitgeteilt. Sie wird eingeleitet durch den Bericht einer Geschichte, die auch Natalie bekannt ist und die zeigt, wie ein Mensch einen »Ruderpflock« findet, sich daraufhin entschließt, sich alles Weitere zu besorgen, was für die Schiffahrt nötig ist, und so schließlich, vom Glück begünstigt, »Ansehen und Namen unter den Seefahrern« erlangt.[99] Das bedeutet: Wilhelm zeigt mit seinem Brief, daß er fähig ist, *selber analogisch darzustellen,* d. h. sein Schicksal korrelativ mit *gleichbedeutenden* Schicksalen zu verknüpfen. Er hat in der Tat (nicht als Zögling, nur als Besucher) viel in der »Provinz« gelernt, auch wenn wir in Rechnung stellen, daß er schon vorher in das analogische Sehen eingeführt worden ist. Er will jetzt Natalie seinen Prozeß der Selbstverwirklichung verdeutlichen an einer bekannten »artigen Geschichte«, d. h. an einer sinntragenden, parabelhaften Erzählung. Er ist so tatsächlich am Ende des zweiten Buches der »Wanderjahre« reif geworden für seine Meisterjahre.

Dieser reife Wilhelm Meister schreibt ferner in seinem Brief an Natalie: »... sollte es dem Verständigen, dem Vernünftigen nicht zustehen, auf eine seltsam scheinende Weise ringsumher nach vielen Punkten hinzuwirken, damit man sie in *einem* Brennpunkte zuletzt abgespiegelt und zusammengefaßt erkenne, einsehen lerne, wie die verschiedensten Einwirkungen den Menschen umringend zu einem Entschluß treiben, den er auf keine andere Weise, weder

95. Vgl. allgemein *E. Lämmert,* a. a. O. S. 110. 96. Ebenda S. 101.
97. Ebenda S. 101. 98. Hbg. A. Bd. 8, 282. 99. Ebenda S. 268.

aus innerm Trieb noch äußerm Anlaß, hätte ergreifen können?«[100] Der Brief spiegelt als ein solcher Brennpunkt ab, wie der Briefschreiber nach der Situation des Raubüberfalls und nach der Vereinigung mit Natalie mit Notwendigkeit dahin gelangt ist, sich in der Härte der Arbeit zu verwirklichen und sich so erst wirklich frei zu machen. Es ist aber ferner zu beachten, daß Wilhelm in diesem Brief, wie die allgemein reflektierende Bemerkung über den Sinn der Mitteilung erkennen läßt, nicht anders vorgeht als der Erzähler beim epischen Aufbau der Realität seines Romans. Auch der besonnene, Rückwendungen und Vorausdeutungen stiftende Erzähler, der von späterer Warte aus den gesamten Ablauf des Geschehens souverän übersieht, wirkt auf eine seltsam scheinende Weise auf verschiedenen Erzählebenen nach vielen Punkten hin, »damit man sie in einem Brennpunkt zuletzt abgespiegelt« erkenne. Ein solcher Punkt ist im Erzählverlauf die Szene des Raubüberfalls in den »Lehrjahren«. In den »Wanderjahren« ist es eben dieser Brief, der die wichtige Situation in der Reflexion eines brieflichen Gesprächs mit Natalie wiederholt und in dem Wilhelm ferner über die der Szene voraufgehenden und nachfolgenden entscheidenden Stadien seines Lebens nachdenkt. In den Worten Wilhelms deutet der Erzähler so schweigend darauf hin, wie er die epische Realität in seinem Roman durch alle Interruptionen der Haupthandlung hindurch mit seiner differenzierten, die Handlungszweige wechselseitig erhellenden und akzentuierenden Spiegelungstechnik aufbaut.

IV

Eine Untersuchung des dritten Buches der »Wanderjahre« müssen wir uns hier versagen. Wir dürfen aber noch darauf hinweisen, daß mit Wilhelm auch dem Leser (und Natalie) am »Tagebuch« Lenardos ein Handlungszweig bewußt vergegenwärtigt wird, der nachträglich die Haupthandlung (bis zur Vereinigung Wilhelms mit Natalie am Ende der »Lehrjahre«) auf die Weise variiert spiegelt, daß er den besonderen Konflikt ins Allgemeine vertieft.[101] Die eingelagerten Novellen hingegen dienen unserer Deutung nach als Warnbeispiele[102] der Kontrastierung der schon weiter vorangeschrittenen Haupthandlung, gleichzeitig aber auch als Parallelgeschehnisse der Erläuterung der Ereignisse um Felix und Hersilie.[103]

100. Ebenda S. 279 f. 101. Allg. zum Sprachgebrauch: *Lämmert,* a. a. O. S. 54.

102. Sie zeigen alle von bestimmten Seiten noch nicht entsagende Verstrickte.

103. Diesen Handlungszweig mußten wir hier völlig beiseite lassen. Vgl. dazu meine Dissertation, a. a. O. S. 42 ff.

Der Roman sollte so freilich nicht seinen endgültigen Abschluß finden. Wir meinen, daß der Erzähler, wie eine zukunftsgewisse Vorausdeutung[104] erkennen läßt, Wilhelm und Natalie im dritten Teil seines Romans in neuer Einheit und mit erhöhter Bewußtheit wieder vereinigen wollte. Wilhelm stand noch die Trennung von der Alten Welt, aber gleichzeitig die Wiedervereinigung mit Natalie im neuen Geschichtsraum Amerika bevor. Der »Wilhelm Meister« ist jedoch ein Fragment geblieben. Die »Meisterjahre« fehlen. »Lehr-« und »Wanderjahre« aber lassen deutlich erkennen, daß die verschiedenen Vorausdeutungen, nach denen Wilhelm ein »glückliches Ziel« erreichen soll, Schritt um Schritt erfüllt werden. Wilhelm bestätigt sich als ein »glückliches Naturell«. So braucht er auch tatsächlich, wie im vorhinein angedeutet, keine seiner »Torheiten« zu bereuen,[105] ja, die Zeit des Schauspielerlebens geht dem sich selbst bestimmenden und tauglich werdenden Wilhelm Meister nicht verloren, sie bleibt bewahrt. Das zeigt sich daran, daß Wilhelm die Kenntnisse, die er als Schauspieler vom Körper erlangt hat, bei seinem Arztberuf förderlich werden.[106] Dem ethisch sich ergreifenden Wilhelm Meister fällt die Welt in ihrer ganzen Fülle auf eine neue Weise wieder zu. Und zweitens: auch der Schmerz der Trennung von Natalie ist positiv innerhalb des Prozesses der Selbstverwirklichung. In der neuen Welt Amerika sollte die Trennung aufgehoben werden und die dialektische Bewegung mit der Wiedervereinigung an ihr Ende kommen, d. h., sollte die mehrfach vorausgedeutete erfüllte Gegenwart erreicht werden.

—

Mit diesen Vorbemerkungen zu einer Deutung des epischen Aufbaus der Realität im »Wilhelm Meister«[107] wollten wir an Hand der erzählerischen Mittel der Vorausdeutung und der Rückwendung aufweisen, wie die »disparaten Teile« des Romans, denen eine relative Selbständigkeit innerhalb des Ganzen zukommt, doch vom Erzähler verknüpft worden sind mit der eigentlichen Gegenwartshandlung der Selbstrealisierung Wilhelm Meisters. Es sollte so sichtbar werden, wie gerade aus der Spannung zwischen linearem Erzählverlauf und Vergegenwärtigung vergangener und zukünftiger Phasen sich

104. Hbg. A. Bd. 8, 437: »Wir leben jedoch in der Hoffnung, sie dereinst in voller geregelter Tätigkeit, den wahren Wert ihrer verschiedenen Charaktere offenbarend, vergnüglich wiederzufinden.«

105. Hbg. A. Bd. 7, 495. 106. Hbg. A. Bd. 8, 323.

107. Die Frage nach der Zuordnung des »Wilhelm Meister« zu einer typischen Form des Romans lassen wir hier bewußt noch außer acht. Wir glauben jedoch, daß dieser Roman als Ganzes eine Mischung der typischen Formen darstellt.

»jenes Zusammenspiel ergibt, in dem wir eine ›Bedeutsamkeit‹ empfinden«,[108] wie mit den vor- und rückgreifenden Äußerungen des Erzählers oder der Personen *synthetische* Kräfte[109] beim Aufbau des »Wilhelm Meister« am Werke sind. Wir wollten so an zwei erzählerischen Bauformen darauf hinweisen, wie sich in diesem Werk durch die allgemeine Funktionalität der Einzelelemente epische Integration[110] bildet.

108. Vgl. *E. Lämmert,* a. a. O. S. 99. 109. Ebenda S. 61.

110. Vgl. allgemein *Herman Meyer,* Zum Problem der epischen Integration, in: Trivium VIII, 1950, 4, S. 299 f.

Werthers Krankheit zum Tode

Zum Aufbau des epischen Vorgangs in Goethes »Werther«

Kurz nach der Vollendung seines Romans schreibt Goethe am 1. Juni 1774 in einem Brief: »Allerhand Neues hab ich gemacht. Eine Geschichte des Titels: ›Die Leiden des jungen Werthers‹, darin ich einen jungen Menschen darstelle, der, mit einer tiefen reinen Empfindung und wahrer Penetration begabt, sich in schwärmende Träume verliert, sich durch Speculation untergräbt, bis er zuletzt durch dazutretende unglückliche Leidenschaften, besonders eine endlose Liebe zerrüttet, sich eine Kugel vor den Kopf schießt.« [1] Mit der Gestalt Werthers gewinnt Goethe die bündige Fabel für seinen Roman, die im Mittelpunkt stehende Figur macht die Substanz der gestalteten Welt [2] aus. Diese Welt wird episch dargeboten in der Form eines Briefromans, und zwar so, daß sich mit einem Vorspruch zwischen uns und die Gestalt ein Herausgeber schiebt, der die Briefe und Tagebucheintragungen gesammelt hat »und sie uns vorlegt, weil er weiß, daß sie ein Ganzes, eine Geschichte bilden. Damit rücken Werthers Briefe vom ersten Wort an in eine bestimmte Perspektive« [3]. Goethes Roman steht, da der Herausgeber epische Distanz schafft und so dem Ganzen unter dem Aspekt der Erzählhaltung eine Doppelpoligkeit gibt, auf der Grenze zwischen einem standortfesten und standortlosen Erzählen.[4] Mit dem Vorspruch des Herausgebers wird aber noch etwas Weiteres geleistet: es wird der Leser als ein Formelement vor unseren Augen geschaffen; er wird als Einzelseele, die »in der Wärme des fühlenden Herzens« [5] liest, angeredet. Nur wer so zu lesen

1. Wir zitieren nach der Hamburger Goethe-Ausgabe (abgek.: Hbg. A.) Hier: Hbg. A. Bd. 6, S. 521 [die im Folgenden hinter Textzitaten in Klammern stehenden Seitenzahlen beziehen sich sämtlich auf Hbg. A. Bd. 6].

2. Vgl. *Wolfgang Kayser,* Das Sprachliche Kunstwerk, Bern 1960⁶, S. 362.

3. Vgl. *Wolfgang Kayser,* Wer erzählt den Roman? In: Die Vortragsreise, Bern 1958, S. 87.

4. Vgl. *K. R. Mandelkow,* Der deutsche Briefroman, Zum Problem der Polyperspektive im Epischen, in: Neophilologus 1960, S. 204 f. [Anm. 5 siehe S. 74.]

vermag, für den ist dieses Buch geschrieben. Später wird der Leser unmittelbar vom Herausgeber angesprochen und einbezogen. *Auf welche Weise* aber *ist die epische Welt,* an der der so angeredete und vorbereitete Leser teilnimmt, *innerlich aufgebaut?* Als Ausgangspunkt unserer Darstellung wählen wir zwei Briefe Werthers, die uns, da in ihnen Vordergrundgeschehen und epischer Vorgang besonders eng verbunden worden sind, einen Einblick in die verschiedenen Schichten des Sinngefüges gewähren und die so die ästhetische Ordnung des Werkes, die der Dichter mehr oder weniger bewußt im Akt des Schaffens[6] gestiftet hat, in besonderem Maße erkennen lassen.

I

In dem Brief vom 12. August teilt Werther seinem Partner Wilhelm eine Auseinandersetzung mit, die er mit Albert gehabt hat, und schreibt: »Ich habe gestern eine wunderbare Szene mit ihm gehabt.« (45) Die Wiedergabe dieser Szene wird in der Redeweise des Berichtens begonnen; jedoch bald ist das Gespräch[7] die führende, die Szene konstituierende epische Grundform. Dieser unserer Auffassung nach für den Aufbau des epischen Vorgangs sehr zentrale Brief enthält nicht nur die Dinglichkeit »Pistolen«[8], mithin nicht nur den Gegenstand, der im Roman leitmotivartig wiederkehren wird als Mittel der Verzahnung des Vorgangs, er enthält vor allem (im Anschluß an Alberts Geschichte vom Unfall und an Werthers sinntragende Gebärde) ein Gespräch über den Selbstmord, das in direkter Rede wiedergegeben wird und das Albert einleitet mit den Worten: »Ich kann mir nicht vorstellen, wie ein Mensch so

5. Vgl. *Wolfgang Kayser,* Wer erzählt den Roman, a.a.O. S. 89. Und: *Kayser,* Entstehung und Krise des modernen Romans, Stuttgart 1954, S. 11 f. Dazu: *Victor Lange,* Erzählformen im Roman des achtzehnten Jahrhunderts, in: Anglia Bd. 76, 1958, S. 142 f.

6. Vgl. *E. Staiger,* Goethe I, Zürich 1952, S. 147. Dazu: *Wolfgang Kayser,* Die Entstehung von Goethes »Werther«, in: Deutsche Vierteljahrsschrift für Literaturwissenschaft und Geistesgeschichte 19, 1941, S. 430 f. Ferner: *E. Trunz,* Anmerkungen zum »Werther«, in: Hbg. A. Bd. 6, S. 536–560.

7. Eine systematische Untersuchung über die Funktion, die dem Gespräch als einem wesentlichen Strukturelemente beim Aufbau dieses Briefromans zukommt, liegt noch nicht vor. Der epische Vorgang baut sich aber, wie wir hier an einigen Beispielen andeuten, gerade durch die Gespräche hindurch auf. In ihnen entfaltet sich in einer hervorragenden Weise die Welt des Romans.

8. Zu beachten wäre auch: je mehr der Raum hier im Ungefähren bleibt, desto mehr tritt diese eine Dinglichkeit hervor.

töricht sein kann, sich zu erschießen...« (46). Dieses Gespräch wird – kurz nachdem Werther es mit Albert geführt hat – dem Freund brieflich mitgeteilt. Die zeitliche Entfernung des schreibenden Werther (des »primären« Erzählers des Romans) vom erlebenden (sprechenden) Werther ist gering.[9] Der Brief stammt noch aus der unmittelbaren Betroffenheit Werthers, und das Geschehen breitet sich vor dem Leser in möglichst ablaufgetreuer und relativ unmittelbarer Weise aus. Freilich: erscheint es auch in direkter Rede, so stammt diese Wiedergabe doch aus der Feder Werthers, d. h. wir hören die Szene in einer spezifischen Brechung, wir erleben sie durch das Medium des in seiner recht ausgeprägten Subjektivität befangenen Romanhelden,[10] sie ist aus dem Blickpunkt dieser zentralen Figur aufgebaut, und die direkte Rede verdeckt nicht, daß alles von Werther dargeboten und getönt ist, daß alles im Brief erzählt und nicht unmittelbar dargestellt wird. So schwingt der Leser, zumal der Herausgeber seit seinem Vorspruch nicht wieder hervorgetreten ist, zunächst jeweils im Akt des Lesens in die Perspektive der zentralen Figur ein. Dabei erschließt sich ihm anhand des Gesprächsverlaufs nach und nach die Mentalität der Dialogpartner. Zwei gegensätzlich gesinnte Menschen stellen sich ihm relativ unmittelbar dar. Ihre Aussage charakterisiert sie. Zunächst fällt auf, daß kein ausgewogenes Gespräch entsteht. Nach dem relativ kurzen Einsatz Alberts folgt ein längerer Dialogpart Werthers. Überhaupt: Werther kommen die längeren Dialogteile zu, ja, seine Äußerungen werden im Verlauf der Szene immer umfangreicher. Im Grunde hält er eine große Rede. »Reden« ist ihm in seinem recht reflektierten Weltverhältnis offenbar ein wahres Bedürfnis. Kennzeichnend für seine Rede ist es, daß sie von Anfang an, obwohl an Albert gerichtet, mit der Anrede »ihr Menschen« (46) anhebt. Werther hält eine Rede, die sich gegen die vernünftigen, »gelassenen« Menschen überhaupt richtet, zu denen zwar Albert gehört, von denen Werther aber schon viele kennengelernt hat. (Er sagt: »Doch faßte ich mich, weil ich's schon oft gehört und mich öfter darüber geärgert hatte...« (47) Seine Rede ist wohl spontan, aber dieser spontanen Entladung liegt eine Reflexibilität, die sich an früheren Erfahrungen ausgebildet hat, zugrunde.[11] In dieser Rede sagt er: »Ich bin mehr als einmal trunken gewesen,

9. Vgl. allgemein zum Zusammenrücken von Erzähl-Ich und Erzähltem-Ich im Briefroman: *K. R. Mandelkow,* a. a. O. S. 201.

10. Ebenda S. 202.

11. Es wäre lohnend, die Formulierungen, die Werther in diesen Situationen gebraucht und die häufig mit »schon manchmal«, »schon öfter«, »wie oft« eingeleitet werden, zu untersuchen. Es würde sichtbar werden, daß Werthers gegenwärtiges Reden nur das letzte Resultat häufig angestellter Überlegungen ist, daß bei Werther wirklich schon lange ein Scharfsinn am Werke ist, ein Durchschauen der Welt im

meine Leidenschaften waren nie weit vom Wahnsinn, und beides reut mich nicht...« (47) Und: »...denn ich habe in meinem Maße begreifen lernen, wie man alle außerordentlichen Menschen, die etwas Großes, etwas Unmöglichscheinendes wirkten, von jeher für Trunkene und Wahnsinnige ausschreien mußte.« Albert dagegen beschränkt sich zunächst auf die Defensive, formuliert seinen Standpunkt (Trunkenheit ist Wahnsinn, Selbstmord ist Schwäche) nur knapp. Seiner Auffassung nach ist es »leichter zu sterben, als ein qualvolles Leben standhaft zu ertragen.« Bezeichnenderweise tritt an dieser Stelle des Gesprächs der schreibende Werther wieder direkt hervor, indem er seinem Briefpartner mitteilt: »Ich war im Begriff abzubrechen...« (47). Das Gespräch geht jedoch weiter, Werther ist sogar Alberts Argumentation genau gefolgt, hört Albert zu, auch wenn es ihm darauf ankommt, dessen Auffassung möglichst zu vernichten. Er sagt: »Hier ist also nicht die Frage, ob einer schwach oder stark ist, sondern ob er das Maß seines Leidens ausdauern kann, es mag nun moralisch oder körperlich sein.« (48) Die knappe Äußerung Alberts bewirkt bei Werther weitreichende Reflexionen, die ihren Höhepunkt finden in der Aussage über die körperliche oder geistige »Krankheit zum Tode« (48). Dabei ist zu beachten, daß Werther die Krankheit des menschlichen Körpers nur erwähnt, um die Frage nach der Erkrankung des menschlichen Geistes zu entfalten: »Sieh den Menschen an in seiner Eingeschränktheit, wie Eindrücke auf ihn wirken, Ideen sich bei ihm festsetzen, bis endlich eine wachsende Leidenschaft ihn aller ruhigen Sinneskraft beraubt und ihn zugrunde richtet.« (48) [12] Aber Werther weiß nicht nur theoretisch, daß einem solchen Menschen von den Gelassenen, Vernünftigen nicht zu helfen ist, er weiß unmittelbar von dem ertrunkenen Mädchen und erzählt diesen Vorgang Albert als eine beispielhafte Geschichte. Alberts Entgegnung auf diese Geschichte wird vom schreibenden Werther nicht direkt wiedergegeben, sie erscheint nur vermittelt in seinem Referat, indirekt und entschärft. Dagegen teilt Werther seine eigenen Worte, nach denen er das Gespräch abbricht und Albert verläßt, wieder direkt mit. So wird sichtbar: Werther hat in dem Brief, der uns zunächst relativ ablaufgetreu die Szene wiederzugeben schien, die Zügel fest in der Hand. Sein Aspekt, seine Sicht auf die Dinge tritt unmittelbar hervor und prägt die Struktur des im

[Fortsetzung von Fußnote 11:]

Sinne seiner Worte: »Wer aber in seiner Demut erkennt, wo das alles hinausläuft...« (14), und: »...ich habe manchmal so einen Augenblick aufspringenden, abschüttelnden Muts, und da – wenn ich nur wüßte wohin, ich ginge wohl.« (44)

12. Dieser Sprachgebrauch Werthers ähnelt auffallend der Sprache in Goethes eingangs zitiertem Brief über »Werther«.

Brief an Wilhelm[13] dargebotenen Vorgangs. Werther ist engagiert. Als er dieses Gespräch führt, ist er – nach der Begegnung mit Lotte – wieder einmal dabei, in den Zustand zu kommen, in dem er nicht weit vom Wahnsinn entfernt ist. Der durch den Herausgeberbericht vorbereitete Leser antizipiert an dieser Stelle bereits, worauf es mit Werther hinausgehen wird. Werther ist auf dem Weg in die Krankheit zum Tode, »Eindrücke« haben sich in seinem mit »reiner Empfindung« ausgestatteten Wesen festgesetzt (z. B. im Anschluß an das Erlebnis von der Selbstmörderin), »Ideen« haben sich in seinem mit »wahrer Penetration« begabten, schwärmerischen und reflektierenden Charakter ausgebildet, eine »Kombinationsart« (48) hat sich bei ihm entwickelt, die zeitweilig wirklich an »Radotage«, an Unsinn zu grenzen droht. Mit der Geschichte von der Selbstmörderin (deren Wiedergabe er mit den Worten »Das ist die Geschichte so manches Menschen« abschließt) hat Werther im Grunde seine eigene Geschichte erzählt. Es liegt hier eine »typisch epische Integration«[14] vor. Darüber hinaus aber ist der gesamte Brief mit dem zentralen Gespräch ein Angelpunkt des Romans. Nicht nur wird die Geschichte Werthers in eine größere Welt gestellt, der Brief ist überdies eine einzige *Reflexion auf das, was den epischen Vorgang* des Romans *ausmacht:* Krankheit zum Tode. So leistet er Entscheidendes für die Entfaltung des seelischen Innenraums der Hauptfigur. Nicht zufällig tauchen daher auch in diesem Brief die Schlüsselworte auf, die alle Teile des Romans durchziehen: körperliche und geistige Gesundheit und Krankheit, Gelassenheit und Wahnsinn (Trunkenheit), Ertragen des Leidens (Dulden) und Begrenztheit der Leidensfähigkeit des Menschen, Närrischsein und Einsichtigsein, Verstehen und Nichtverstehen. Der Brief hat seine Bedeutung darin, daß Werther in ihm ausdrücklich auf die Begrenztheit der Leidensfähigkeit des Menschen reflektiert. Er hat sie aber auch darin, daß Werther am Ende des Gesprächs sagt: »... wir gingen auseinander, ohne einander verstanden zu haben. Wie denn auf dieser Welt keiner leicht den andern versteht.« (50) Wir sahen: Werther hört auf Albert, dieser (der im Geist der späten Aufklärung[15] spricht) versucht Werthers überspannte Grillen hilf-

13. Der Briefempfänger Wilhelm ist ein Mensch, der Werther versteht, ihn kennt; er ist ein Vertrauter seines Selbst, seiner Gestimmtheit und seines Herzens (24). Werther weiß, daß er mit Wilhelm im Kontakt des Sichverstehens lebt, daß dieser »aus der Wärme des fühlenden Herzens liest«. Wilhelm ist ein Gelassener. Wir hören, daß er Werther (im ersten und zweiten Buch) die Ortsveränderung als Hilfe anrät. Da aber die erste Ortsveränderung ins Negative umschlägt und die zweite nicht zustandekommt, tritt die Vergeblichkeit des Versuchs dieses Freundes, Werther zu helfen, um so deutlicher hervor.

14. Vgl. *W. Kayser,* Das Sprachliche Kunstwerk, a. a. O. S. 180.

15. Vgl. *E. Staiger,* a. a. O. S. 166.

reich einzudämmen, findet allerdings Werthers Reden »paradox«.[16] Ein wirkliches Aufeinanderhören, ein Sich-Verstehen findet nicht statt.[17] Der Brief demonstriert, wie schwer auf der Welt einer den anderen versteht. Die werbende Hinwendung zum anderen Menschen als ein Versuch zum Miteinander-Sprechen endet auch deshalb im Aneinander-Vorbeireden, weil Werther, in der Subjektivität seines Standortes befangen, durch seine »Spekulation« mehr und mehr zum monologisierenden Redner wird und mit der überwältigenden Rede die Krise des Verstehens selbst mit heraufführt.[18] Was aber leistet dieses Nichtverstehen an diesem Punkt des Romans? Wo ist der Brief eingefügt, und was wissen wir an dieser Stelle des Briefromans bereits von Werther? Wieweit erhellt das Gespräch die Inhalte voraufgehender Briefe?

Werther hat, so erfahren wir im ersten Brief, um sich zu ändern, seinen Ort gewechselt; er hat sich nach der Erfahrung der unglücklichen Leidenschaft Leonores (7) und nach dem Tod der Freundin seiner Jugend (12) in eine »paradiesische Gegend« (8) begeben und sich dort einen »vertraulichen Ort« gesucht. Die Beschreibung dieser Räumlichkeit leitet er ein mit dem Satz: »Du kennst von alters her meine Art, mich anzubauen, mir irgend an einem vertraulichen Orte ein Hüttchen aufzuschlagen und da mit aller Einschränkung zu herbergen...« (14). Werther wählt sich wieder einmal als Aufenthaltsort einen in sich abgeschlossenen, vertraulichen Ort der Erfülltheit: er versucht die Rettung im Idyll. Das wird in seinen Briefen genau beschrieben. Das Entscheidende aber ist, daß das Idyll (wie wir im Laufe des Romans erfahren) für ihn nicht zu verwirklichen ist, da er es durch seine Uneingeschränktheit, durch seine unbedingte Liebe selbst zerstört. Gerade der Weg zum erfüllten Raum wird der Weg zu der Leidenschaft, die ihn im weiteren immer stärker zum Narren der Liebe macht. Werther notiert kurz vor dem Brief vom 12. August: »Ich könnte das beste, glücklichste Leben führen, wenn ich nicht ein Tor wäre.« (44) Er ist mit seinen schwärmenden Träumen, mit seinem Wunsch nach ständigem Einklang von Gemüt und Schicksal, mit seiner Unfähigkeit zur Eingeschränktheit gerade selber derjenige, der ihn hindert, ein glückliches Le-

16. Vgl. *V. Langes* Hinweis, daß sich von der Liebe im »Werther« nur in Paradoxien sprechen läßt, a. a. O. S. 142.

17. Zur Mehrdeutigkeit der Sprache im modernen Roman vgl. *W. Kayser,* Entstehung und Krise des modernen Romans, a. a. O. S. 13. Dazu: *V. Lange* a. a. O. S. 142 f. – Bereits im ersten Brief taucht das Thema des Nichtverstehens auf: »... daß Mißverständnisse und Trägheit vielleicht mehr Irrungen in der Welt machen als List und Bosheit.« Hbg. A. Bd. 6, S. 8.

18. Vgl. *W. Kayser,* Die Entstehung des »Werther«, a. a. O. S. 448. Und: *E. Staiger,* a. a. O. S. 153.

ben zu führen. Er sucht das Glück des heilen Seins, wie es die seinem Herzen besonders nahestehenden Kinder (30) repräsentieren, und er ist der Auffassung, daß der Mensch am glücklichsten ist, wenn er in »freundlichem Wahne« (36) dahintaumelt und das Leben als Traum versteht (13). Diesen Wahn besitzt er jedoch nur vorübergehend, nicht, wie er möchte, als ein ständiges Sein. Er lebt nicht mehr in »glücklicher Unwissenheit« (72), ist kein Kind mehr; er ist längst herausgefallen aus der vorbewußten Einheit des kindlich-unschuldigen Seins. Er steht unter den Gegensätzen, die in ihm als in einem zugleich unbedingten und bedingten Wesen[19] aufgebrochen sind und die es zu vermitteln und auszugleichen gilt. Es ist wesentlich, daß dem Leser gleich zu Beginn der Briefe ein Held begegnet, der dieser seiner Aufgabe auszuweichen sucht und der (nach schmerzlichen Erfahrungen) im arkadisch-idyllischen Raum, in der paradiesischen Welt Homers und in der absoluten Liebe zu Lotte[20] das ständige Glück des heilen Seins sucht und doch zugleich weiß: »Du bist ein Tor! du suchst, was hienieden nicht zu finden ist!« (12) Werther durchschaut seine eigene Situation recht scharfsinnig in seinen Reflexionen, ja, er sieht, daß er bei der Suche nach der ständigen Erfülltheit immer weiter ins Unheil gerät. Er sagt: »... ich bin erstaunt, wie ich so wissentlich in das alles, Schritt vor Schritt, hineingegangen bin! Wie ich über meinen Zustand immer so klar gesehen und doch gehandelt habe wie ein Kind, jetzt noch so klar sehe, und es noch keinen Anschein zur Besserung hat.« (44) Er ist in der Tat, als die briefliche Reflexion auf das Gespräch über die Krankheit zum Tode einsetzt, wissentlich schon weit in diesem Prozeß vorangeschritten. Und nach dem Gespräch des Nicht-Verstehens schreibt er im recht deutlichen Wissen um die Unheilbarkeit seiner Krankheit: »... ich weiß nicht, was ich soll.« (54) Er weiß nicht mehr, was er in dieser konkreten Lage machen soll, er beginnt sich in der »endlosen Liebe« zu Lotte selbst zu verlieren. Das Wissen um sich selbst geht ihm verloren. Seine Person beginnt sich aufzuspalten, ist nicht weit vom Wahnsinn. Er sagt: »... ich weiß oft nicht, ob ich auf der Welt bin!« (55) An dieser Stelle des Erzählverlaufs versucht er, die Krankheit zum Tode doch noch zu heilen: er beschließt, Lotte zu verlassen, d. h. den Ort (erneut, wie eingangs!) zu wechseln. Sein Weggang ist sein Versuch, sich wiederzugewinnen, er bedeutet für ihn ein Opfer; das aber wird von ihm willig gebracht, da er weiß, daß es für ihn die einzige Chance einschließt. Aber: dieses Handeln Werthers, mit dem der erste Teil des Romans endet, ist doch kein wahres Sich-Opfern. Werther ändert zwar wieder einmal den Ort, aber – wie wir bald erfahren – nicht sich selbst, er ergreift sich nicht selbst in seinem

19. Hbg. A. Bd. 9, 352.

20. Vgl. *E. Beutler*, Wertherfragen, Goethe 5, 1940, S. 138 f. Und: *E. Trunz*, Hbg. A. Bd. 6, 541.

lebensgesetzlichen Sollen. Aus der Fremde sehnt er sich zu Lotte zurück. Wieder wird eine Räumlichkeit angegeben: die »Hütte« (Bauernhaus), in die Werther sich vor dem Gewitter verzieht. In diesem abgeschlossenen Raum der Erfülltheit ist Lotte sein »erster Gedanke«. Die Enge der Eingeschränktheit erinnert ihn an das, was er sucht und worüber er schon im ersten Teil des Romans mit folgenden Worten reflektiert hat: »So sehnt sich der unruhigste Vagabund zuletzt wieder nach seinem Vaterlande und findet in seiner Hütte, an der Brust seiner Gattin, in dem Kreise seiner Kinder, in den Geschäften zu ihrer Erhaltung die Wonne, die er in der weiten Welt vergebens suchte.« (29) Werther hat dieses Ziel bislang nicht gefunden. So sucht er jetzt die Eingeschränktheit im Sozialen, die Weltverknüpfung durch gesellschaftliches Tätigsein. Dabei bemerkt er jedoch bald, daß er von den »Narren« der Adelswelt, die sich in Zerstreuung und Ablenkung ihre eigene Langeweile (62) verdecken,[21] als wahnsinnig, unvernünftig, als ein Tor angesehen wird. Schon zu Beginn seines Aufenthaltes in der Fremde der Adelswelt schreibt er: »Ich stehe wie vor einem Raritätenkasten und sehe die Männchen und Gäulchen vor mir herumrücken, und frage mich oft, ob es nicht optischer Betrug ist. Ich spiele mit, vielmehr, ich werde gespielt wie eine Marionette und fasse manchmal meinen Nachbar an der hölzernen Hand und schaudere zurück. ... Ich weiß nicht recht, warum ich aufstehe, warum ich schlafen gehe.« (65) Die Welt spiegelt sich in seiner Einzelseele als ein sinnloses Spiel von »Marionetten«[22], in dem auch mit ihm gespielt wird. Bei diesem Spiel kann er nicht angeben, warum er die täglichen Dinge tut. Aber gerade der Überdruß, den das Monotone im täglichen Lebensrhythmus bewirkt, weckt – wie der Brief zeigt – bei Werther das Bewußtsein und läßt ihn zu einer Aktivität kommen. Werther möchte die sozialen Mißstände heilen, verliert sich aber dabei in schwärmende Träume. Er entwickelt im Reflektieren über die Wirklichkeit eine geradezu leidenschaftliche Aktivität, aber er vermag, indem er so im Nachdenken über die gesellschaftliche Realität alles scharfsinnig überlegend vorwegnimmt und Ekel vor den Narren seiner Umwelt empfindet, das Handeln im gegenwärtigen Augenblick nicht. Er hat wahrlich nicht das Zeug zum Revolutionär.[23] Das glückliche Dasein, das er antizipiert, findet er auch im Sozialen nicht. Sein Versuch der Welt-

21. Zur »Langeweile« in der Dichtung des 18. Jahrhunderts vgl. *W. Rehm,* Gontscharow und die Langeweile, in: Experimentum medietatis, München 1947, S. 102 f.

22. Vgl. bes. *E. Rapp,* Die Marionette in der deutschen Dichtung vom Sturm und Drang bis zur Romantik, Leipzig 1924, S. 36 f.

23. Vgl. *Ernst Bloch,* Das Prinzip Hoffnung, Frankfurt a. M. 1959, Bd. 2, S. 1145.

verknüpfung endet im »politisch gezielten Ekel«[24]. Im entscheidenden Moment, in dem er sich im Tun bewähren könnte, zieht er sich, vom taedium vitae gepackt, zurück, sucht den Ort seiner Kindheit (72) auf, ohne dort wieder heimisch zu werden, und geht schließlich nach Wahlheim in die Nähe Lottes. Wir wissen: eine Hütte des eingeschränkten Glücks hat er dort nicht. Er ist ein Vagabund, aber ohne Möglichkeit zur Rückkehr. Nach der Ankunft in der Nähe Lottes reflektiert er: »Bin ich nicht noch ebenderselbe, der ehemals in aller Fülle der Empfindung herumschwebte...?« (84) Der Weg in die Fremde, der Durchgang durch die Welt bringt ihn nicht wieder zu sich selbst. Nach der Enttäuschung im Sozialen gerät Werther nur verschärft in die Reflexion darüber, ob er noch der ist, der er war. In der Form der Frage überlegt er, ob er noch eins mit sich selber ist. Dieses Problem, die Frage nach der *Identität* des Menschen mit sich selbst zieht sich durch den ganzen Roman hindurch, wird im seelischen Innenraum der Figur erörtert und gewinnt mit jedem Brief mehr an Gewicht. Was ist der Mensch? Was ist das Ich? Das sind Grundfragen des Weltgehalts im »Werther«. Sie sind eigentlich nur das Äußerste der mit »wahrer Penetration« betriebenen Reflexionen des Helden.

II

Am 30. November beginnt Werther seinen Brief mit den Worten: »Ich soll, ich soll nicht zu mir selbst kommen!...« (88). Dieser Brief ist für das Verständnis des Sinngefüges des Romans von großer Bedeutung. Er »spiegelt« sich in dem von uns beachteten Brief vom 12. August ab. Wieder nehmen wir durch das Medium des Briefschreibers teil an der Szene, bei deren Aufbau Beschreibung, Bericht und Rede beteiligt sind und in der Jahreszeit und Landschaft der Gestimmtheit Werthers[25] entsprechen. Dieser führt ein Gespräch mit einem Menschen, der sagt: »...es war einmal eine Zeit, da mir es so wohl war!« (89) Wer ist dieser andere, wann war die Zeit, in der er sich glücklich fühlte? Werther begegnet einem Wahnsinnigen. Über die Zeit des Glücklichseins erfährt er später: »...da meint er die Zeit, ... da er im Tollhause war, wo er nichts von sich wußte.« (89) Das Bild vom Tollhaus taucht in Goethes Dichtung verhältnismäßig selten auf.[26] Hier benutzt es Goethe und hebt so die Thematik

24. Vgl. *E. Staiger,* a. a. O. S. 154 u. S. 156.

25. Vgl. *E. Trunz,* Hbg. A. Bd. 6, 546 f.

26. Vgl. etwa WA I, 3, 3, 240. Dazu *Wolfgang Staroste,* Mephistos Verwandlungen, Vorbemerkungen zum Aufbau von »Faust II«, in: GRM 1961, S. 188 [jetzt im hier vorliegenden Bande, S. 39–54].

von Gesundheit und Krankheit auf eine neue Ebene: der bereits recht kontaktschwache Werther gerät in »Kontakt« mit einem Kontaktlosen, mit einem ehemaligen Tollhäusler, d. h. mit einem, der die Identität mit sich selbst verloren hat. Mit dieser Figur des Schreibers wird die Geschichte der wertherschen Krankheit zum Tode erneut in eine größere Welt gestellt. Wieder sind wir an einem Angelpunkt des Romans angelangt. Kaum eine andere Kontaktnahme Werthers ist für den Aufbau des epischen Vorgangs im zweiten Teil des Romans so wichtig wie diese. Und kaum eine andere szenische Episode wird von Werther dem Briefpartner Wilhelm (sowie dem Leser) so Schritt um Schritt – im Sinne einer analytischen Methode des Entdeckens des Tatbestandes – dargeboten wie diese. Noch wissen wir das Entscheidende nicht, verstehen nicht, was der Schreiber im Sagen meint, können das Gemeinte auch kaum antizipieren. Wir denken hingegen daran, daß Werther bereits im Brief vom 12. August schreibt, daß »auf dieser Welt keiner leicht den andern versteht« (50). Jetzt bemerken wir, daß Werther mit einer Gestalt zusammentrifft, mit der ein *Verstehen* überhaupt *nicht möglich* ist, sondern nur ein Mißverstehen, ein Aneinander-Vorbeireden. Beachten wir folgenden Gesprächsteil: »›Ich suche‹, antwortete er [der Schreiber] mit einem tiefen Seufzer, ›Blumen – und finde keine.‹ – ›Das ist auch die Jahreszeit nicht.‹ sagte ich lächelnd. – ›Es gibt so viele Blumen.‹ sagte er, indem er zu mir herunterkam...«. Und: »›... ich suche ... und kann sie nicht finden... Keines kann ich finden.‹« (88 f.) Ein Verstehen ist hier für Werther nicht möglich. Die dialogische Verständigung setzt aus, wo, wie beim bezugslosen Tollhäusler, die mitmenschliche Verbundenheit aussetzt. Die »geregelte Einbildungskraft« des jungen Goethe aber stiftet mit solchen Äußerungen im ästhetischen Gefüge des Romans geheime Bezüge und Verweisungen. Wir wissen, daß auch Werther sucht, was hienieden nicht zu finden ist (12), daß er bei seiner Suche im gegenwärtigen Augenblick seines Lebens in ein gefährliches Stadium einzutreten beginnt: er sucht in der Liebe zu Lotte eine Erfülltheit, die ihm doch versagt bleiben muß. Glück hat er bisher im »freundlichen Wahn« vorübergehender Trunkenheit erfahren. Jetzt hört er, daß der Schreiber im Tollhaus auf dem Höhepunkt seines Wahnsinns ein Glücklichsein erlebt hat. Kinder und Wahnsinnige, so reflektiert er, sind die eigentlich Glücklichen.

Die funktionale Bedeutung, die dem Gespräch innerhalb des Romans zukommt, erhellt aber erst aus Werthers nächstem Brief. In ihm heißt es: »Wilhelm! Der Mensch, von dem ich dir schrieb, der glückliche Unglückliche, war Schreiber bei Lottens Vater, und eine Leidenschaft zu ihr ... hat ihn rasend gemacht.« (91) Mit dem Schreiber begegnet Werther eine Gestalt, die aus Liebe zu Lotte (nicht zu irgendwem) in den Wahnsinn getrieben worden ist. Jetzt erst wird deutlich, was Szene und Gespräch für den Aufbau des Romans leisten. Jene weitere epische Welt, die Werther einbezieht, ist mit seinem eigenen Geschick verknüpft. Eine erneute Integration der Geschichte Werthers findet statt. Geht auch die Begebenheit um den Schreiber dem Geschehen um Werther, d. h. der führenden Substanzschicht des Romans voraus, so ist doch das Zusammentreffen Werthers mit dem Wahnsinnigen an diesem Punkt des Erzählvorgangs von großer Bedeutung. Wir bemerken: Werthers Geschick droht eine variierte Wiederholung eines Schicksals zu werden, das sich in dieser Umgebung bereits an einem anderen Menschen vollzogen hat. In der Mitte des wichtigen Briefs vom 30. November (und damit an einer zentralen Stelle des zweiten Teils des Romans) findet sich als eine neu eingeführte Figur eine Gestalt, die ein Opfer der Liebe zu Lotte geworden ist. Erst wenn wir dies mitbedenken, erschließt sich, was dieser Roman in der Tiefe als epischen Vorgang aufbaut, erhalten wir Einblick in das Geheimnis der Struktur dieses hintergründigen Jugendwerks Goethes. Erst diese Verzahnungen zwischen den Figuren schaffen die epische Welt. Lotte ist uns des öfteren in Werthers Briefen in der Haltung der Opferbereitschaft geschildert worden. Schon zu Beginn des Romans hören wir, daß sie einer sterbenden Freundin hilft, daß sie »Schmerzen lindert und Glückliche macht« (35). Sie hilft körperlich Kranken bis zur Aufopferung. Um so wichtiger ist, daß sie gerade diejenige ist, die zugleich die unheilbare geistig-seelische Krankheit zum Tode bewirkt, die den Schreiber in den Wahnsinn führen konnte und die auch Werther in den Selbstverlust zu bringen droht. Werther schreibt, als er bemerkt, daß ihm mit dem Schreiber gleichsam ein Spiegelbild seines Selbst begegnet ist: »Siehst du, mit mir ist's aus, ich trag' es nicht länger!« (91) Die Bedeutung dieser Worte wird uns klar, wenn wir bedenken, wie stark Werther am Beginn des Romans im Gespräch mit Albert über die Begrenztheit des dem Menschen Erträglichen reflektiert hat. Er hat jetzt etwa diese Grenze des Ertragbaren erreicht. Wenig später sagt er: »Was ist der Mensch, der gepriesene Halbgott! Ermangeln ihm nicht eben da die Kräfte, wo er sie am nötigsten braucht?« (92). Mit der Frage nach dem Wesen des Menschen, mit einer ratlosen Frage, die das Nicht-mehr-weiterwissen und das Verzweifeltsein Werthers erkennen läßt, schließt der Brief vom 6. Dezember. Auf ihn kann aus Werthers Feder kaum etwas Neues folgen, eine Atempause ist überdies dem Leser nötig. So kommt an dieser Stelle mit innerer Notwendigkeit die Doppelpoligkeit der Erzählhaltung wieder zum Vorschein. Der Herausgeber[27] spricht den Leser direkt an. Wir hören den Ton eines ge-

27. Vgl. *E. Staiger,* a. a. O. S. 149. – Der Herausgeber ist ein Freund Werthers, aber einer, der aus der Distanz einer überlegenen Höhe um Werthers Grenzen weiß und in dessen urteilende Überlegenheit der mitfühlende Leser mehr und mehr einschwingt. Er ist ein Vorläufer der aus ruhiger Souveränität sachlich sprechenden Erzähler der späteren geotheschen Erzählkunst.

lassenen, aus der Haltung des nachsichtigen Wissens um die Schwächen der Menschen schreibenden Erzählers, der mitfühlend, aber distanziert in urteilender Überlegenheit (sowie aus einer Nähe zur geistigen Welt des Lesers heraus) von »unserm Freund« Werther spricht und der uns über seine Tätigkeit des Herausgebens und Sammelns »genaue[r] Nachrichten aus dem Munde derer ..., die von seiner Geschichte wohl unterrichtet sein konnten« (92), informiert. Sein auf verschiedene Meinungen und Urteile (92) gestützter Kommentar wird fortan die Äußerungen Werthers begleiten und die Verbindung mit dem Leser aufrechterhalten.[28] Die Gedanken Werthers werden jetzt weitgehend aus der Haltung des vermittelnden, deutenden und urteilenden Herausgebers dargeboten. So werden die gefährlichen Möglichkeiten,[29] die der unvermittelte Aufprall der Selbsterzählung Werthers in der eingestimmten Seele des Lesers wecken könnte, abgeschwächt, und der Leser ist sich wieder dessen gewärtig, daß die Geschichte Werthers schon im Vorspruch in eine bestimmte Perspektive gerückt worden ist. Die Auswahl und den Modus der Darbietung der Äußerungen Werthers (Briefe, Tagebuchnotizen) bestimmt der Herausgeber. Soll das Gespräch mit dem Leser nicht abbrechen, so ist dieses Hervortreten des Herausgebers unerläßlich. In Werthers Monologen der Einsamkeit, die seine Zettel festhalten, ist selbst der Schein des Gesprächs, die Gebärde des Miteinanderseins nicht mehr gewahrt. Die Notizen zeigen in verschärfter Form die Reflexibilität Werthers, die alles unauslöschlich schriftlich im Bewußtsein fixiert und die gerade so eine Wandlung verhindert.

Noch innerhalb des Herausgeberberichts hören wir, wie Werther in der Situation der Ratlosigkeit von dem Mord erfährt, den der ihm bekannte Knecht, dessen Reinheit und Unschuld eingangs von ihm so mitfühlend geschildert worden ist (18 f.), aus Eifersucht begangen hat. Auch wenn der Herausgeber zunächst diesen Vorgang dem Leser gelassen berichtet, bald hören wir wieder Werther wörtlich reden. Groß ist die Distanz des Lesers vom Vorgang nicht, als er vernimmt, daß sich der Mord in Werthers Idyll, d. h. an dem Ort der Erfülltheit, vollzogen hat. Noch einmal wird vom Dichter (wie bei der Geschichte von der Selbstmörderin und bei der Episode mit dem Tollhäusler) aus dem Blickpunkt Werthers die führende Substanzschicht ausgeweitet durch Einbeziehung einer größeren Welt, einer weiteren Figur. Wieder liegt eine typisch epische Integration vor. Sie wird uns bereits halbwegs deutlich aus einem Zettel Werthers, auf dem steht: »Du bist nicht zu retten, Unglücklicher! ich sehe wohl, daß wir nicht zu retten sind.« (97) Der weitgehend du-lose Werther vollzieht mit diesen Worten, die den Leser an den Ausgang der ausreifenden

28. Vgl. zu dieser Aufgabe des Erzählers: *V. Lange*, a. a. O. S. 136.

29. Vgl. *K. R. Mandelkow*, a. a. O. S. 203.

Haupthandlung ermahnen,[30] eine Identifizierung seines eigenen mit dem fremden Schicksal und geht so, wie Lotte es ihm vorausgesagt hat, an dem »zu warmen Anteil an allem« (35, 102) zugrunde. Auch dies gehört zu Werthers »unglücklichen Leidenschaften«, daß er sich aus zu starkem Mitfühlen eins erklärt mit dem Zustand unglücklicher anderer. Das Mitfühlen mit dem Knecht ist besonders intensiv. Schon früher hat Werther in einem Brief an Wilhelm geschrieben, er habe mit der Geschichte vom Knecht seine eigene Geschichte erzählt. (78 f.) Bedeutsamerweise findet jedoch die Notiz über die Identifizierung (»wir« sind nicht zu retten) erst statt, nachdem Werther in überhasteter Aktivität vergeblich versucht hat, sich für den Knecht einzusetzen, ihn – aus »unsägliche[r] Begierde« (96) heraus – zu retten. Schon seit dem zentralen Gespräch Werthers mit Albert wissen wir, daß Werthers Auffassung nach den Ungelassenen nicht von den Gelassenen geholfen werden kann. Jetzt sehen wir, wie der Ungelassene versucht, einen Ungelassenen zu retten und dabei scheitert. Auch an diesem Punkt des Geschehens tritt der referierende Herausgeber wieder hervor, um die Selbstaussage des von der Umwelt abgesonderten, auf sich selbst zurückgezogenen und mit sich allein befindlichen Werther dem Leser zu distanzieren. Zugleich wird durch den Herausgeber aus der Haltung wissender Gelassenheit die Verbindung mit dem Leser durchgehalten. Die Bedeutung von Werthers privater Notiz erhellt jedoch erst, wenn der Leser mit Aufmerksamkeit[31] liest, d. h. wenn er bedenkt, daß Werther später im Abschiedsbrief an Lotte über seinen damaligen Zustand schreibt: »... in diesem zerrissenen Herzen ist es wütend herumgeschlichen, oft – deinen Mann zu ermorden! – dich! – mich! – « (104). Werther trägt sich selber mit Mordabsichten. Freilich: zwischen Pathologischem und Kriminellem umgetrieben, bleibt er schließlich bei der Reflexion über den Mord. Er ist auch in dieser Hinsicht unfähig zur Tat.[32] Schon am 4. September schreibt er über den Unterschied, der zwischen ihm und dem Knecht besteht: »... ich bin nicht halb so brav, nicht halb so entschlossen als der arme Unglückliche, mit dem ich mich zu vergleichen mich fast nicht getraue.« (79) Der unreflektierte, naive, aber rasch entschlossene Knecht vollzieht, als er zur »unvergnügten Seele«[33] wird, die Tat. Dieses Geschehen

30. Vgl. *E. Lämmert,* Bauformen des Erzählens, Stuttgart 1955, S. 185.

31. Vgl. allgemein *W. Kayser,* Entstehung und Krise des modernen Romans, a. a. O. S. 17.

32. Unfähig zur Tat ist Werther schon zu Beginn des Romans (9). Hier droht er an der Gewalt der positiven Eindrücke zugrundezugehen.

33. Vgl. *H. O. Burger,* Die Geschichte der unvergnügten Seele. Ein Entwurf, in: Deutsche Vierteljahrsschrift für Literaturwissenschaft und Geistesgeschichte 1960, S. 1 ff.

trifft Werther über alles bisher Erfahrene aber auch deshalb besonders stark, weil er, wie ein wichtiges Gespräch am Beginn des Romans erkennen läßt,[34] der Auffassung ist, daß die Bauern die »üble Laune« der Unvergnügtheit nicht haben. Jetzt wird ihm mit dem Knecht eine Gestalt vergegenwärtigt, die ein *Opfer* der Unvergnügtheit geworden ist. Diese Erfahrung bewirkt bei ihm, zumal er selber immer mehr zur unvergnügten Seele wird, daß die Grenze der Leidensfähigkeit erreicht wird. Seit langem weiß er (und dieser Fall zeigt es ihm erneut), daß der Unmut dasjenige ist, wodurch man »sich selbst und seinem Nächsten schadet...« (34). So kommt er zu der relativ gelassenen Haltung, die sein Abschiedsbrief anzeigt, wenn es dort heißt: »...ich will sterben, und das schreibe ich dir ohne romantische Überspannung, gelassen... Es ist nicht Verzweiflung, es ist Gewißheit, daß ich ausgetragen habe, und daß ich mich opfere für dich... Eins von uns dreien muß hinweg, und das will ich sein!« (104) Werther weiß um das dem Menschen Förderliche, Zuträgliche und Schädliche. Als ihn die Selbstzerstörung ergreift und als er auch bei Lotte und Albert Züge des Unmuts bemerkt, entschließt er sich zum Selbstmord. Um weiteres Unheil zu vermeiden, will er sich selbst aufopfern. Er versteht sein Vorhaben als eine Opfertat. Opferbereit erschien er uns schon am Ende des ersten Teils des Romans. Aber der Ortswechsel zeigte sich als ein unzulängliches Opfer. Jetzt versucht er durch seinen Tod die gestörte Ordnung wieder einzurenken (»O daß ihr glücklich wäret durch meinen Tod«, 121). Er bemerkt, als ihm die heilsame Kommunikation mit dem Äußeren, das Sich-gegenübertreten und Sich-fassen nicht mehr gelingen, daß das Sichopfern die einzige Tat ist, die er wirklich vermag. Seine Hingabe versteht er als Glück, sieht das Glück in dieser Hingabe. Freilich: kann Werther in seinen Reflexionen gelassen erscheinen und seinen Tod besonnen planen, in seinem Handeln bleibt er bis zuletzt der Ungelassene, ja, die »übereilte Tat« begegnet erst jetzt; nun erst wird seine Unfähigkeit zur Eingeschränktheit ganz offenbar, nun erst zerstört er selber das Glück des verstehenden Zwiegesprächs mit Lotte, d. h. den letzten Kontakt mit einem Menschen, mit dem er sich wirklich verstanden hat. Nach der Tat notiert er: »Daß ich des Glückes hätte teilhaftig werden können, für *dich* zu sterben! Lotte, für *dich* mich hinzugeben! Ich wollte mutig, ich wollte freudig sterben, wenn ich dir die Ruhe, die Wonne deines Lebens wiederschaffen könnte. Aber ach! das ward nur wenigen Edeln gegeben, ihr Blut für die Ihrigen zu vergießen und durch ihren Tod ein neues, hundertfältiges Leben ihren Freunden anzufachen.« (123) Nach der übereilten, Unordnung stiftenden Tat reflektiert Werther so nochmals über seine Opferbereitschaft. Im pietistischen Sprachstil seiner Zeit sagt er, daß er sich gerne in der Nachfolge Christi gesehen hätte.

34. Wir meinen die Szene im Pfarrhaus: Hbg. A. Bd. 6, 31.

Diese Aussage darf aber nicht für eine religiöse Deutung[35] des Romans verbucht werden. Werther spricht hier als einer, der sich am Rand des Verstummens in Spekulationen verstiegen hat. In Selbstüberschätzung möchte er sich den wenigen Edlen vergleichen, die ihr Blut für die Ihrigen vergießen konnten. Er verliert das Wissen um die Grenze seines Selbst. So leistet das Gespräch mit Albert über den Selbstmord, das Werthers Vergleichssucht (48) hervorhob, auch noch etwas für das Verständnis von Werthers Tod. Der Entschluß zum Sich-opfern ist allerdings insofern wirklich nur eine letzte Stufe in Werthers Lebensvollzug, als er ein notwendiger Ausdruck von Werthers Dämon ist. Das Opfer ist für Werther, dem die Selbstaufgabe im Sinne der Entsagung noch nicht gelingt, die einzige Möglichkeit, sich treu zu bleiben, sich nicht ins Pathologische des Wahnsinns (Schreiber) oder ins Kriminelle (Knecht) zu verlieren. Werther wird *das gehorsame Opfer seines eigenen Daimon.*

III

Während seiner Liebe zu Lotte schreibt Werther im ersten Teil des Romans in einem Brief: »... es ist in der Welt nichts Lächerlichers erfunden worden als dieses Verhältnis, und doch kommen mir oft darüber die Tränen in die Augen.« (44) Der epische Vorgang zeigt uns Werther in einer Situation, die ihm selber *lächerlich,* komisch vorkommt, über die er aber zugleich *weinen* muß. Denken wir an die Worte, die Lenz in dem in dem Stil des »Werther« geschriebenen Roman »Der Waldbruder« (1776) seine Erzählerin im vorhinein (als Perspektivenangabe) mitteilen läßt und auf die Karl S. Guthke[36] neuerdings nachdrücklich hingewiesen hat: »... Kein Zustand der Seele ist mir fataler, als wenn ich lachen und weinen zugleich muß.« Werther, dessen Gefährdung dem Leser von Beginn an deutlich ist, d. h. der potentiell tragischer Held[37] in einer Lage ist, in der jederzeit das Unheil ausbrechen kann, befindet sich eingangs in diesem fatalen psychischen Zustand. Kurz vor der zitierten Äußerung hat er sich uns als ein Mensch, der eines lächerlich-exzentrischen Verhaltens fähig ist, geschildert. Er schreibt: »Vorgestern kam der Medikus ... und fand mich auf der Erde unter Lottens Kindern, wie einige auf mir herumkrabbelten, andere mich neckten, und wie ich sie kitzelte und ein großes Ge-

35. Gegen: *H. Schöffler,* Die Leiden des jungen Werther, Ihr geistesgeschichtlicher Hintergrund, Frankfurt a. M. 1938, S. 16 f.

36. Vgl. *K. S. Guthke,* Lenzens »Hofmeister« und »Soldaten«. Ein neuer Formtypus in der Geschichte des deutschen Dramas, in: Wirkendes Wort 1959, S. 274 f.

37. Vgl. *E. Staiger,* Grundbegriffe der Poetik, Zürich 1951², S. 190 f.

schrei mit ihnen erregte. Der Doktor, der eine sehr dogmatische Drahtpuppe ist, ... fand dieses unter der Würde eines gescheiten Menschen; ... Auch ging er darauf in der Stadt herum und beklagte, des Amtmanns Kinder wären so schon ungezogen genug, der Werther verderbe sie nun völlig.« (30) Gerade in seiner natürlichen, ursprünglichen Art, in der »reinen, tiefen Empfindung« – durch die er freilich zugleich die Wirklichkeit mit Wunschbildern und Illusionen verfälscht – erscheint uns Werther liebenswürdig, wahrhaft »werter« als andere Figuren des Romans, ist er unserer persönlichen Wertschätzung gewiß. Aber gerade durch seine starke Gefühls- und Phantasiebestimmtheit ist er ein »närrischer« Charakter (in einer Welt komischer Drahtpuppen), gerät er in die komische Lage, über die er weinen muß. Die gefährliche Lage bewirkt überdies bei ihm eine furchterregende Possenhaftigkeit. Wir hören: »... wenn ich zu Lotten komme, und Albert bei ihr sitzt im Gärtchen unter der Laube, und ich nicht weiter kann, so bin ich ausgelassen närrisch und fange viel Possen, viel verwirrtes Zeug an. – ›Um Gottes Willen,‹ sagt mir Lotte heut, ›ich bitte Sie, keine Szene wie die von gestern abend! Sie sind fürchterlich, wenn Sie so lustig sind.‹« (43) Lotte erscheint Werthers Possenhaftigkeit schrecklich, weil sie weiß, daß er seiner Anlage nach ein potentiell tragischer Mensch ist und daß er immer mehr in eine gefährliche Lage gerät. Er selber sieht sich, wie wir früher sahen, als Narren (44). Dieses Närrische, das meint das Schwächlich-Lächerliche seiner in »schwärmende Träume« sich verlierenden Leidenschaftlichkeit, die untrennbar zu seinem liebenswerten Wesen gehört, trägt zu seiner Tragik bei. Wäre Werther nicht derart lächerlich-exzentrisch, so wäre die Lage für ihn nicht so tragisch, und gerade weil diese Lage so tragisch ist, wirkt sein komisches Verhalten um so mehr als erschreckend-lächerlich.[38] Eigentlich befreiender Humor[39] fehlt Werther jedoch, obwohl Werther weiß, daß gerade guter Humor über die Gefahren des Lebens hinweghilft (30). Hinzukommt, daß die Personen seiner Umwelt, die für ihn mehr oder weniger Narren oder Drahtpuppen (61, 62, 64) sind, *sich auf ihn tragisch* auswirken. Daß sich seine tragische Verzweiflung mit der Entfaltung des epischen Vorgangs der Krankheit zum Tode steigert, zeigt sich daran, daß ihm an dem Anwachsen seiner spekulativen Penetration nur noch das »kalte Lachen« (103) als *Ausdruck* des düsteren, *die Identität mit sich selbst verlierenden* »stumpfen, kalten *Bewußtsein[s]*« (92) bleibt. Das Tragische dominiert, je weiter der epische Vorgang aufgebaut wird, schließlich bei dieser Gestalt, die ein Opfer des eigenen Daimon in einer Umwelt und in einer Situation wird, die ihr mehr oder weniger närrisch erscheint.

38. Vgl. allgemein zu diesem Phänomen: *K. S. Guthke,* a. a. O. S. 281.

39. Vgl. *E. Staiger,* Goethe a. a. O. S. 158.

Raumgestaltung und Raumsymbolik in Goethes »Wahlverwandtschaften«

Bedeutung und Funktion des Raumes als einer hervorragenden Fügekraft beim Aufbau des literarischen Werkes sind bisher wenig untersucht worden. Versuchen wir hier diesen Fragen in ersten Vorbemerkungen zu Goethes »Wahlverwandtschaften«[1] nachzugehen, so schließen wir uns methodisch den hochbedeutsamen Ausführungen Herman Meyers[2] an, in denen an verschiedenen Beispielen der Frage nachgegangen wird, »wie in der Dichtung und besonders in der Erzählkunst der Raum gestaltet wird und was die Raumgestaltung im gesamten Gefüge des Erzählwerks leistet«[3]. Wir fragen: inwiefern ist der Raum in den »Wahlverwandtschaften« eine *Fügekraft* im Spiel der Kräfte, die die Struktur des Romans konstituieren? Und: inwiefern weist hier der Raum über sich hinaus[4] auf das Ganze, den Sinngehalt des Romans und auf die Unendlichkeit seiner Idee?

1. Wir zitieren den Text der »Wahlverwandtschaften« nach der Hamburger Goethe-Ausgabe (abgek.: Hbg. A.) Bd. 6.

2. *Herman Meyer,* Raum und Zeit in Wilhelm Raabes Erzählkunst, in: Deutsche Vierteljahrsschrift für Literaturwissenschaft und Geistesgeschichte 1953, S. 236 f. Und: *Herman Meyer,* Raumgestaltung und Raumsymbolik in der Erzählkunst, in: Studium generale, 1957, S. 620 f. – Zur Raumsymbolik auch: *Wolfgang Staroste,* Die Darstellung der Realität in Goethes »Novelle«, in: Neophilologus 1960, Heft 4 [jetzt im hier vorliegenden Bande, S. 25–38]. Ferner: *Wolfgang Staroste,* Die Auslegung der Wirklichkeit in Goethes Spätdichtung, Diss. Tübingen 1957 (Masch. schr.).

3. *Herman Meyer,* a. a. O. Stud. generale, S. 620.

4. Hinweise auf die Räumlichkeit in den »Wahlverwandtschaften« bei *W. Benjamin,* Goethes Wahlverwandtschaften, in: Spiegelungen Goethes in unserer Zeit, hrsg. v. Hans Mayer, Wiesbaden 1949, S. 22 f.; *Kurt May,* Die Wahlverwandtschaften als tragischer Roman, in: Jahrbuch des Freien Deutschen Hochstifts 1936–1940, S. 139 f.; *Benno v. Wiese,* Einleitung und Anmerkungen zu den »Wahlverwandtschaften«, in: Hbg. A. Bd. 6, S. 656, S. 666, S. 686 f.; *W. Killy,* Nachwort zu: Goethes Wahlverwandtschaften, Fischer Bücherei EC 9, S. 203.

I

Das faktische »Lokal« des Romans ist das Landgut Eduards. In diese Räumlichkeit führt uns der Erzähler so ein, daß wir den Besitzer der Gegend in »seiner Baumschule« (242), d. h. in einem Raum kennenlernen, der zum Wesen der Person in engem Sinnbezug steht. Das Wesen dieser ersten Gegend der erzählten Welt erhellt, wenn wir beachten, daß der Erzähler im zweiten Teil des Romans über die Einstellung des Gärtners zu diesen Anlagen äußert:

> ...So waren ihm doch die neuen Zierbäume und Modeblumen einigermaßen fremd geblieben, und er hatte vor dem unendlichen Felde der Botanik ... und den darin herumsummenden fremden Namen eine Art von Scheu, die ihn verdrießlich machte. Was die Herrschaft voriges Jahr zu verschreiben angefangen, hielt er um so mehr für unnützen Aufwand und Verschwendung, als er gar manche kostbare Pflanze ausgehen sah... (424)

Die unendlich-verwirrende Vielfalt dieser Gegend[5] bleibt dem Gärtner (gerade ihm, dem die Pflanzenwelt vertraute Umwelt ist!) fremd und erweckt eine »Art von Scheu«. Denken wir hier einen Augenblick an die Rubrik »Gartenkunst, Schaden fürs Subjekt« aus dem Schema Schillers und Goethes »Über Dilettantismus« von 1799. Dort steht:

> Die Gartenliebhaberei geht auf etwas endloses hinaus... Sie verewigt die herrschende Unart der Zeit, im ästhetischen unbedingt und gesetzlos sein zu wollen und willkürlich zu phantasieren, indem sie sich nicht, wie wohl andere Künste corrigieren und in der Zucht halten läßt. (WA 47, 310)

An einem solchen Ort des ästhetischen Unbedingtseins und des willkürlichen Phantasierens begegnet uns am Anfang des Romans Eduard, und wir dürfen sagen: Eduard ist hier in seinem Element (zugleich im phantastisch ausgebauten Raum seiner Herkunft!), und die Gegend *weist zeichenhaft*-mittelbar auf die zügellos-ästhetische, phantastisch-unbedingte *Seinsverfassung* des Raumbesitzers hin.

Von diesem Raum aus werden wir zweitens durch die mentale Vermittlung der Rede des Gärtners auf die zweite wichtige Gegend, auf die Felsenhöhe, auf der soeben Charlottes »Mooshütte« (242) fertiggestellt worden ist, gelenkt und werden vorbereitet auf den Blick, den man von dort auf die Umgebung hat. Daraufhin steigen wir mit dem Helden – nachdem auch kurz die dritte

5. Der Frage der Zeitgestaltung wollen wir in einer eigenen Untersuchung nachgehen.

Gegend, der Kirchhof (243), den Eduard vermeidet, genannt worden ist – zur Mooshütte. Es ist wichtig, daß der Erzähler jetzt den Ausblick aus diesem Raum nicht direkt schildert (wir wissen von ihm ja bereits!), sondern daß er die Wirkung der neuen Räumlichkeit auf Eduard wiedergibt; dieser sagt: »... die Hütte scheint mir etwas zu eng« (243). Der ins Endlose, Weite ausschweifenden Phantasie Eduards ist der Raum zu eng, der gerade für Charlotte als Raum der Abgeschlossenheit und des Ungestörten der Raum der *erfüllten* Eigenständigkeit ist, in dem man abgesondert von dem Fremden wohnen und in den man »nichts Hinderndes, Fremdes hereinbringen« (247) sollte. Charlotte weiß, daß durch besondere Gelegenheit von außen Dämonen im eigenen Inneren aufbrechen könnten, gegen die auch das Bewußtsein »keine hinlängliche Waffe« (248) ist. An eben »derselben Stelle« (250), d. h. in der Mooshütte, wird im zweiten Kapitel das Gespräch fortgeführt, und zwar so, daß gerade in diesem Raum der ungestörten Abgeschlossenheit die Entscheidung getroffen wird, den Raum des Landgutes doch dem »Fremden« (dem Hauptmann und Ottilie) zu öffnen.[6] Nach dieser Entscheidung aber betreten beide, Eduard und Charlotte (Mittler erwartet sie), aus Eile – und dieses Eilig-Übereilte weist auf ihre innere Verfassung hin – den sonst von Eduard vermiedenen Kirchhof. Dieses konkrete Geschehen hat zugleich eine sinnhafte Bedeutung: es weist zeichenhaft darauf hin, wie beide Personen durch übereilte, aber freie Entscheidung ihre eigene Ehe zu Grabe zu tragen beginnen, ja gerade so in den Bereich des Todes getrieben werden. Wir antizipieren, worauf es im Erzählvorgang hinausgehen wird und verstehen von der Raumgestaltung her Goethes Wort: »... daß es zu bösen Häusern hinausgehen muß, sieht man ja gleich im Anfang« (623). Der Raum des Landgutes ist *von Anfang an als Raum des Todes angelegt.* Mit Recht nennt Benjamin[7] den Schauplatz den Ort eines »dämmerhaften Hades«. Auf die dritte Gegend dieses Hades, den Friedhof, fällt nun sogleich merkwürdiges Licht. Wir hören, daß Charlotte den Raum ästhetisch-willkürlich verändert hat. Ähnlich wie es dem Gärtner bei den neuen Anlagen Eduards ergeht, geht es uns hier: wir empfinden eine »Art von Scheu« vor diesem hybrid-luxuriösen Spiel mit der Totenehrung, das den Tod aus dem Horizont der eigenen räumlichen Umgebung auszuklammern sucht.[8]

Im weiteren Erzählverlauf werden wir nicht zufällig gerade wieder in die zweite Gegend, und zwar in die Mooshütte, die uns schon vertraut ist, einge-

6. Auch die Pension, die geheime Gegenwelt des Landgutes, wird bereits im ersten Kapitel erwähnt. Sie erscheint ständig nur auf dem Wege der Indirektheit.

7. *W. Benjamin,* a. a. O. S. 59.

8. Aber an diesem Ort gerade läßt der Erzähler sie Mittler treffen (254).

führt. Ein solches *leitmotivhaftes Wiederkehren* bestimmter empirischer Räume macht die Räumlichkeit in diesem Roman zu einer wirklichen Fügekraft. Der Raum der Mooshütte z. B. wird auf diese Weise erst zu einem sinnhaften Zeichen. Wir finden ihn jetzt »auf das lustigste ausgeschmückt« (258) zur Feier des Namenstages (Eduards und des Hauptmanns) und hören den Erzähler kommentieren: »Nun saßen sie also zu dreien um dasselbe Tischchen, wo Charlotte so eifrig gegen die Ankunft des Gastes gesprochen hatte« (259). Von der oberhalb der Hütte liegenden »letzten Höhe« schauen wir darauf auf die Umgebung herab, auf deren Anordnung uns schon der Bericht des Gärtners vertretungsweise vorbereitet hat. Doch wird jetzt neu als eine vierte Gegend »in der Tiefe« der Bereich der Teiche, der Mühle und der Platanen aus der Fernsicht in unser Blickfeld gerückt. Die *vertikale* Raumkonstellation von Höhe und Tiefe[9] rückt stärker hervor.

Die gesamte Räumlichkeit des Landgutes wird bald darauf ausgemessen und aufgezeichnet, und wir erfahren: »Eduard sah seine Besitzungen ... wie eine neue Schöpfung hervorgewachsen. Er glaubte sie jetzt erst kennenzulernen...« (261). Es ist aber von Bedeutung, daß gerade diese Indirektheit der Vergegenwärtigung des abgeschlossenen Raumes des Gutes durch das Medium der Zeichnung den ästhetisch-lebenden Eduard veranlaßt, Kritik an den Raumänderungen Charlottens in der Mooshüttengegend zu üben und darüber hinaus zu der Einsicht zu gelangen, daß »von der Mooshütte hinaufwärts und über die Anhöhe noch mancherlei zu tun« (262) ist. Nicht nur entsteht nach der Vermessung des Raumes die erste Verwirrung und Trennung zwischen den Personen – es heißt später über Charlotte: »...sie ... hat uns nicht wieder zur Mooshütte eingeladen, ob sie gleich mit Ottilien ... hinaufgeht« (287) – sondern es entsteht auch (nach Ottilies Ankunft) der Wunsch, »oberwärts ... ein Lustgebäude« (288) aufzuführen, von dem aus man die ganze Gegend überschauen kann. In der zweiten Gegend wird jetzt etwas Neues geplant, das für die Raumkonstellation des Romans von großer Bedeutung ist. Erinnern wir uns, daß Eduard eingangs die Hütte »zu eng« fand, so merken wir: mit dem neuen Projekt kehren die Raumbezüge von Enge und Weite, die zugleich über sich hinaus auf das Sinnthema von Gesetzlichem und Ungebändigtem hindeuten, wieder. Das geplante Haus ist ein Ausdruck der ins Phantastisch-Endlose ausschweifenden Phantasie Eduards, ja, wir dürfen in dem Bauplan eine Folge der »Langeweile« sehen, die nach Emil Staigers Deutung die Menschen des Landgutes so stark prägt.[10] Dieser Teil der zweiten Gegend tritt nach dem Aus-

9. Vgl. zur Terminologie: *Herman Meyer*, a. a. O. Deutsche Vierteljahrsschrift für Literaturwissenschaft und Geistesgeschichte S. 264 f.

10. *E. Staiger*, Goethe II, Zürich 1956, S. 479.

flug zur Mühle,[11] d. h. nach der Annäherung Eduards und Ottilies, entschieden hervor, wenn es heißt: »... sie [die Personen] standen auf dem Platze, wo das neue Gebäude hinkommen sollte...« (293). Die Menschen, die bereits beginnen, sich nicht nur im »moosigen Gestein« (291), sondern besonders in der Wildnis des eigenen Inneren zu verlieren (und die auch im eigentlichen Sinne auf »Klippen« (291) stehen), reflektieren nach dieser Situation über ihre Baupläne in der Mooshütte, die sich erneut als führendes Strukturelement herausstellt. Der Erzähler erläutert: »Man stieg zur Mooshütte hinunter und saß zum erstenmal darin zu vieren« (293). Im engen Raum, d. h. in dem Ort, der eingangs den Charakter der eidetischen Verkörperung von Maß und erfüllter Eigenständigkeit bereits zu verlieren beginnt, geht jetzt die Phantasie ins Weite; sie plant eine wegverkürzende »Brücke« über den Teich. Eine Brücke wird aber später, als sie nötig wird, fehlen. Der Leser antizipiert hier bereits »ein Entsetzen vor einem eindringenden Ungeheuren« (400) und bemerkt, wie man, während man Wege plant, immer mehr ins Weglose zu geraten beginnt.

Die Bedeutung des neuen Teils der zweiten Gegend erhellt aber noch mehr, wenn wir beachten, daß es unmittelbar nach der erwähnten Situation gerade Ottilie ist, die auf der topographischen Karte des Hauptmanns den eigentlich geeigneten Ort für das »Lustgebäude« findet: »›Ich würde‹, sagte Ottilie, indem sie den Finger auf die höchste Fläche der Anhöhe setzte, ›das Haus hierher bauen. Man sähe zwar das Schloß nicht..., aber man befände sich auch dafür wie in einer andern und neuen Welt. Die Aussicht auf die Teiche, nach der Mühle ... ist außerordentlich schön‹« (294 f.). Ottilie wählt den Ort,[12] von dem aus die Gegend Eduards (Plantagen, Teich) sowie die der Mühle (die für Ottilie und Eduard eidetische Verkörperung des Raumes ihrer Liebe ist) zu sehen ist. Nicht sichtbar dagegen bleibt das alte Schloß (der eigentliche Sinnraum der Zugehörigkeit Eduards zu Charlotte). Eduard akzeptiert den von Ottilie gewählten Platz und zeichnet, den Plan des Hauptmanns verunstaltend, »ein längliches Viereck recht stark und derb auf die Anhöhe« (295). Seinen Zustand kommentiert der Erzähler mit den Worten: Eduard »konnte seinen Triumph nicht bergen, daß Ottilie den Gedanken gehabt. Er war so stolz darauf, als ob die Erfindung sein gewesen wäre« (295). Die *Einstellung* zum Raum wird hier, wie der Erzähler direkt hervorhebt, zeichenhaft-bedeutend verwendet und weist uns auf die seelische Verfassung der handelnden Personen hin. So erstaunt es uns auch nicht, daß im weiteren Erzählverlauf dem Entstehen des neuen Raumes die wachsende Leidenschaft Eduards zu Ottilie parallel läuft. Der neue

11. Die Mühle ist zugleich altes Symbol der Unterwelt! Vgl. *Benjamin,* a. a. O. S. 26 f.

12. Gerade der Ort wird später der Anstoß zur Übereilung!

Teil der zweiten Gegend – der uns zunächst vertretungsweise von der Zeichnung her vorgestellt worden ist – liegt im achten Kapitel direkt vor uns und wird als geeigneter Bauplatz allerseits akzeptiert (291). Schon im neunten Kapitel wohnt der Leser der Grundsteinlegung bei. Die ganze uns bekannte Raumwelt[13] des Gutes begegnet uns dabei jetzt auf die Weise, daß sie anhand der Bewegungsrichtung des Zuges vom Dorf zum Bauplatz durchmessen wird. Am Bauort wird alsdann in der Tiefe des »engen ausgegrabenen Raums« (300), wo die »regelmäßigen, sorgfältigen Fugen« (301) gerichtet werden, den künftigen Bewohnern am Bauvorgang mittelbar bewußt gemacht, wie sich im menschlichen Bereich Aufbauendes und Zerstörendes, Verbindendes und Trennendes, Gesetzliches und Ungebändigtes zueinander verhalten. Daß aber während der Richtung der regelmäßigen Fugen die Welt der Personen bereits aus den Fugen zu gehen beginnt, zeigt sich sinnbildlich besonders daran, daß dem Grundstein mit der »Kette« Ottilies[14] gerade der Gegenstand eines »Fremden«, das in die äußerlich noch ungestörte Welt eingebrochen ist, auf das Innigste – »eingekittet« sagt der Erzähler mit Notwendigkeit! – verbunden wird. Die unlösliche, naturhaft-fatalistische Bindung Ottiliens an Eduard ist mit diesem Vorgang bereits sinnbildlich vorverwirklicht. Der Leser freilich bemerkt bei mehrmaligem Lesen, das Goethe seinen Zeitgenossen so nahelegte, daß Eduard und Ottilie sich nur in der »ausgegrabenen Tiefe« des Grabes so innig miteinander verbinden können, wie hier Kette Ottiliens und Grundstein von Eduards Haus.

Wenig später erfahren wir auch Charlottes leidenschaftliche Verstrickung von ihrem Verhalten zu ihrer Gegend her; als sie von der möglichen Entfernung des Hauptmanns hört, läuft sie – die den »Kalk« unter den Grundstein des Hauses werfen mußte, aber im menschlichen Bereich ebenfalls an der allgemeinen Trennung mitwirkt – in ihren Raum, in die Mooshütte. Denken wir hier an die späteren Worte des Erzählers: »... jeder Mensch hat in der Nähe und in der Ferne gewisse örtliche Einzelnheiten, die ihn anziehen, die ihm seinem Charakter nach, um des ersten Eindrucks, gewisser Umstände, der Gewohnheit willen besonders lieb und aufregend sind« (430). Diese Worte, die zugleich darauf hinweisen, wie der Erzähler in diesem Roman die epische Wirklichkeit räumlich aufbaut, machen sichtbar: an den Ort, den Charlotte sich eigens errichtet und geschmückt hat, der überdies der Aufenthaltsort auch des Hauptmanns geworden ist und der so für Charlotte mit bestimmtem Gefühls-

13. Vgl. auch die »Mauer« (288), die aus den Steinen vom Fels gebaut wird, während zwischen den Personen die Mauern bereits eingerissen werden.

14. Zur Kette: Losketten von der Welt der Herkunft (das Bild des Vaters ist schon entfernt!), zugleich: Verketten, enger Anschluß ans Neue.

gehalt geladen ist, mußte der Erzähler seine Figur in dieser Situation des Schmerzes (314) führen.

Während Charlotte sich so ins Enge flüchtet, flüchtet Eduard – wie sollte es nach allem, was wir schon wissen, anders sein! – ins Weite. Wir finden ihn im dreizehnten Kapitel in seiner Gegend »unter Ottiliens Fenstern« (327) während der Nacht im Freien (das Ottilie später so lieben wird). Hier reflektiert er, ungeachtet aller Warnzeichen, darüber, daß die »Mauern« im Innern zwischen ihm und Ottilie bereits eingerissen sind; hier faßt er überdies den Plan, das neue Schloß an Ottilies Geburtstag zu richten.

Es ist aber von großer Bedeutung, daß zwischen den beiden erwähnten Situationen im elften Kapitel die »unerhörte Begebenheit« sich vollzieht, die Benno von Wiese als die eigentliche Sinnmitte des Romans bezeichnet.[15] Im alten Schloß, in dem Raum der Zugehörigkeit Eduards zu Charlotte, vollzieht sich das Verbrechen des »doppelten Ehebruchs«. Als Eduard eines nachts den Grafen über eine Geheimtreppe zur Baronesse bringt, findet er sich in einem »dunklen Raum« vor Charlottes Schlafzimmer. Der Erzähler erläutert: »Durch die Finsternis ganz in sich selbst geengt, sah er sie sitzen ... eine sonderbare Verwechselung ging in seiner Seele vor...« (319). Hier ist es nicht die Gartenkunst, sondern die in ihrer Art freilich ebenso ins Endlos-Spielerische gehende Baukunst der Geheimtreppen und Tapetentüren, die »Schaden fürs Subjekt« bewirkt, d. h. hier: Eduard »willkürlich phantasieren« läßt. Vom Raum her steigert sich die Phantasie hier schädigend für die menschlichen Beziehungen. Das gilt auch für das darauf folgende Geschehen der Nacht (321). Eduard und Charlotte sind jetzt wirklich ins Endlos-Weite hinausgedrungen. Der Erzähler vermerkt über Eduard: »In Eduards Gesinnungen wie in seinen Handlungen ist kein Maß mehr... Wie verändert ist ihm die Ansicht von allen Zimmern, von allen Umgebungen! Er findet sich in seinem eigenen Hause nicht mehr« (328). Und vorher: »Auch an dem neuen Haus treibt er...« (328). Wenig später: »Ottiliens Gegenwart verschlingt ihm alles...«. Die Maßlosigkeit Eduards wird hier verdeutlicht an der maßlosen Arbeit am neuen Schloß, die ihn sich in seinem eigenen Haus nicht mehr finden läßt. *Dieses Sichverlieren im eigenen Haus ist ein sinnbildliches Zeichen für den Selbstverlust Eduards überhaupt.* Kaum eingezogen in das Landgut, beginnt er rettungslos auszuziehen, sich selbst und dem Raum fremd zu werden. Das zeigt sich auch in seiner Verschlossenheit an: »Sein Herz war verschlossen« (331); auch die häusliche Geselligkeit zerbricht an seiner Verschlossenheit in die eigene, unbedingtliebende Subjektivität. Doch dieses Grenzenlos-Leidenschaftliche Eduards ver-

15. Vgl. *B. v. Wiese,* Hbg. A. Bd. 6, 665. *P. Stöcklein,* Wege zum späten Goethe, Hamburg 1949, S. 13.

deutlicht uns der Erzähler überdies nochmals an einem Verhalten des Helden zum Raum: »Unter einem anderen Vorwand ließ ... Eduard den Raum unter den Platanen von Gesträuch, Gras und Moos säubern, und nun erschien erst die Herrlichkeit des Baumwuchses sowohl an Höhe als Breite auf dem gereinigten Boden...« (334). Der Vorgang ist sinnbezogen und sinnerhellend: der Raum, der in Ottiliens Geburtsjahr angelegt worden ist und der, mit Gefühlsgehalt aufgeladen, eine »örtliche Einzelheit« ist, die Eduard »gewisser Umstände« wegen »besonders lieb und aufregend« ist (430), wird jetzt, kurz vor Ottilies Geburtstag, gereinigt. Denken wir einen Moment an Eduards Worte über die Errichtung der Mauer im Dorf; er lobt die Schweizer Sauberkeit und möchte im Dorf »den schönsten Raum« herstellen, »der Reinlichkeit Platz« geben (285). Genau das macht er jetzt bei den Platanen. Aber: während er den Naturraum des Eros säubert, wuchert die Wildnis im Innern seines Wesens. Er vollzieht keine Selbstsäuberung, ergreift nicht sich selbst in Freiheit als geistiges Selbst. Er läßt sich treiben,[16] läßt die Liebe ins Maßlose wuchern. So verwundert es uns nicht, daß die neue wichtige Erzählsituation des Richtfestes für das neue Schloß und für die künftigen Bewohner unter erneuten, jetzt deutlicheren und ernsteren Vorzeichen steht. Wir denken daran, daß die »Dämme« am See unterhalb der Platanen nicht halten, so wie die Dämme und Mauern zwischen den Menschen einzustürzen beginnen. Freilich: die Handelnden beginnen – wenn auch recht langsam – hellhörig zu werden. Wieder können wir uns ihre Situation von ihrer Einstellung zum Raum her vergegenwärtigen: Eduard, der sich im eigenen Haus nicht mehr findet, ist bereit, um nicht Ottilie in die Pension zurückschicken zu müssen, »sein Haus zu verlassen« (343f.); er will, wie er sagt, »sich aufopfern« (344).[17] Er geht in die »Fremde«, in eine Räumlichkeit, die der Erzähler gegenüber dem fast überdeutlich vorgeführten, vermessenen und skizzierten Raum des Landgutes recht schattenhaft beläßt. Das faktische »Lokal« der Fremde interessiert in der Tat auch wenig. Viel wichtiger ist, daß für Eduard *die Ferne zur eigentlichen Nähe* zu Ottilie wird. Er sagt zu Mittler: »Da ich ihr [Ottilie] nahe war, träumte ich nie von ihr; jetzt aber, in der Ferne, sind wir im Traume zusammen ... jetzt erst erscheint mir ihr Bild im Traum« (354). Ähnlich wie es im Bereich des Landguts der »dunkle Raum« vor der Tapetentür vermochte, vermag es jetzt der dunkle Raum der Nacht in der Fremde, Eduard, »wonnevolle Gaukeleien der Phantasie« (354) vorzuspiegeln. Eduard findet sich in der Fremde nicht wieder, er gerät nur noch mehr in die Selbstverlorenheit. Bedeutsamerweise vollzieht sich

16. Vgl. *B. v. Wiese,* Hbg. A. Bd. 6, 659.

17. Das Wort »opfern« spielt eine nicht unbeträchtliche Rolle im Roman. Ich suche dem in anderem Zusammenhang nachzugehen.

gleichzeitig – wie »zwillingshaft«[18] ähnlich hat tatsächlich der Dichter die magisch voneinander angezogenen Personen gestaltet! – etwas Ähnliches mit Ottilie. Wir hören: »Wie oft eilte das gute Mädchen mit Sonnenaufgang aus dem Hause, in dem sie sonst alle ihre Glückseligkeit gefunden hatte, ins Freie hinaus, in die Gegend, die sie sonst nicht ansprach...« (351). Denken wir an den Hinweis des Erzählers am Anfang: »Auch war ihre ganze Sinnesweise dem Hause und dem Häuslichen mehr als der Welt, mehr als dem Leben im Freien zugewendet...« (296). Wir dürfen sagen, auch Ottilie findet sich in ihrem eigenen Raum, der sie sonst anzog, ihr »besonders lieb« war, nicht mehr. Sie *verläßt* das Haus, d. h. aber *den ihrer Seinsweise,* ihrem vorgegebenen Dämon, ihrem angeborenen Naturell *gemäßen Ort;* sie begibt sich ins Freie, d. h. aber an den Ort Eduards (Gärten, Platanen). Später hören wir: Ottilie fühlte sich »immer mehr an diese Räume gefesselt« (424). Wie die Kette dem Stein verkittet, so scheint Ottilie an die Gegend Eduards gefesselt zu sein. So dürfen wir die Schritte Ottilies in die Gärten als einen sinnhaften Vorgang ansprechen, an dem der Erzähler verdeutlicht, daß Ottilie wirklich, wie wir später auch direkt von ihr hören, aus ihrer »Bahn«, d. h. aus der mit dem Dämon vorgeschriebenen Seinsweise herauszugehen beginnt (462). Ottilies Zustand aber erläutert der Erzähler besonders auf die Art, daß er seine Figur in dem Kahn auf dem See, in dem das Kind ertrinken wird, folgendermaßen vorführt: »Sie sprang in den Kahn und ruderte sich mitten in den See; dann zog sie eine Reisebeschreibung hervor ... las, träumte sich in die Fremde, und immer fand sie dort ihren Freund...« (351). Auch Ottilie überwindet die Ferne; vom Ort des Eros aus[19] träumt sie sich in die Nähe zum Geliebten. Die Raumgestaltung leistet hier wieder Wesentliches zum Verständnis des Sinngehaltes, wir bemerken von den Raumbestimmungen her, wie beide Gestalten, Eduard und Ottilie, sich selbst entfremdet, und verlockt von der Macht der Einbildungskraft, »ins Unbestimmte entweichen«. Eduard hat sich nicht wahrhaft aufgeopfert: er träumt sich in die vertraute Welt zurück. Ottilie wird entgegen ihrem Dämon »ins lose Weite hinausgetrieben« (275).[20]

18. Vgl. *Bettina* an Goethe, Hbg. A. Bd. 6, 649.

19. Später wird dieser Ort zum Raum der totalen Abgeschnittenheit und Isolierung.

20. Daß Eduard dabei das Dingsymbol seiner Liebe zu Ottilie bei sich trägt, weist zeichenhaft darauf hin, daß er sich von der Welt Ottilies nicht wahrhaft trennt.

II

Der zweite Teil des Romans führt den Leser sogleich in die Gegend, die ihm schon aus der flüchtigen Nah- und aus der Fernsicht bekannt ist, in die Räumlichkeit des Kirchhofs und seiner Gräber; ja, der Erzähler führt sogar ausführlich in die Diskussionen um den ins Ästhetisch-Spielerische veränderten Raum des Totenkultes ein (362 f.). Dieser Raum der Gräber ist die eine Klammer der Raumgestaltung, die ersten und zweiten Teil des Romans hintergründig verknüpft. Er tritt im Verlauf des Erzählens immer stärker als ein Pol der *Raumachse* hervor, die ihren Gegenpol im neuen Schloß (einer zweiten Klammer der Raumgestaltung) findet. Er ist fast in allen Kapiteln des zweiten Teils direkt oder mittelbar gegenwärtig. Innerhalb dieser (dritten) Gegend tritt ein Raumteil immer stärker ins Licht; es ist die »Seitenkapelle«, über die es heißt:

> ...da zeigte sich zum größten Erstaunen und Vergnügen des Architekten eine wenig bemerkte kleine Seitenkapelle von noch geistreichern und leichtern Maßen, von noch gefälligern und fleißigern Zieraten... Der Architekt konnte nicht unterlassen, die Kapelle sogleich in seinen Plan mit hereinzuziehen und besonders diesen engen Raum als ein Denkmal voriger Zeiten... wiederherzustellen. (366)

Ein Plan wird diesmal nicht zur Vermessung des Gutes, sondern zur Ausschmückung der Kapelle gemacht. Der Planende, der Architekt, paßt freilich gut in die Welt des luxuriös-verschwenderischen Bauens. Seine Tätigkeit reiht sich dem Tun des Hauptmanns, der Gartenzierkunst Eduards und der Grabdenkmälerkunst Charlottes in eigentümlich-verwandter Weise an.[21] Auch er ist ein Dilettant. Der von ihm im nazarenisch-ästhetischen Stil verzierte Innenraum wird im weiteren Erzählverlauf der Lieblingsort Ottilies, die sich von den neuen religiös-künstlerischen Gegenständen her zu verstehen beginnt (368) und die sich in den Figuren als in Präfigurationen ihrer selbst sinnbildlich vorweggenommen sieht. Am Abend vor Eduards Geburtstag, d. h. wie der Leser später erfährt, genau ein Jahr vor ihrem Tod, betritt sie allein den fertiggestellten Innenraum und wird von dem »fremden Ton«, den die Kapelle durch die bunten Fenster erhalten hat, überrascht: »... es schien ihr ... als wenn sie wäre und nicht wäre, ... als wenn dies alles vor ihr, sie vor sich selbst verschwinden sollte« (374). Und: alle Blumen hatten gedient, »einen Ort auszuschmükken, der, ... wenn er zu irgend etwas genutzt werden sollte, nur zu einer gemeinsamen Grabstätte geeignet schien« (374). Zugleich tritt mit Ottilies Re-

21. Vgl. zu Charlottes Tätigkeit: *E. Staiger*, a. a. O. S. 481 f. Zum Architekten: ebenda S. 503 f. Die Dilettanten spiegeln sich wechselseitig!

flexion über den Totenraum auch der Gegenpol der Raumachse, das neue Schloß (374), wieder ins Blickfeld. Auf beide Pole der Raumachse lassen sich Reflexionen aus Ottilies Tagebuch beziehen, die der Erzähler unmittelbar nach der Situation in der Kapelle in den Vorgang einschiebt. Es heißt dort über den Baukünstler im allgemeinen: »Wie oft wendet er seinen ganzen Geist, seine ganze Neigung auf, um Räume hervorzubringen, von denen er sich selbst ausschließen muß!« (375). Wir denken nicht nur an den Architekten, wenn wir diese Sätze hören; wir denken z. B. an Eduard, der von seinen Gärten und vom neuen Schloß, »sich selbst ausschließen« muß. Ja, wir denken, vom Ende der erzählten Welt her, daran, daß er nicht ins Schloß zurückkehrt zu »geselligem Aufenthalt« (295), sondern zum Sterben. Aber noch eine weitere Bezüglichkeit stiften diese Worte: im Erzählvorgang ist vorher erwähnt worden, daß Ottilie an der Kapelle mitarbeitet. Sie malt mit an den Deckenfiguren (371). Da dieser Raum aber, ähnlich wie sie es sich vorstellt, wirklich ihre eigene Grabstätte wird, bringt sie einen Raum mit hervor, von dem sie sich nicht ausschließen muß; freilich: nur als Tote wird sie ihn wirklich bewohnen. Daß wir aus ihren Worten diesen Bezug mithören dürfen, bestätigt Ottilies – unmittelbar nachfolgende – direkte Reflexion über den Raum der Kapelle:

> Gestern, als ich in der Kapelle saß ..., erschien mir jener Gedanke gar freundlich und anmutig. »Warum kannst du nicht sitzenbleiben?« dachte ich bei mir selbst, still und in dich gekehrt sitzenbleiben, lange, lange, bis endlich die Freunde kämen, denen du aufstündest und ihren Platz mit freundlichem Neigen anwiesest. (375)

Der in diesen Gedanken lebenden Ottilie muß es sehr seltsam erscheinen, daß bald nach dieser Situation im alten Schloß Grabdenkmäler pantomimisch dargestellt werden. Als das »Grab des Mausolus« von Luciane aus Verlegenheit – aus Langeweile, die hier verstärkt als Grund einer leeren, unterhöhlten Gesellschaft wieder auftaucht – ästhetisch-frivol[22] dargeboten wird, sind wir auf »Grabdenkmäler« durch das Referat des Erzählers über die Diskussionen (Totenkult), durch die Worte des Architekten und durch Ottilies Tagebuch hinlänglich vorbereitet. Unheimlich aber wird die Atmosphäre jetzt, da die Grabdenkmäler aus dem Horizont Lucianes, die alles nur »von der lächerlichen Seite« (387) sehen kann und die aus dem Ernstesten unvermittelt in ein »lustiges Thema« (381) übergeht, als Spiel in einer Räumlichkeit vorgestellt werden, die kein wahrer Lebensraum mehr für ihre Bewohner ist. Ottilie, von allem distanziert, reflektiert in ihrem Tagebuch: »Toren und gescheite Leute sind gleich unschädlich. Nur die Halbnarren und Halbweisen, das sind die Gefähr-

22. Die Reihe der ästhetisch-spielenden Menschen setzt sich hier fort.

lichsten« (398). Halbnärrisch ist sie selbst, ist Eduard in seiner unbedingten Liebe, durch die es im Ernst auf die hier spielerisch dargestellten »bösen Häuser« hinausgehen muß. Das Halbnärrisch-Scheinhafte ihres Lebens wird ihr vollends deutlich, als sie – von den ästhetisch-spielerisch lebenden Menschen (Charlotte, Architekt) dazu ermuntert – im nächtlichen Raum die Mutter Gottes darstellt (402 f.). Es ist besonders der Erzieher aus der Pension, der die Scheinhaftigkeit der Vermischung des »Heiligen ... mit dem Sinnlichen« (407), die den Lieblingsort Ottiliens, die Kapelle (aber mittelbar auch ihr Spiel), kennzeichnet, hervorhebt. Eine deutliche, vom distanziert berichtenden Erzähler beabsichtigte *Relativierung* dieses Sinn- und Wertraums und der ihm zugeordneten Gestalt setzt ein.

Mit dem zehnten Kapitel tritt der räumliche Gegenpol der Kapelle, das neue Schloß, wieder in den Blick des Lesers: es ist soeben fertiggestellt und wird der Aufenthaltsort der Frauen: »so wohnten die Frauenzimmer mit dem Kinde nun oben, und von diesem Aufenthalt ... eröffneten sich ihnen unerwartete Spaziergänge...« (429). Kaum aber sind sie eingezogen, so werden sie durch einen Gast, den englischen Lord, auf eine doppelte Weise auf den neuen Raum, aber auch auf ihr Sein hingewiesen. In der Vermittlung durch die Kunst der Zeichnungen (430) des Lords werden sie einerseits noch genauer als eingangs durch den Hauptmann mit ihrem Landgut bekannt gemacht. Überbelichtet, in *überscharfer Konturiertheit* liegt dieser von einer schattenhaft bleibenden Umgebung fast hermetisch *abgekapselte,* hadeshafte Raum auch vor den Augen des Lesers. Zugleich jedoch werden im neuen Schloß die Zeichnungen, die der Lord auf Reisen gemacht hat, der Anstoß für Ottilie, sich wiederum in die Fremde zu Eduard hinauszuträumen. Wir hören, daß »Ottilie sich vorzüglich bei den Gegenden aufhielt, wovon Eduard viel zu erzählen pflegte...« (430). Von der Einbildungskraft ins Unendliche verlockt, stellt Ottilie darauf dem Lord die Frage nach seiner liebsten Wohnung und führt so eine unerwartete Reflexion über das Thema Raum und Räumlichkeit herbei. Der Lord sagt: »Selbst bei vielen Mitteln sind wir immer nur halb und halb zu Hause, besonders auf dem Lande... Wir richten uns immer häuslich ein, um wieder auszuziehen, und wenn wir es nicht mit Willen ... tun, so wirken ... Leidenschaften, Zufälle ... und was nicht alles« (431). Im eben neu gebauten Haus werden Charlotte und Ottilie durch ein »Fremdes«, den Lord, den sie aufgenommen haben, daran erinnert, daß man einzieht, um auszuziehen, daß man immer nur halb zu Hause ist. Die Wirkung dieser Reden auf Ottilie entnehmen wir den Hinweisen des Erzählers: »... es schien ihr, als wenn alles, was bisher für Haus und Hof, für Garten, Park und die ganze Umgebung geschehen war, ganz eigentlich umsonst sei...« (432). Und zweitens: die Worte des Lords, »wer genießt jetzt meine Gebäude, meinen Park, meine Gärten?«, stellen Ottilie den »heimatlosen« Eduard direkt vor Augen. Charlotte mag an die Mooshütte denken, die jetzt fast verwaist ist (und so auch im Erzählvorgang zurücktritt).[23] Der Leser denkt an das jetzige Aus- und Umziehen der wahrhaft nur halb zuhause seienden Personen, die nicht zum wirklichen Wohnen gelangt sind. Das Bewußtsein des Nichtzuhauseseins verstärkt den handelnden Personen unerwartet auch die Novelle »Die wunderlichen Nachbarskinder«, in der zwar häuslich Wohnende dargestellt werden, in der aber gerade das Schicksal des Hauptmanns mitgeteilt wird (442), d. h. einer Person, die das Halbzuhausesein Charlottes mitbewirkt und die selber gegenwärtig nur halb zuhause ist.

Der Ort dieser Ereignisse, das neue Schloß, tritt im dreizehnten Kapitel in einer neuen Weise ins Blickfeld des Lesers: nicht mit den Frauen schauen wir von der Höhe in die schöne Ferne; die Blickrichtung hat sich *umgekehrt:* mit dem rückkehrenden Eduard blicken wir von der Ferne auf den hochgelegenen Ort, der für den Rückkehrer mit bestimmtem Gefühlsgehalt geladen ist. Es heißt: »Auf einmal erblickten sie in der Ferne das neue Haus auf der Höhe... Eduarden ergreift eine unwiderstehliche Sehnsucht...« (453). Beim Erblicken dieses Hauses, das eidetisch die Maßlosigkeit der Liebe Eduards verkörpert, entsteht die übereilte Handlung, bricht die »angeborene Neigung« zu Ottilie wieder auf. Das von Ottilie auf der Höhe zur Fernsicht geplante, von Eduard dort errichtete Haus bewirkt gerade, daß Eduard *nicht* wieder auf seinem Landgut zuhause sein wird. – Und noch einmal wiederholt sich die Blickrichtung auf den Raum: nach der übereilten Wiederbegegnung mit Eduard blickt Ottilie auf das Gebäude, das nach ihrem Wunsch so liegt, daß man von oben den See überschauen kann; sie glaubt, »Charlottens weißes Kleid auf dem Altan zu sehen... Die Platanen sieht sie gegen sich über, nur ein Wasserraum trennt sie von dem Pfade, der sogleich zu dem Gebäude hinaufführt...« (456). Aus dem Bewußtsein der »Versäumnis« übereilt sie sich und bewirkt so die »ungeheure Tat«. Beidemal ist es der Blick auf den Raum, der die verkehrte Handlungsweise bewirkt.

Im weiteren Erzählverlauf wird das neue Schloß mehr und mehr zum Totenhaus. Ottilie lebt in ihm nach dem Tod des Kindes eigentlich nur noch im »halben Totenschlaf« (460). Charlotte erkennt, daß »man den Ort verändern müsse« (464). Aber eine Rückkehr Ottilies in die Pension gelingt nicht; ihr Wunsch zum Auszug (467) geht nicht in Erfüllung. Sie muß nach der unerwarteten Begegnung mit Eduard wieder zurück auf das Landgut. Nicht zufälligerweise findet sie dort ihr Zimmer, das bereits für Eduard eingerichtet werden soll, folgendermaßen vor: »... es war schon ganz ausgeräumt, nur die leeren Wände

23. Die Mooshütte begegnet nur noch einmal, S. 427.

standen da. Es erschien so weitläufig als unerfreulich. Man hatte alles weggetragen, nur das Köfferchen ... in der Mitte des Zimmers stehengelassen« (475). Ottilie kehrt zurück in einen ausgestorben wirkenden Raum und findet dort als einzige Gegenständlichkeit – und so nur noch umso mehr wirkend – den Koffer, d. h. den sinnhaften Gegenstand der Liebe Eduards, den sie nicht mit in die Pension zurücknehmen wollte. Das meint: sie wird zurückgeführt in den Bereich, dem sie ernsthaft entsagen wollte und der sie nun erneut daran erinnert, daß sie die »Bahn« ihres Dämons verlassen hat und nicht wieder in sie zurückfinden kann.

Nicht nur dieses Zimmer, der ganze »häusliche Zirkel« im neuen Schloß wirkt schein-, ja totenhaft, erscheint nun voll sichtbar als ein »dämmerhafter Hades«. Ottilie kann weder hier wohnhaft werden noch von hier umziehen, sie kann nur noch ausziehen aus dem »halben Totenschlaf« in die »bösen Häuser«. Und wie sollte Eduard sich jetzt in seinem eigenen Hause finden, da er sich um nichts geändert hat? Beide finden sich, aber anders als sie dachten, hier oben in einer »andern und neuen Welt« (294). So zeigt sich das Geschehen des wahrhaft »tragischen Romans« schließlich an der *vertikalen* Raumkonstellation als Fall aus der Höhe der abgekapselten, in sich verschlossenen Hadeswelt (sie sitzen totenhaft im Innenraum) in die Tiefe des Todes. Die Räumlichkeit, auf die der Erzählvorgang hinausläuft, ist die dritte Gegend mit der im nazarenischen Stil verzierten Kapelle (485 f.). Sie ist damit aber nicht etwa ein absoluter, oder bevorzugter Sinn- und Wertraum innerhalb der erzählten Welt. Der Erzähler hat sich bereits vorher mittelbar deutlich von diesem Raum distanziert und ihn als einen ästhetischen Raum, in dem das Sinnliche und das Heilige sich vermischen (407), der Reihe der übrigen spielerisch-ästhetisch geschmückten Gegenden des Landgutes angereiht. Wir können sagen: die Kapelle wird die eidetische Verkörperung einer Grabstätte für die unbedingt liebenden Gestalten Eduard und Ottilie.[24]

III

Wir versuchten auf die räumliche Realität der »Wahlverwandtschaften« zu achten und durch den durchsichtig-undurchsichtigen Schleier auf die »intentionierte Gestalt« (621) zu sehen. Wir erkannten als gestalterhellende und sinnbezogene Gegenden: das alte Schloß (mit Gärten), die Felsenanhöhe (mit

24. Inwiefern hier – im Sinne der Formulierung Thomas Manns von Kunst als Parodie – eine parodierte Heiligenlegende vorliegt, d. h. eine Form der Darstellung, wie sie von Goethes moderner Bewußtseinslage innerhalb des »Säkularisationsprozesses« einzig möglich ist, suchen wir in anderem Zusammenhang nachzuweisen.

Mooshütte und neuem Schloß), den Kirchhof (mit Kapelle) und den See (mit Mühle und Platanen). Alle vier Räume tragen durch ihre Plastizität, Konturiertheit und Zu- oder Gegenordnung nicht wenig zur kompositionellen Verknüpfung des ersten und zweiten Teils des Romans bei. Wichtiger aber erschien uns, daß die »exakte sinnliche Phantasie« der Realsymbolik[25] des Erzählers die empirischen Gegenden zu sinn- und wertbezogenen Räumen macht. Besonders wesentlich bei der Bildung erzählerischer Fügekräfte zeigte sich das Mittel der leitmotivischen Wiederholung bestimmter Gegenden, Raumteile oder Bauwerke. Deutlich wurde dabei, daß der Erzähler das Sichverfehlen der Menschen an ihrem Verhalten zu den mit bestimmtem Gefühlsgehalt geladenen Räumen vergegenwärtigt. Wolfgang Schadewaldt hat darauf hingewiesen, daß Goethe die Realität stets bezogen sah »auf den Menschen, in dem und für den sie Erscheinung und als Erscheinung gegenwärtig wird«[26]. Die Personen der »Wahlverwandtschaften« verfehlen die Möglichkeiten des Menschen, sich von der Realität aus und auf sie hin zu realisieren. Die Raumsymbolik des Romans macht dem Leser in besonderem Maße bewußt, wie die Hauptpersonen, indem sie sich, getrieben von einem unbarmherzigen Natur-Fatalismus,[27] zum Raum ihrer Umgebung unangemessen verhalten, anzeigen, daß sie sich selbst zu verlieren beginnen und *mit ihrem Selbstverlust auch nicht mehr im Wohnen die Erfüllung ihres Wesens finden können.* Indem Eduard und Ottilie ihre eigenen Grenzen überschreiten und in die Wildnis des eigenen Innern geraten, vermögen sie es nicht, bauend ihren Raum sich zu errichten.

25. *Wolfgang Schadewaldt,* Goethes Begriff der Realität, in: Goethe, Neue Folge des Jahrbuchs der Goethe-Gesellschaft, Weimar 1956, S. 73.

26. Ebenda S. 82.

27. *Thomas Mann,* Phantasie über Goethe, in: Spiegelungen, a. a. O. S. 195.

Symbolische Raumgestaltung in Goethes »Natürlicher Tochter«

Die Kontrapunktik von Erscheinen und Verschwinden, die gegensätzliche Struktur der Bereiche der Humanität und der Politik, die Zuordnung von Glück und Entsagung sowie besonders die Ding-Symbolik und das spezifisch Theatralische des goethischen Trauerspiels »Die Natürliche Tochter« sind von der Forschung genau untersucht worden.[1] Darüber hinaus ist man der Diskrepanz und der tragisch-ironischen Vertauschung von Wirklichkeit und Schein, die sich in verschiedenen Szenen des Dramas finden, nachgegangen.[2] In der Tat kommt der Thematik von Schein und Wesen in Goethes »Natürlicher Tochter« eine zentrale Bedeutung zu. Im Zusammenhang mit einer Betrachtung der symbolischen Raumgestaltung soll auch in diesen Ausführungen die Thematik von Schein und Wesen erörtert werden.

I

Mit einer Reflexion, die dem Raum gilt, beginnt das Drama. Aber in dem Gespräch, das sich der Frage des Königs: »Wo sind wir?« (6) anschließt, wird nicht nur über den paradiesischen Charakter des erfüllten Naturraums des

1. Vgl. besonders *Josef Kunz,* in: Hamburger Goethe-Ausgabe Bd. 5, S. 478 f. Ferner: *Kurt May,* Goethes Natürliche Tochter, in: Form und Bedeutung, Stuttgart 1957; *Emil Staiger,* Goethes Natürliche Tochter, in: Goethe, Bd. II, Zürich 1957; *V. Bänninger,* Goethes Natürliche Tochter, Bühnenstil und Gehalt, Zürcher Beiträge zur Deutschen Literatur- und Geistesgeschichte, Bd. 12, Zürich 1957; *P. Böckmann,* Die Symbolik in der »Natürlichen Tochter« Goethes, in: Worte und Werte. Bruno Markwardt zum 60. Geburtstag, Berlin 1961; *R. Peacock,* Goethes »Die Natürliche Tochter« als Erlebnisdichtung, in: Deutsche Vierteljahrsschrift für Literaturwissenschaft und Geistesgeschichte, 1962, S. 1 ff.

Bei Zitaten geben wir die Verszahlen nach der Hamburger Goethe-Ausgabe an.

2. Vgl. *H. E. Hass,* Goethes Natürliche Tochter, in: Das deutsche Drama, Bd. I, Düsseldorf 1960², S. 215 ff.

»dichten Waldes« gesprochen, sondern vor allem über den diesem Ort gemäßen Gegenstand, über das »Wundergut« (68) Eugenie. Vom Wesen dieses Wundergutes erfährt der König jedoch nur dadurch, daß er sich verstellt, daß er sich den Schein des Unwissenden gibt; er entlockt durch sein listiges Verhalten dem Herzog sein – wie wir später (183) hören: streng gehütetes – Geheimnis. Etwa gleichzeitig erfolgt der Sturz Eugenies vom Felsen. Von besonderer Bedeutung ist nun in unserem Zusammenhang, daß der Herzog der aus dem Scheintod [3] erwachenden Eugenie sagt:

Kenne mich
Nur erst! – Erkennst du mich? (228)

Und bereits kurz vorher äußerte er:

Ja! sie wird nun bald
Auch ihren Vater, ihre Freunde kennen. (219)

In diesem Moment setzt in einer hintergründigen Form eine besondere Art von Erkennung [4] ein. Der König hat soeben mit Sicherheit erfahren, daß der Herzog eine Tochter hat. Eugenie erkennt, daß der Herzog sie vor dem König als seine Tochter bezeichnet, und zeigt dem König in der Haltung der Treue und Ergebenheit ihr wahres Wesen. Gerade auf diese Weise aber lernt sie – allerdings anders als der Herzog meint – ihren Vater kennen. Sie erfährt, daß der Herzog nicht völlig königstreu ist (315). Schein und Sein durchziehen die ersten Szenen. Der Herzog, der sich den Schein der Treue gibt, steht in Opposition zum König: Er verstellt sich gleich bei seinen ersten Worten, spielt eine Rolle. Wesen und Schein decken sich bei ihm nicht. Der König verstellt sich, um etwas über Eugenies Herkunft zu erfahren, zeigt ein listiges Verhalten. Nach der Auffassung des Herzogs entspricht ferner dem Schein der königlichen Macht kein königliches Sein (436). Eugenie ihrerseits erkennt die wahre Rolle, die der Herzog am Hof spielt. Sie durchschaut ihn. Das Scheinbild, das sie bisher von ihm hatte, zerbricht. Sie selbst scheint tot, lebt jedoch und gibt sich unverstellt dem König zu erkennen. Besonders auffällig sind jedoch die Worte, die die erst halb Erwachte zum Herzog spricht: »Was ist aus uns geworden?« (227). Der Plural überrascht. Die Doppeldeutigkeit dieser

3. Ebenda S. 239.

4. Leitworte sind in diesem Drama: Wesen, Erkennen, Treue, Herz, innerer Wert, Überraschen, List, Verkennung, Schein, Täuschung, Verstellung, Betrug, Lüge, Eitelkeit, Wahn, Mißtrauen, Flitterwesen, Falschheit, Belauschen. – Vgl. allgemein zu der Frage nach Erkennen und Verkennen in der Dichtung die terminologisch und sachlich wichtigen Ausführungen von *W. Müller-Seidel*, Versehen und Erkennen. Eine Studie über Heinrich von Kleist, Köln 1961.

Worte enthält einen Hinweis auf das Geschick, das Vater und Tochter mit Sturz und Entdeckung des Geheimnisses zu ergreifen beginnt. Der Aspekt der Gefahr wird in ihnen deutlich; es ist aber wichtig, daß er nur einen Moment lang auftaucht und daß die voll Erwachte im weiteren Verlauf des Geschehens gerade durch ein Verkennen der Gefahr der neuen Lage bestimmt wird, d. h. in eine Art von Scheinverfangenheit gerät und gerade nicht »alles weiß« (234).

Der Erkennung folgen die geheime Anerkennung und das Versprechen künftiger öffentlicher Erhöhung. Eugenie werden die Pforten zum politisch-öffentlichen Bereich geöffnet. Gleichzeitig aber wird ihr mitgeteilt, daß sie »glatten Marmorboden« (324) betreten wird; sie wird vertrautgemacht mit dem gefährlichen Sein des Bereichs des Scheins und des Glanzes, in dem vieles anders ist, als es aussieht (328). Von besonderer Bedeutung ist aber, daß Eugenie bei ihrem Übertritt aus dem Bereich der Natur in die Sphäre des Politisch-Öffentlichen, d. h. in den Bereich, in dem der Schein das Sein zu erdrücken sucht, erfährt:

Die schönste Zierde gab dir die Natur. (336)

Ihr natürliches Sein ist ihr eigentlicher Schmuck. Dieses Sein zeigt sich in der Bereitschaft zum »reinsten Opfer« (354).[5] Freilich: die Worte des Königs gehen weiter:

Und daß der Schmuck der Fürstin würdig sei,
Die Sorge laß dem Vater, laß dem König. (338)

Wir spüren jedoch schon hier: der Schmuck mag hinzukommen, das Wesentliche ist er für Eugenie nicht, auch wenn sie bereits jetzt eine Schwäche für Kostbarkeiten zu erkennen gibt. Immerhin bemerken wir, daß für Eugenie nach der Ankündigung des »Schreins« und der Übergabe des »Schlüssels« die Gefahr besteht, töricht dem Schein zu erliegen.

In ähnlicher Weise zeigt sich am Ende des Aktes eine Gefahr für den Herzog. In einer Reflexion, die dem Raum gilt, in dem Eugenie soeben als nur Scheintote erschienen ist, sagt der Herzog:

Zum ew'gen Denkmal weih' ich diesen Ort.
Hier soll ein Tempel aufstehn, der Genesung,
Der glücklichsten, gewidmet. Rings umher
Soll deine Hand ein Feenreich erschaffen.
Den wilden Wald, das struppige Gebüsch
Soll sanfter Gänge Labyrinth verknüpfen.

5. Vgl. *J. Kunz,* a. a. O. S. 490. Mit Recht wird hier auch auf die geplante Fortsetzung des Dramas hingewiesen.

> Der steile Fels wird gangbar, dieser Bach,
> In reinen Spiegeln fällt er hier und dort.
> Der überraschte Wandrer fühlt sich hier
> Ins Paradies versetzt. (615 f.)

Der Akt schließt auf diese Weise mit einer Reflexion über die Möglichkeiten, die sich bieten, um diesen Landschaftsraum in einen Kulturraum zu verwandeln. Nach Eugenies zweitem Sturz hören wir über das Vorhaben des Herzogs:

> Schon führet klug des Gartenmeisters Hand
> Durch Busch und Fels bescheidne Wege her,
> Schon wird der Platz gerundet, wo mein König
> Als Oheim sie an seine Brust geschlossen,
> Und Ebenmaß und Ordnung will den Raum
> Verherrlichen, der mich so hoch beglückt. (1572)

Aber: indem der Herzog, scheinverfangen und geblendet von der wunderbaren Rettung und geheimen Erhebung, der noch nicht wirklich Erhöhten am sinntragenden Ort ein Denkmal errichtet, verstößt er gegen die Ordnung der Zeit, handelt er übereilt im Sinne einer Vorwegnahme des Zukünftigen. Das ist eine Übung im Gefährlichen, die die Gefahr herbeilockt im Sinne seiner eigenen Worte: »Und locket Übung des Gefährlichen / Nicht die Gefahr an uns heran?« (604). Er verstößt gegen das Gebot des Königs, zieht das Private vorzeitig ins Öffentliche, verkennt die Lage.

II

Die Gefährlichkeit der Lage wird bereits daraus ersichtlich, daß in einem Raum, der ausdrücklich als »Zimmer Eugeniens« bezeichnet wird, der Sturz Eugenies im Gespräch zwischen Sekretär und Hofmeisterin offen erörtert werden kann. Bewußt läßt Goethe – im Zuge zur hochgradigen Konzentration der Handlung auf repräsentative und bedeutungstragende Räume im Sinne des Formtyps des geschlossenen Dramas[6] – diesen Vorgang sich in einem Raum, der Eugenie seit ihrer Kindheit zugehört, abspielen. Der Leser spürt: dieser Raum ist seinem Wesen halb entfremdet, ist nicht mehr der Privatraum der

6. Vgl. die grundlegende Arbeit von *Klaus Ziegler*, Zur Raum- und Bühnengestaltung des klassischen Dramentypus, in: Wirkendes Wort 1954, 2. Sonderheft, S. 45 f. Dazu *V. Klotz*, Geschlossene und offene Form im Drama, München 1960.

Heldin; das Öffentliche ragt derart in ihn hinein, daß in ihm die Opferung des Raumbewohners erörtert werden kann. Privates und Öffentliches sind keine scharf voneinander getrennten Bereiche mehr. – Interessanterweise bleibt die politische Sphäre in diesem Drama – räumlich gesehen – schattenhaft, sie wird (nur im dritten Akt sind wir in einem »Vorzimmer« des Herzogs) nicht szenisch-real als Bühnenraum vergegenwärtigt. Gerade das aber ist von Bedeutung: alles Licht fällt im Bereich des Hofes auf zwei Räume; diese treten fast überscharf beleuchtet hervor, und zwar so, daß sie ihr eigentliches Sein, das sich in Namen und Funktion anzeigt, verloren zu haben scheinen. Sie sind ihrem Wesen zumindest halb entfremdet. In Eugenies Zimmer sind, wie sogleich die ersten Worte erkennen lassen, »Macht und List« (866) eingedrungen. Wir müssen hier mitbedenken, daß die Raumstruktur diesem Geschehen entgegenkommt. Nach Goethes Auffassung sind, wie Staiger eindringlich hervorhebt,[7] Räume im »gotischen Stil« geeignet, als Symbolräume die Sphäre der politischen Intrige zu vergegenwärtigen. In den »verborgnen Winkeln« (898), in den Räumen, in denen die Personen der in sich zerfallenden Gesellschaft sich gegenseitig belauschen und einander listig nachstellen, wird nun am Anfang des zweiten Aktes die Hofmeisterin vom Sekretär in den Dienst der politischen Geheimpläne gestellt. Wir erleben, wie einer der handelnden Figuren eine bestimmte Rolle zudiktiert wird, die ihrem Sein und bisherigen Verhalten (dem treuen Dienst an Eugenie) zuwiderläuft. Die Hofmeisterin wird sich fortan verstellen müssen und wird gerade so in ihrem Wesen von Eugenie verkannt werden. Die Spannung von Rolle und Sein, die mitten durch die Personen dieses Dramas hindurchgeht,[8] wird in diesen Szenen sichtbar, besonders im Monolog der Hofmeisterin. Ihren Worten ist zu entnehmen, daß sie im folgenden versuchen will, Eugenie die »verborgnen Winkel« zu zeigen, in denen die Lauscher stecken; sie will in der ihr zudiktierten Rolle, die sie zur Verstellung zwingt, auf die Gefährlichkeit der Situation hinweisen. Ja, sie möchte – so sagt sie es selber – die »geheimsten Fächer« (935) ihres Herzens öffnen, möchte sich in ihrem wahren Sein Eugenie zu erkennen geben und auf diese Weise warnen. Gerade das aber wird ihr nicht gelingen, da Eugenie, durch den Schein der Rolle geblendet, sie mißversteht und nicht auf sie hört. Der Leser freilich, der um die Spannung von Rolle und Sein weiß, vermag genauer als Eugenie auf den doppeldeutigen Charakter der Worte der Hofmeisterin zu achten.

Bevor jedoch das Gespräch zwischen Eugenie und der Hofmeisterin zustande kommt, fügt der Dichter die große Sonett-Szene ein.[9] In dieser Szene gibt

7. Vgl. *Staiger,* a. a. O. S. 391. 8. Vgl. *Bänninger,* a. a. O. S. 28, 35, 41, 47 f.

9. Vgl. hierzu die Anm. von *J. Kunz,* a. a. O. S. 493. Neuerdings ausführlich: *P. Böckmann,* a. a. O. S. 20 f.

Eugenie, in stärkerem Maße als im ersten Akt, ihr Wesen zu erkennen; ihr Sonett zeigt ihre Opferbereitschaft für das Wohl des Ganzen, für die Seinsordnung, die für sie der König vertritt. Der Abfassung des Gedichts folgt Eugenies Reflexion über das, was sie im Bereich des Öffentlich-Politischen als ihre Aufgabe ansieht. Bemerkenswerterweise aber bricht dieser Kommentar mitten im Satz ab. Die Szene um das Sonett ist nicht abgeschlossen. Die Schein- und Glanzsphäre, im Symbol des Kastens repräsentiert, bricht als verhaßte Störung in den Raum Eugenies ein. Das Sonett aber wird vorher im »Wandschrank« versteckt. Ein Teil des Bühnenraums erhält einen besonderen Wert innerhalb des dramatischen Vorgangs, er wird qualitativ hervorgehoben. Das zeigt sich auch daran, daß Eugenie ihn im emotionalen Sprechen direkt anredet als Ort der Vertrautheit; es ist der ihr seit der Kindheit vertraute Ort, an dem sie früher Verbotenes zu »listigem Genuß« (995) versteckt hielt. Es ist im Umkreis des Belauschens der einzige Ort, der Sicherheit gewährt. So wird er von Eugenie auch jetzt – im höheren Sinne – zu listigem Zweck benutzt. Im Bereich der Macht und List bedient sich selbst Eugenie des Mittels der List, des Täuschens und Überlistens des anderen. Sie wird im weiteren Fortgang der Handlung (in diesem Akt und auch später) nichts von Sonett und Wandschrank verraten, d. h. aber zugleich: sie wird mit ihrem Schweigen ihre Umwelt über ihre wahre Absicht und ihre Natur hinwegtäuschen. Sie will, so ist es hier ihr Plan, beim Fest – im Sinne der Worte des Königs (414) – ihre Mitwelt überraschen, will sich erst durch das Miteinander von Rezitation und Schmückung, durch das Zugleich von Wesen und Schein zu erkennen geben. Es ist zu beachten, daß dem Zuschauer dies alles bekannt ist, daß er mehr weiß als die Mitspieler. Er erfährt als einziger Eugenies größtes Geheimnis – er kann Eugenie belauschen. Und er erfährt das, bevor der in mehreren Vorausdeutungen angekündigte »Kasten« szenisch-real erscheint.

Am Anfang der Schmuck-Szene verstellt sich Eugenie zunächst, sie stellt eine Scheinfrage,[10] bis sie erfährt, daß die Hofmeisterin vom Kasten weiß und daß die Geheimnisse belauscht worden sind. In der (irrigen) Meinung, das Gebot des Herzogs (bzw. des Königs) bestehe nicht mehr, beginnt sie im abgeschlossenen Raum mit der Öffnung des Kastens. Sie mißversteht dabei die Worte der Hofmeisterin. Nichtverstehen und Mißverstehen prägen die Personen in dieser Szene. Nach den Worten der Hofmeisterin entfaltet sich bei der Öffnung des Kastens »Kreusas tödliches Gewand« (1042). Sie sagt das, um Eugenie die tödliche Gefahr, die für sie besteht, zu erkennen zu geben. Eugenie überhört das. Kleider und Gewänder bewirken bei ihr (wir sind darauf, daß sie töricht dem Schein erliegen kann, vorbereitet) eine hochgradige Torheit. Eugenie überhört

10. Vgl. *H. E. Hass*, a. a. O. S. 232.

auch die Worte der Hofmeisterin, »innerer Wert« sei wichtiger als äußerer Schein (1065). Innen und außen, Wesen und Schein, Herz und Glanz – mit diesen Worten sind wir bei der Zentralthematik des Werkes. Eugenie sagt jetzt:

> Der Schein, was ist er, dem das Wesen fehlt?
> Das Wesen, wär' es, wenn es nicht erschiene? (1066)

Aber eine wirkliche Vereinigung von Schein und Wesen wäre erst beim Fest durch das Miteinander von Schmückung und Rezitation, von Sich-Präsentieren und Sich-Offenbaren eingetreten. Bei dieser Vorwegnahme der Präsentation hingegen handelt es sich um eine Fehlentscheidung.[11] In maßlosem und törichtem Handeln und unter Mißachtung der Gefahr (»Gedenke des Verbots«, sagt die Hofmeisterin und will so zur Besonnenheit ermahnen) beginnt Eugenie in »unbedingter Freiheit« mit dem Akt der Bekleidung. Mit ihm (und er ist sehr viel mehr, als es der Blick in den Kasten gewesen wäre) wird aus Übereilung die geplante Weihe antizipiert. Nun enthält aber nach Goethes Auffassung bereits »jede Weihe« beides, Segen und Fluch.[12] Erst recht ist das bei einer vorzeitigen Weihe der Fall. Daß die Schmückung von Goethe in einem sehr theatralischen Sinne als eine Weihe konzipiert worden ist, wissen wir aus der folgenden Anmerkung des Dichters zur Regieführung:

> ... der ganze Moment ist mit Anstand und Würde zu behandeln, so daß mehr eine feyerliche Bekleidung, wie solche bei Krönungsfesten gewöhnlich ist, als eine gemeine Toilette vors Auge gebracht werde. Der Begriff des Anziehens sollte ganz wegfallen. Die Scene kann ganz allein in ihrer Bedeutung erscheinen, wenn, unter naiven und ernstlichen Reden, etwas Feyerliches dem Auge sich darstellt.[13]

Der »Kasten« ist als ein Zeichen eine Repräsentanz tiefen Sinns. Hohe Zeichen umschließen und bedeuten aber, wie etwa das Lorbeer-Symbol im »Tasso«[14] erkennen läßt, für den, der mit ihnen in Berührung kommt, Erhöhung und Gefahr zugleich. Sie sind für den Träger doppelsinnig. Die Gefahr wäre im Falle Eugenies beim Fest möglicherweise gebändigt gewesen. In dieser Szene aber überwiegt sie durch den Zusammenfall verhängnisvoller politischer Umstände und persönlicher Schwächen. Das Fest wird von Eugenie selbst

11. Vgl. *J. Kunz,* a. a. O. S. 494 und *Hass,* a. a. O. S. 234.

12. Vgl. Dichtung und Wahrheit, 3. Teil, 11. Buch.

13. Goethe an Hofkammerrat Franz Kirms am 27. VI. 1803 [Jahrbuch der Goethe-Gesellschaft Bd. 11, 1925, S. 180]. Vgl. dazu: *Bänninger,* a. a. O. S. 76 f.

14. Vgl. *W. Rasch,* Goethes »Torquato Tasso«, Die Tragödie des Dichters, Stuttgart 1954, S. 104 f.

inszeniert. Das ist ein gefährliches Tun, das die Gefahr herbeilockt. Eugenie unternimmt es aus einer fast kindlichen Freude am Schein: sie ist – aber anders als es der Herzog (1361) meint – nach dem Sturz noch »verwegner« geworden, verhält sich töricht im Anblick des Scheins. Die mahnenden Worte der Hofmeisterin, die Eugenie an den Ort ihrer ohne Glanz glücklich verbrachten Kindheit erinnern (»Und hast du nicht in diesen Mauern selbst / Der Jugend ungetrübte Zeit verlebt?«, 1068), werden nicht beachtet. Eine Sucht nach dem Schein, nach dem »Raum des Glanzes«, in dem der König thront, entsteht. Die Einbildungskraft reißt Eugenie über die Grenzen ihres Raumes hinaus. Aus der Geblendeten wird die Verblendete. Eugenie ist wahrhaft schein-verfangen in diesem Moment und beginnt, von dem Reichtum, der ihr noch nicht wahrhaft zugehört, »Geschenke« zu verteilen (1101). Sie ist zerstreut durch »eitles Flitterwesen« (1118) und in Unkenntnis der wahren Lage. So erinnert die Hofmeisterin jetzt deutlicher an die tödliche Gefahr, die in den »weiten Räumen«, in die Eugenie eintritt, droht, und bittet Eugenie um Gehör. Aber zuhören kann Eugenie in dieser Situation gerade nicht mehr. So reden beide Personen aneinander vorbei. Eugenie, ganz den glänzenden Gewändern zugewandt, entdeckt ein »Ordensband«. Das Umlegen dieses Bandes macht die Schmückung vollkommen: Die Bekleidung ist abgeschlossen, nicht hingegen die Szene, denn Eugenie beginnt jetzt als Geschmückte über sich selbst zu reflektieren. Der übereilten Tat folgen die »großen Worte«, die – um Goethes Ausdruck aufzugreifen – ein Zeichen des »naiven« Vertrauens in die eigene Sicherheit sind. Gerade mit diesen Worten nun täuscht Eugenie sich über ihre wahre Lage: während sie sicher dazustehen meint, ist ihre Verbannung schon fest beschlossen. Sie selber vergleicht ihre Präsentation dem Erscheinen »im Heldenschmuck« (1135), sieht sich einem Helden ähnlich und sagt:

> Was reizt das Auge mehr als jenes Kleid,
> Das kriegerische lange Reihen zeichnet?
> Und dieses Kleid und seine Farben, sind
> Sie nicht ein Sinnbild ewiger Gefahr? (1137)

Sie sind es, und Eugenie weiß es, täuscht sich aber über die gegenwärtige Lage. Ein tragisch-ironisches Miteinander von Erkennen und Nichtwissen zeigen schließlich ihre Worte: »Was bedeutend schmückt, / Es ist durchaus gefährlich« (1143). Eugenie, deren Opferung schon feststeht, schmückt sich in dieser Szene als eine Art von Opfertier, ist hier Priesterin und Opfertier zugleich. Denken wir an Tassos Worte:

> So hat man mich bekränzt, um mich geschmückt
> Als Opfertier vor den Altar zu führen!
> (3313)

Die Situation ist hier freilich etwas anders; Eugenie hat sich (mit Dingen, die man ihr zugeschickt hat) selbst zum Opfertier geschmückt in überstürztem Handeln und im Verstoß gegen die Ordnung der Zeit. Aber unabhängig davon ist sie für die politisch-dämonischen Mächte bereits das Opfertier, das auf dem Altar der »ungestümen Welt« dargebracht werden muß. Der Sekretär äußert im Gespräch mit der Hofmeisterin: »Doch wenn das Mächtige, das uns regiert, / Ein großes Opfer heischt, wir bringen's doch, / Mit blutendem Gefühl, der Not zuletzt« (706). Die Opferung Eugenies ist also keinesfalls die Folge ihres törichten Handelns, der leichte Mißgriff ist nicht die Ursache des weiteren Geschehens.[15]

Verstößt Eugenie auch in kindlich-naiver Neugier (im Sinne des »kindlichen Nichts«, 479, ihres bisherigen Lebens) gegen das Gebot des Königs und gegen die Ordnung der Zeit, so ist sie doch andrerseits durch ein tiefes Verschweigen ihres wahren Seins ausgezeichnet.[16] Ihre Besonnenheit bleibt im Hinblick auf das im Sonett Ausgesagte voll bestehen. Erinnern wir uns daran, daß die Hofmeisterin vor den beiden entscheidenden Szenen um Sonett und Kasten zu Eugenie sagt:

> Wann öffnen wir, zufriednen Mädchen gleich,
> Die ihren Schmuck einander wiederholt
> Zu zeigen kaum ermüden, unsres Herzens
> Geheimste Fächer...? (932)

Das geheimste Fach öffnet Eugenie jetzt (denn das würde bedeuten: vorzeitig) gerade nicht. Sie öffnet den Kasten, aber nicht den Wandschrank oder das innerste Fach ihres Herzens. Trotz der Verlockung durch den Schein bleibt das, was über allem Schein ist, ihr Wesen, konstant. Die List des Verbergens ist die eigentliche dramatische Tat Eugenies in diesem Akt.

III

Die Tat der Verbannung bleibt im Sinne der Bauform eines geschlossenen Dramas verdeckte Handlung. Dem Dichter geht es nicht darum, sie selbst zu zeigen; die Reaktionen und Reflexionen der Betroffenen oder Beteiligten vorzuführen, ist ihm wesentlicher. Zunächst erfahren wir etwas darüber, welche Wirkung das Ereignis innerhalb der Hofwelt auslöst. Als Bühnenraum erscheint mit dem »Vorzimmer des Herzogs« ein Raum der politischen Öffent-

15. Vgl. *Staiger,* a. a. O. S. 393 f. und: *W. Emrich,* Die Symbolik von Faust II, Bonn 1957, S. 310 f. Dazu: *W. Müller-Seidel,* a. a. O. S. 209.

16. Vgl. *P. Böckmann,* a. a. O. S. 21.

lichkeit. Wie aber werden in diesem dritten Akt die Polarität von privater und öffentlicher Sphäre und das Miteinander von Wesen und Schein dargeboten?

Zunächst fällt auf, daß (in einer merkwürdigen Art des »Antichambrierens«) an diesem Ort der Plan, den Herzog zu täuschen, offen zwischen Sekretär und Weltgeistlichem besprochen wird. In einer Art von Spiegelung mit der ersten Szene des zweiten Aktes (Sekretär und Hofmeisterin) begegnen wir erneut einer Situation, in der einer Person des Dramas eine Rolle im politischen Intrigenspiel aufgezwungen wird. Gleichzeitig erfahren wir, wie der Weltgeistliche früher, verlockt durch das schmeichlerische Wesen des Sekretärs, aus der Erfülltheit seiner Privatsphäre herausgetrieben worden und seither in den Raum der »frechen List« eingetreten ist. Ihm fällt, wie sich zeigt, seine Rolle leichter als der Hofmeisterin die ihre. Bevor nun die inszenierte Täuschung des Herzogs einsetzt, erfahren wir vom Herzog selbst, wie der vermeintliche Tod Eugenies auf ihn wirkt. Er erscheint bereits als der Getäuschte,[17] der darüber nachdenkt, wie er auf die »Seele dieses ganzen Hauses« mit eigenem »törigem Beginnen« (1382) – er wollte sie als »Heldin glänzen« und über die Elemente herrschen (1387) sehen – die Gefahr herabgerufen hat. In tragisch-ironischem Sinne haben diese Worte des Herzogs auch für die wahre Situation Gültigkeit; das überstürzte Einführen Eugenies in die öffentliche Sphäre hat bewirkt, daß »des falschen Kranzes verborgne Dornen« (458) seine Tochter fast tödlich verwundet haben.

Erst nachdem Goethe uns vor Augen geführt hat, daß der Herzog bereits – ohne eine Spur von Mißtrauen – dem Schein zum Opfer gefallen ist, folgt das Gespräch mit dem Weltgeistlichen, dessen Trugrede das Getäuschtsein des Herzogs dauerhaft machen soll. Diese Trugszene ist der Mittelpunkt des dritten Aktes. An ihrem Anfang sagt der Weltgeistliche:

> Willkommen scheint ein unwillkommner Bote,
> Solang' er schweigt und noch der Hoffnung Raum,
> Der Täuschung Raum in unserm Herzen gibt. (1439)

Er scheint es, auch in einem höheren Sinne verstanden, zu sein, denn der »Täuschung Raum« wird in dieser Szene ja gerade nicht durch Schweigen, sondern im Reden eröffnet. Die Szene zeigt, wie eine Person durch Scheinargumente und -beweise getäuscht wird, wie sie dem Schein völlig zum Opfer fällt im blinden Vertrauen zu Personen, denen gegenüber gerade Mißtrauen am Platz wäre. Dieser Vorgang nun spielt sich im »Vorzimmer« des Herzogs, in einem Raum der Öffentlichkeit, ab. Das, was hier aber dem Herzog Mitteilung von Privatem (tödlicher Sturz seiner Tochter) zu sein scheint, ist in Wahrheit

17. Vgl. *Hass*, a. a. O. S. 241.

ein Gespräch über einen hochpolitischen Vorgang. In dem Raum des Öffentlichen wird unter dem Schein der Erläuterung *privaten* Unglücks über ein entscheidendes *politisches* Geschick gesprochen, ohne daß der Raumbewohner als Vertreter der herrschenden politischen Ordnung diesen Schein durchschaut. Der Schein- und Fassadencharakter der politischen Sphäre wird dem Leser, der mehr weiß als der Herzog, faßbar. Er erkennt, wie sehr sich hier der Welt gedrängte »Posse« (474) darbietet.

Aber die Szene zeigt nicht nur die Verkennung der gegenwärtigen Lage durch den Herzog, sie enthält auch eine umfassende Reflexion des Herzogs über das Geschehen des ersten Aktes. Diese Reflexion setzt beim Raum, in dem der Herzog seine Tochter zuletzt gesehen hat, ein. Es heißt:

> Dort lag sie tot in meinen Armen, dort
> Sah ich, getäuscht, sie in das Leben kehren.
> Ich glaubte, sie zu fassen, sie zu halten,
> Und nun ist sie auf ewig mir entrückt. (1565)

Er versteht »das Bild des Scheintodes als eine symbolische Vorausdeutung auf den von ihm als wirklich geglaubten Tod... Die ganze Tiefe der Diskrepanz von Wirklichkeit und Schein und die doppelsinnige Vertauschung ihres Wechselbezuges«[18] offenbaren sich. Getäuscht ist der Herzog, der die vergangene Situation verkennt, indem er sie auf eine nichterkannte gegenwärtige Lage bezieht; aber wir antizipieren: Die Täuschenden selbst werden die Getäuschten sein, insofern nach Goethes Auffassung Eugenie auch aus dem zweiten Scheintod »erwachen« und in den Raum der höfischen Sphäre zurückkehren sollte. Wir müssen das hier bereits mitbedenken.

Überdies ist wichtig, daß der Herzog, dem Schein und der Trugrede zum Opfer gefallen, seine Einstellung zum Raum der Rettung und geheimen Erhebung ändert; das vorzeitig begonnene »Denkmal« soll nicht errichtet werden, die Natur soll in ihrer Natürlichkeit bestehenbleiben, die qualitativ hervorgehobene Raumstelle, der Ort bestimmter Gefühls- und Bedeutungsgehalte, soll nicht zum Kunstraum verklärt werden:

> Das Denkmal nur, ein Denkmal will ich stiften,
> Von rauhen Steinen ordnungslos getürmt,
> Dorthin zu wallen, stille zu verweilen,
> Bis ich vom Leben endlich selbst genese.
> O laßt mich dort, versteint, am Steine ruhn... (1580)

Wir spüren in diesen Worten das wahre Wesen des Herzogs. Hier spielt er keine Rolle mehr. Die »Trugszene« bringt ihn zu seinem Sein zurück. Das zeigt

18. *Hass,* a. a. O. S. 241.

sich auch daran, daß er auf das recht direkte Angebot des Weltgeistlichen, zur Partei seines Sohnes offen überzutreten und das »falsch gelenkte Steuer« zu ergreifen (1662), jetzt gerade nicht mehr eingeht. Wir dürfen seinen andeutenden Worten entnehmen, daß es die Erinnerung an die »liebliche Gewalt« (1675) Eugenies ist,[19] die ihn dieses Angebot ausschlagen läßt: es hat für ihn in dieser Situation keine Realität mehr. Und so sollten wir ihn, wie die Schemata erkennen lassen, auch am Ende der Trilogie als königstreu wiederfinden.

Der Getäuschte aber bleibt er auch am Ende der Szene, er bleibt der Auffassung, daß ihm Wahres gesagt worden ist. Zum Weltgeistlichen äußert er:

> Und lügt mir nicht das Kleid, in dem du wandelst... (1682)

Aber dieses Kleid lügt gerade, diesem Schein fehlt das Wesen. Im Kleid des Geistlichen wird Unwahres gesagt. Der Geistliche ist der Täuschende, sein Kleid ist Verkleidung, es entspricht nicht mehr dem Wesen des Trägers eines solchen Kleides. Auf den Gipfel kommt die tragisch-ironische Vertauschung von Wirklichkeit und Schein mit den Worten des Weltgeistlichen über Eugenie:

> Und ihrer Würde wahrer Glanz verscheuchet
> Den eitlen Schein, der dich bestechen will. (1708)

Die Worte lenken den Herzog von der äußeren, vergänglichen Erscheinung Eugenies auf das Ur- und Musterbildliche ihres Seins, das der menschliche Geist sich als »hohes Vorbild«, das vor dem Gemeinen schützt, rein bewahren kann. Daß aber gerade der Geistliche, der soeben mit »eitlem Schein« den Herzog umgarnt hat, es ist, der diese Worte spricht, ist aufschlußreich für die abgründige Beziehung, in der in diesem Werk Schein und Wahrheit stehen.

IV

Der »Hafen« ist der letzte Raum, der szenisch-real als Bühnenraum erscheint. In diesem Grenzraum teilt die Hofmeisterin dem Gerichtsrat offen mit, daß Eugenie ein Opfer der politisch-dämonischen Mächte geworden ist, die »List um List« tauschten, schließlich die Maske der »Verstellung« (1788) fallen ließen und den »unschuld'gen Anlaß« der Zwietracht (1792) opferten. Sie öffnet mit ihren Worten hilfreich den Weg zur Rettung Eugenies. Erst danach spricht der Gerichtsrat mit Eugenie, die ihm in ihrem natürlichen Sein »Glück und Heil« (1867) heranzubringen scheint (die ihm allerdings in Wahrheit, wie

19. Eugenie bittet den Herzog eingangs: »Und sei nun auch um deiner Tochter willen / Sein [des Königs] redlicher Vasall, sein treuer Freund!« (608).

die Schemata erkennen lassen, gerade kein persönliches Glück bringen sollte). Wir bemerken in diesen ersten Worten, die zur Gestürzten gesprochen werden, etwas von der Macht, die von Eugenies »schönster Zierde«, ihrer Natürlichkeit, ausgeht. Erst nachdem der Leser auf diese Weise wieder mit Eugenies Sein und dessen Wirkung vertraut gemacht worden ist, erfolgt Eugenies Reflexion über den ersten Sturz, die Prüfung, die Schmückung und Verbannung. Das wiederholt sich mehrfach in den beiden Schlußakten.[20] Die ausgestoßene und dem Wahnsinn (1898) nahe, in ihrem Wesen verkannte und in eine fast ausweglose Lage geratene Eugenie findet durch dieses Sich-Erinnern an die genannten Ereignisse Schritt um Schritt zu sich selbst zurück. Nach dem Verkennen setzt jetzt ein Vorgang des Erkennens der wahren Lage ein. Wir beachten mehrere Momente.

Eugenie denkt zunächst zurück an ihr Übertreten des Verbots (1907). Sie durchschaut im Rückblick, was scheinhaft an ihrem Verhalten gewesen ist. Wichtiger ist jedoch, daß sie, durch Worte des Gerichtsrates dazu gebracht, sagt:

> In kleinen Fehlern such' ich's, gebe mir
> Aus eitlem Wahn die Schuld so großer Leiden. (1929)

Sie erkennt, daß es nur ein kleiner Fehler gewesen ist, den sie selber begangen hat, sieht, daß ihre Schuld nicht groß und ihr Tun nicht die Ursache der Verbannung ist. Es wäre »eitler Wahn«, d. h. eine neue Scheinverfallenheit, wollte sie sich allein die Schuld geben. Mehr oder weniger deutlich erkennt sie, daß sie ein Opfer der politisch-dämonischen Mächte geworden ist, die sich in den gotischen Räumen, den »düstern Höhlen« (1936), streiten und deren Zwietracht sich möglicherweise über das Land ausweiten wird. Ein Erkennen ihrer Lage, aber zugleich auch ein langsames Erkennen der wahren Lage ihres Vaterlandes, zeichnet sich ab.

In diesem Moment, in dem nur noch der »Höllenwinkel« (1993), der seit der Kindheit ihr bekannte Todesraum der Inseln, als Ziel ihrer Verbannung erscheint, erfährt sie, daß sie durch die Ehe mit dem Gerichtsrat in den Bereich des Häuslich-Bürgerlichen und des zwischenmenschlichen Vertrauens gerettet werden könnte. Es ist von Bedeutung, daß Eugenie zunächst diese Möglichkeit ausschlägt und – nach dem »glänzenden« – das »dauerhaft Geschick« nicht will (2252), ja, in Verkennen und Mißverstehen der Absicht ihrer Hofmeisterin, die sie falscher Reden verdächtigt (2293), abweisend und aus tiefem Mißtrauen heraus redet.[21] Da sie nicht länger in Täuschung leben will, nimmt sie schließ-

20. Vgl. *V. Bänninger,* a. a. O. S. 58 f. und *P. Böckmann,* a. a. O. S. 20 f.

21. Auf die Rolle der Hofmeisterin weist besonders *J. Kunz,* a. a. O. S. 498 hin. Vgl. ferner: *V. Bänninger,* a. a. O. S. 18 f.

lich nach den Gesprächen mit Gouverneur und Äbtissin Einblick in das Dekret und sieht die Unterschrift des Königs. Das Sehen der Unterschrift ist jedoch noch kein Erkennen der wahren Lage, da Eugenie der Zusammenhang zwischen der geahnten Tücke des Bruders (2340) und der Unterschrift des Königs undurchschaubar bleibt. Die Enttäuschung, die der Einblicknahme folgt, führt sie aber dazu, nur noch Vertrauen in das Schicksal und seine Zeichen zu haben. Sie sagt:

> Gern will ich hin, wohin das Schicksal ruft:
> Es deute nur! und ich will gläubig folgen.
> Es winke nur! ich will dem heil'gen Winke,
> Vertrauend, hoffend, ungesäumt mich fügen. (2673)

In diesem Augenblick begegnet ihr der Mönch, den sie als Orakel angeht und von dem sie hört: »... wähle, was dir noch den meisten Raum / Zu heil'gem Tun und Wirken übrigläßt« (2731). Das ist eine mehrdeutige Aussage dieses modernen Orakels. Sie wird ergänzt durch die äußerst bedeutsamen Worte:

> Wenn du nun,
> In frühen Jahren ohne Schuld verbannt,
> Durch heil'ge Fügung fremde Fehler büßest,
> So führst du, wie ein überirdisch Wesen,
> Der Unschuld Glück und Wunderkräfte mit. (2751)

Eugenie wird mit dieser Mitteilung bewußtgemacht, daß sie als weitgehend Schuldlose, als Verkannte und als Opfer wie ein überirdisches Wesen Glück und Wunderkräfte mit sich führt. Wir dürfen diese Worte nicht nur vordergründig auf die Fahrt Eugenies zu den Todesinseln beziehen. Orakelhaft doppeldeutig, wie sie sind, sind die Worte zugleich sinnvoll anzuwenden auf den von Goethe geplanten Schluß der Trilogie. Das gilt besonders für die Sätze:

> Erheitre
> Durch dein Erscheinen jene trübe Welt.
> Durch mächt'ges Wort, durch kräft'ge Tat errege
> Der tief gebeugten Herzen eigne Kraft;
> Vereine die Zerstreuten um dich her,
> Verbinde sie einander, alle dir... (2757)

Wir denken bei diesen Worten an Eugenies Erscheinung, an den so häufig erwähnten Glanz ihres natürlichen Seins, denken auch beim »mächt'gen Wort« an ihr Sonett, bei der »kräft'gen Tat« an die im Sonett ausgesprochene Opferbereitschaft für das Wohl des Ganzen. Seinen Höhepunkt findet das Gespräch aber erst, als der Mönch von der Gefahr, die dem Vaterland Eugenies droht, spricht. Wir wissen bereits, daß Eugenie »nächst dem Leben« des »Vaterlandes vielgeliebten Boden« (2061) am meisten schätzt. Jetzt bringen gerade die auf ihr Land bezogenen Worte des Mönchs ihre Entscheidung zustande. Was aber sagt der Mönch? Das, was sich in diesem Land den Augen als wahres Sein darbietet, die »Pracht« der Gebäude, der räumlich-dingliche Schmuck, ist nur ein Schein, er täuscht. Der Raum des Vaterlandes ist tief gefährdet, die »Prachterscheinung« droht zu zerfallen.

> Der feste Boden wankt, die Türme schwanken,
> Gefugte Steine lösen sich herab,
> Und so zerfällt in ungeformten Schutt
> Die Prachterscheinung. (2799)

Die Formulierung läßt an Eugenies ersten und zweiten Sturz zurückdenken. Eine geheime Parallelität zwischen dem Einzel- und dem Gesamtschicksal bildet sich. Die Elemente setzen sich frei als politisches Chaos. Der Kosmos ist nur noch Fassade. So wie sie die Prachterscheinung Eugenie bereits gestürzt haben, werden die Elemente auch das Land in den Strudel des Umsturzes ziehen. Eugenie, die so viele Worte der Hofmeisterin mißversteht, versteht diese Worte des als Orakel angegangenen Mönchs genau. Das läßt ihr langer Monolog erkennen, in dem sie sich fast wörtlich die Sätze des Mönchs wiederholt. Ein Erkennen der wahren politischen Lage, die in ihrem Vaterland herrscht, ist eingetreten. Diese Erkenntnis bewirkt den Entschluß, im Vaterland zu bleiben. Der Raum, der »Boden des Vaterlands«, wird Eugenie jetzt zum Heiligtum:

> Nun bist du, Boden meines Vaterlands,
> Mir erst ein Heiligtum, nun fühl' ich erst
> Den dringenden Beruf, mich anzuklammern.
> Ich lasse dich nicht los, und welches Band
> Mich dir erhalten kann, es ist nun heilig. (2845)

Im Verborgenen will sie sich als »reinen Talisman« (2852) bewahren in der Hoffnung, mit Hilfe von »Wunderkräften«, die in ihrem »liebevollen, treuen Herzen« liegen, ein Wunder bewirken zu können. Sie hat ihr Los erkannt und faßt zugleich in diesem Entscheidungsmonolog den Entschluß zur Rückkehr:

> Und wenn mein Vater, mein Monarch mich einst
> Verkannt, verstoßen, mich vergessen, soll
> Erstaunt ihr Blick auf der Erhaltnen ruhn,
> Die das, was sie im Glücke zugesagt,
> Aus tiefem Elend zu erfüllen strebt. (2860)

Als Verkannte will sie wiedererscheinen, in und aus der Not heraus will sie ihr im Sonett angedeutetes Versprechen erfüllen. Vor diesem Hintergrund muß der Schluß des von Goethe nicht vollendeten Dramas verstanden werden. Bei ihm handelt es sich nicht einfach um eine Einkehr ins Häuslich-Bürgerliche. Aber auch von einer Übereinstimmung von Wirklichkeit und Schein sollte man nicht sprechen. Eugenie will sich bewahren für die »künft'ge ... Auferstehung« (2914). Dieses Vorhaben wird wiederum verdeutlicht an der Einstellung zum Raum. Eugenie erbittet vom Gerichtsrat ein »Landgut« (2901) als Aufenthaltsort. Der Gerichtsrat antwortet:

Ein kleines Gut besitz' ich, wohlgelegen;
Doch alt und halb verfallen ist das Haus.
Du kannst jedoch in jener Gegend bald
Die schönste Wohnung finden, sie ist feil.

Und Eugenie antwortet:

Nein! In das altverfallne laß mich ziehn,
Zu meiner Lage stimmt es, meinem Sinn. (2903)

Das Landgut ist in seiner Verfallenheit der Eugenies Lage angemessene Ort. Es entspricht ihrem Sinn, ihrer inneren Verfassung. Der Eintritt in dieses Haus, das vermutlich im zweiten Teil der Trilogie zum Szenenraum geworden wäre, bedeutet, daß Eugenie dem Scheinbereich der höfischen Sphäre entsagt. In diesem Raum (er ist halbverfallener Rest der zu Ende gehenden Feudalzeit und entspricht auch insofern der Gestalt Eugenie) will sie sich absondern von der Welt, um als völlig Isolierte und Ausgeschiedene auf den Augenblick der Rückkehr zu warten. Auch dieser Raum ist somit ein Träger der – von Schiller mit so sicherem Spürsinn erfaßten – »hohen Symbolik« dieses Dramas, ist sinntragendes Glied im bedeutsamen Ganzen. So schließt das Drama – ähnlich begann es – mit der Reflexion über einen Eugenie gemäßen Raum. Eugenie selber versteht jetzt ihre Rückkehr ins Verborgene als Rückkehr aus »ungemeßnen Räumen« (2012), aus der Weite und Höhe ins Enge und Niedrige. Ihr Abstieg ist ein freiwilliges Sicherniedrigen, ein Begrabenwerden:

...laß,
Von irgendeinem alten zuverläß'gen Knecht
Begleitet, mich, in Hoffnung einer künft'gen
Beglückten Auferstehung, mich begraben. (2911)

Sie wählt wirklich das, was ihr »den meisten Raum zu heil'gem Tun und Wirken« übrigläßt, versteht sich von einem zukünftigen Handeln her. Die Zielgerichtetheit des Dramas wird noch an diesem vorläufigen Endpunkt spürbar. Bemerkenswert ist, daß das Sonett auch an dieser Stelle des dramatischen Vorgangs nicht wieder erwähnt wird. Das darf aber nicht als etwas Negatives verbucht werden. Eugenie geht als Verschwiegene in die Verborgenheit zurück.[22] Auch daran zeigt sich, daß sie die Lage erkannt hat und weiß, daß nur durch die List des Verschweigens, durch eine höhere Art der Verstellung, das Elementar-Mächtige überwunden werden kann. Sie hat vom König gelernt, daß Überraschen ein wesentliches Moment des Handelns ist.

V

Wie insbesondere die Ding-Symbolik erkennen läßt,[23] war von Goethe für die Fortsetzung des Dramas die Rückkehr der Scheintoten geplant. Damit wäre in den Mittelpunkt der unausgeführten Teile des Dramas eine große Erkennungsszene getreten. Nicht nur hätten die verschiedenen Parteien mehr oder weniger überrascht erkannt, daß Eugenie noch lebt. Sie hätten vor allem erfahren, was die so sehr Verkannte ihrer »Natur« nach ist. Sie wären so im Hinblick auf ihr Wesen aus Schein und Täuschung befreit worden. Wie aber wäre sie erschienen? Überraschend, unerwartet, vor allem aber – um Goethes Ausdruck aufzunehmen – im »Privatstand«,[24] d. h. in ihrem natürlichen Sein und ohne Schmuck. Nicht in glanzvoll-scheinhafter Rolle, sondern als seinsmäßig »Wohlgeborene«, als die ungeschmückte Verstoßene in natürlicher Schönheit, die, wir sahen es, schon am Anfang des Dramas ihre »höchste Zierde« genannt wird. Ohne Ehren, ohne Rang, ohne künstlichen Schein und vor allem: ohne die trügerischen Gewänder, ohne geborgten äußerlichen Glanz wäre sie wiedererschienen. Die Thematik von Schein und Wesen wäre hier auf ihren Höhepunkt gekommen. Bedenken wir die Worte, die schon am Beginn des Dramas fallen, Eugenie sei ein »Karfunkelstein«, der im Dunkel der »Grüfte« leuchte. Der Satz erhellt jetzt in seiner vollen Bedeutung, wenn wir den Raum beachten, in dem Eugenie wiedererscheinen sollte. Sie sollte in ihr »Zimmer im gotischen Stil« zurückkehren, das Sonett hervorziehen und durch das Miteinander von Erscheinen und Rezitation sich in ihrem Wesen offenbaren. Ihr Zimmer aber sollte, seinem Wesen nun völlig entfremdet, als Gefängnis der königstreuen, feudalistischen Gesellschaft dienen. Nicht nur hätte Eugenie jetzt erkannt, daß sie Rolle und Funktion, die ihr Vater und der König bei ihrer Verbannung gespielt haben, verkannt hat und daß es des »Bruders Tücke« gewesen ist, mit der der Umsturz begann. Eine neue Vertauschung von Schein

22. Vgl. *P. Böckmann*, a. a. O. S. 20 f.

23. Vgl. *J. Kunz*, a. a. O. S. 493 und *P. Böckmann*, a. a. O. S. 21.

24. Goethe zu Falk, in: Goethes Gespräche, hrsg. v. *F. v. Biedermann*, Leipzig 1909, Bd. II, S. 164.

und Wesen wäre überdies dadurch erfolgt, daß Eugenie den Gerichtsrat als zur Revolutionspartei gehörig erkannt hätte.[25] Sie ihrerseits hätte hier am Ort ihrer Herkunft, ihrer Kindheit, ihres Dichtens und ihres leichten Verschuldens, als ein »Karfunkelstein« in wahrhaft dunkler Höhle leuchten sollen. Das heißt aber doch: in ihrem natürlichen Sein hätte sie keine geborgten Schmuckgewänder benötigt, als »Karfunkelstein« hätte sie aus sich selbst geleuchtet. Schein und Wesen wären insofern zur Deckung gelangt. Eugenie hätte ihren Schein gerade aus ihrem Sein erhalten.

Wieder staunen wir darüber, mit welcher Strenge und Souveränität Goethe die Raumgestaltung beherrscht. Das Raumgefüge hätte sich weiterhin als sinnhaltig, das Räumliche als eine das Ganze durchziehende Fügekraft innerhalb des dramatischen Vorgangs erwiesen. Es wäre noch deutlicher geworden, wie bei der hochgradigen Beschränkung der Orte eben nur bestimmte sinntragende, entstofflichte Räume, denen innerhalb der Symbolik und der Thematik von Schein und Wesen die Funktion zukommt, einen Bedeutungszusammenhang zu entfalten, auf der Bühne dargeboten werden sollten. Das dingliche Zeichen, das Sonett, in diesem Raum Eugenies verwahrt, wäre aus dem Verborgenen hervorgeholt worden, das opferbereite Sein Eugenies, das sich in ihm aussagt, wäre vor aller Augen Wirklichkeit geworden. Aber mit welcher Wirkung sollte sich der Vorgang ereignen? Wir finden im Drama verschiedene Worte, die auf eine wunderbare Schlußszene hindeuten könnten. Es heißt etwa: »Das Wunder ist des Augenblicks Geschöpf« (2152). An anderer Stelle: »O fände sich ein kräft'ger Talisman, / Des trüben Bruders Neigung zu gewinnen!« (1105). Der Gerichtsrat spricht von »Glück und Heil«, die Eugenie mit sich führe. Wir denken auch an die Worte des Mönchs und an Eugenies eigenen Wunsch, sich als »reinen Talisman« zu verbergen. Goethe sagt aber in den »Tag- und Jahresheften« von 1803 ausdrücklich, die Wiederkehr solle »kein Heil«, hingegen aber einen »schönen Augenblick« hervorbringen. Keine Restauration der alten, feudalistischen Gesellschaft sollte sich ereignen. Die ausgestoßene Einsame wäre nicht zu einem praktisch-politischen Nutzen zurückgekehrt. Die Parteien hätten weiter im Streit gelegen. Das Drama sollte nicht mit einer reinen Versöhnung von Schein und Wirklichkeit schließen. Immerhin dürfen wir wohl an Goethes Worte aus dem »West-östlichen Divan« erinnern:

> Talisman in Carneol,
> Gläubigen bringt er Glück und Wohl;
> ...Alles Übel treibt er fort,
> Schützet dich und schützt den Ort...

25. Zu geplanten Diskrepanzen und Vertauschungen von Wesen und Schein vgl. die interessanten Andeutungen in Goethes Schemata: Hbg. A. Bd. 5, S. 504.

Mensch und Raum hätten, so wollen wir vermuten, nach Goethes Auffassung durch das Erkennen des wahren Seins der Eugenie den Segen, den Schutzzauber für eine künftige Erneuerung des gesellschaftlich-öffentlichen Lebens erhalten.

Der Raum des Menschen in Kafkas »Prozeß«

In seinen »Betrachtungen« notiert Kafka: »Unsere Kunst ist ein von der Wahrheit Geblendet-sein: Das Licht auf dem zurückweichenden Fratzengesicht ist wahr, sonst nichts.« (H 46) [1] Diese Äußerung soll am Anfang unserer Deutung des Romans »Der Prozeß« stehen, weil wir mit der Frage nach dem Raum des Menschen in Kafkas Dichtung gerade das Licht auf dem von der Wahrheit geblendeten und vor ihr zurückweichenden menschlichen Gesicht, dem das Unzerstörbare entrückt und das Vertrauen geschwunden ist, aufweisen wollen. Dieses Unterfangen versteht sich als ein Versuch der Annäherung an das Unerklärliche, das der Erzähler aufgebaut hat in dem nicht mehr eindeutig interpretierbaren Verweisungs- und Bedeutungszusammenhang der Struktur der epischen Welt seines Werkes, das die nichtformulierbare »Problematik des ganzen Lebens zum Inhalt« (J 77) hat. Wir gehen dabei von der Auffassung aus, daß die Art, wie sich der Mensch im und zum Raum verhält, ein Ausdruck dessen ist, wie er sich in seiner inneren Verfassung weiß und versteht.[2]

1. Wir zitieren nach der Ausgabe: *Franz Kafka,* Gesammelte Werke, hrsg. v. *Max Brod,* Frankfurt a. M., S. Fischer Verlag. Die Stellen aus dem Roman »Der Prozeß« werden nach der Seitenzahl zitiert. Als Abkürzungen werden gebraucht:

B = *Kafka,* Beschreibung eines Kampfes, Novellen, Skizzen, Aphorismen aus dem Nachlaß, Frankfurt a. M. 1954.

H = *Kafka,* Hochzeitsvorbereitungen auf dem Lande und andere Prosa aus dem Nachlaß, Frankfurt a. M. 1953.

J = *G. Janouch,* Gespräche mit Kafka, Frankfurt a. M. 1951.

T = *Kafka,* Tagebücher 1910–1923, Frankfurt a. M. 1951.

Von der Literatur über Kafka vgl. bes.: *Fr. Beißner,* Der Erzähler Franz Kafka, Stuttgart 1959². *Theodor W. Adorno,* Aufzeichnungen zu Kafka, in: Prismen, Kulturkritik und Gesellschaft, Frankfurt a. M. 1955, S. 302 f. *Wilhelm Emrich,* Franz Kafka, Bonn 1958, S. 269 f. *Walter Killy,* Nachwort zu: *Franz Kafka,* Der Prozeß, Fischer Bücherei EC 3, S. 166–168.

2. Über die Raumgestaltung im engeren Sinne können wir in diesen Vorbemerkungen noch nichts Genaueres ausmachen. Zunächst müßte die Diskussion über die

I

Am Anfang der erzählten Welt, als Josef K. verhaftet wird, sagen die Wächter zu ihm: »Gehen Sie in Ihr Zimmer und warten Sie. Das Verfahren ist nun einmal eingeleitet, und Sie werden alles zur richtigen Zeit erfahren.« (11) Dieser Vorschlag, in den Raum des Privaten zurückzukehren, wird mehrfach wiederholt. Als K. den Wächtern seine Unschuld erklärt hat, sagt Wilhelm: »Und nun rate ich Ihnen, ... in Ihr Zimmer zu gehen, sich ruhig zu verhalten und darauf zu warten, was über Sie verfügt werden wird. Wir raten Ihnen, zerstreuen Sie sich nicht durch nutzlose Gedanken, sondern sammeln Sie sich, es werden große Anforderungen an Sie gestellt werden.« (16) Aber K. zerstreut sich in seinem Zimmer.[3] Sein Verhalten nach der Verhaftung ist nicht durch Überlegung gesteuert; es ist jedoch charakteristisch für das ihm gewohnte Leben, das sich im Wechsel von Arbeit (Bank) und Vergnügen (Stammtisch, Elsas Lokal) vollzieht. Der Sinn der Worte der Wächter, den K. überhört, erhellt sich, wenn wir einige außerdichterische Äußerungen Kafkas zur Deutung heranziehen. In den Oktavheften heißt es:

> »Darauf kommt es an, wenn einem ein Schwert in die Seele schneidet: ruhig blicken, kein Blut verlieren, die Kälte des Schwertes mit der Kälte des Steines aufnehmen. Durch den Stich, nach dem Stich unverwundbar werden.« (H 82)
> Und: »Es ist nicht notwendig, daß du aus dem Hause gehst. Bleib bei deinem Tisch und horche. Horche nicht einmal, warte nur. Warte nicht einmal, sei völlig still und allein. Anbieten wird sich dir die Welt zur Entlarvung, sie kann nicht anders, verzückt wird sie sich vor dir winden.« (H 124) Schließlich: »Wie kann man den anderen finden, wenn man sich selbst verliert? Der andere – das ist die Welt in ihrer ganzen großartigen Tiefe – eröffnet sich nur in der Stille.« (J 96)

Die Worte der überaus freundlichen (11) Wächter wollen bei K., indem sie ihn in sein Zimmer zurückschicken, diese Haltung des *Wartens* und *Stillseins* bewirken. K. verhält sich jedoch in diesem entscheidenden Augenblick anders. Sein Verhalten entspricht der Neigung, die der Erzähler kurz vorher mit den

[Fortsetzung von Fußnote 2:]
Anlage des Romans und über die Reihenfolge der Kapitel aufgrund einer kritischen Ausgabe abgeschlossen sein. Die Hinweise unserer Arbeit dienen daher nur einer Vorbereitung einer Analyse der Raumstruktur und der vom Erzähler benutzten Gestaltungsmittel. Dieser Text ist nur ein erster Hinweis auf die Gestaltungsmittel und soll ergänzt werden durch Arbeiten zur Zeit-, Personen- und Dinggestaltung.

3. K. wirft sich auf das Bett, trinkt einen guten Schnaps, »ein Gläschen zuerst zum Ersatz des Frühstücks ... ein zweites ..., sich Mut zu machen.« (17)

Worten umschrieben hat: »Er neigte stets dazu, alles möglichst leicht zu nehmen, das Schlimmste erst beim Eintritt des Schlimmsten zu glauben, keine Vorsorge für die Zukunft zu treffen, selbst wenn alles drohte.« (12) K. geht nicht planend und erwartend mit offenen Möglichkeiten um, ist sich in der Vorsorge für die eigene Zukunft nicht voraus. Wir hören überdies, daß er seinem bisherigen Sein nach einer ist, der nichts »aus Erfahrungen« (13) gelernt hat. Diese seine Vergangenheit bestimmt und begrenzt ihn nun aber auch in dieser bestimmten Situation und läßt ihn, wie sein Verhalten im Raum anzeigt, nicht zu einem Entwurf auf die Zukunft hin kommen. Er macht keinen Plan, wie er sich angesichts des Erwarteten und Befürchteten zu verhalten hat und übersieht, daß die »von der Kontemplation ausgesendete oder vielmehr die zu ihr zurückkehrende Tätigkeit« (H 117) die Wahrheit ist. Josef K. ist, wie der Erzähler ausdrücklich mitteilen läßt, Prokurist. Für das Verständnis des Sinnzusammenhangs des Romans ist die Berufstätigkeit offenbar wesentlicher als der Nachname Josef K.s, den der Erzähler verschweigt. Die Prokura definiert ein Lexikon mit dem Satz: die Prokura »ermächtigt zu allen Arten von Rechtsgeschäften und gerichtlichen Handlungen, die überhaupt zum Gegenstand eines Handelsgewerbes gehören können.«[4] Als ein mit Rechtsfragen vertrauter Geschäftsführer beschäftigt sich K. mit der Besorgung von Sachen, er trägt für etwas Sorge. Es ist jedoch wichtig, daß er *nicht* als ein wahrer »Prokurist« (im Sinne des lat. Verbums procurare) *Vorsorge für sich selbst* trägt. Was aber ist dann der Sinn der Verhaftung?

Die Verhaftung erfolgt in der Privatsphäre, als K. zum Objekt der Neugierde wird und im Blick auf das auf den Tod zugerichtete endliche Menschsein (die Alten) in den Zwischenzustand eines Befremdet- und Hungrigseins gerät. Der Erzähler bezeichnet K. als »gleichzeitig befremdet und hungrig« (9). In diesem Moment, in dem er das Menschsein von seinem Ende her in seiner Ganzheit in den Blick zu bringen beginnt und sich gerade so im persönlichen Wohlergehen seines gewohnten Lebens fremd wird, läutet er einen Mann ins Zimmer, über den der personale Erzähler vermerkt:

> Er war schlank und doch fest gebaut, er trug ein anliegendes schwarzes Kleid, das, ähnlich den Reiseanzügen, mit verschiedenen Falten, Taschen, Schnallen, Knöpfen und einem Gürtel versehen war und infolgedessen, ohne daß man sich darüber klar wurde, wozu es dienen sollte, besonders praktisch erschien. (9)[5]

4. Der Große Brockhaus, Bd. 9, Wiesbaden 1956, S. 415.

5. Inwiefern die Attribute auf die Figur des Hermes verweisen, suchen wir in anderem Zusammenhang aufzuweisen. Auch diese Gestalt gehört in den Bereich des Unverstehbaren, sie ist eine Art Bote der dem Rational-Empirischen entrückten Sphäre.

K. erfährt, wie Wilhelm Emrich hervorhebt,[6] in einem besonders riskanten Augenblick seines Lebens plötzlich das Ganze des Daseins, das ihm in der fremdartigen Gestalt einer absurden Gerichtsbehörde, die von ihm Rechenschaft über sein Selbst fordert, begegnet. Dieses geistige Selbst (die innere Welt nimmt bei Kafka eine zwar vieldeutige, aber sinnlich sichtbare Gestalt an[7]) erscheint hier zunächst in der Form von Menschen in Reiseanzügen. K. könnte so bewußt werden, daß er sich in seinem Menschsein nicht verstehen soll als ein fertiges, vorhandenes Etwas (als Sache, res), sondern daß er selber »Prozeß« ist (im Sinne des lat. Verbums procedere, vorschreiten, weitergehen), daß er ein Seiendes ist, das sich zu vollziehen hat, das überhaupt erst im Selbstvollzug zu sich selbst finden kann. Im Bild, das Kafka verwendet, formuliert: K. soll sich auf die Reise machen, er soll sich als Inbegriff seiner *Möglichkeiten* verstehen, soll sich begreifen als ein Wesen, das einen Entwurf seiner Zukunft machen und im Sich-zu-sich-verhalten die Ganzheit seines Menschseins überhaupt erst herstellen kann.

K.s Aufenthalt bei den Dingen in seinem Raum zeigt jedoch, daß er den Sinn der Verhaftung nicht versteht. Er denkt über den Vorgang vordergründig-juristisch[8] in der Art, wie er als Prokurist mit dem Gerichtswesen vertraut ist. In dieser Lage des Unbereitseins trifft ihn plötzlich der Zuruf des Aufsehers, über den er später sagt: »Der Aufseher ruft, als ob er mich wecken müßte, er schreit geradezu..., es ist übrigens nur mein Name, den er so schreit.« (39) Dieser Ruf führt K. in das Zimmer Fräulein Bürstners, das – seiner bisherigen Brauchbarkeit entkleidet – in einen Verhandlungsraum umgewandelt worden ist. Das richtende Selbst wird also räumlich vergegenwärtigt durch den Aufenthalt bei den Dingen in Fräulein Bürstners Zimmer. Bedenken wir: K. ist Junggeselle und gerade damit in einer Lebensweise, die für Kafka eine besondere Bedeutung besitzt.[9] Er liebt Elsa, auch Fräulein Bürstner, beide aber nicht im Sinne einer Unbedingtheit. Im Raum Fräulein Bürstners soll er nun in der Begegnung mit dem Fremden (Verhaftung) sowie im Angesicht (Blick durch das Fenster) des Alters (alte Leute) und des Todes (auf den mittelbar die riesige Figur mit rötlichem Spitzbart verweist, 20) erfahren, daß er hier und jetzt ständig von seinem Ende her bedroht ist, von der äußersten Grenze, zu der er als in seinen Tod vorschreitet. Er soll sich so, indem sich ihm

6. *W. Emrich,* a. a. O. S. 269 f.

7. *W. Emrich,* Die Erzählkunst des 20. Jahrhunderts und ihr geschichtlicher Sinn, in: Deutsche Literatur in unserer Zeit, Göttingen 1959, S. 74.

8. Darauf weist besonders: *Gerhard Kaiser,* Franz Kafkas »Prozeß«, Versuch einer Interpretation, in: Euphorion, Jg. 52, H. 1, S. 23 ff.

9. Vgl. besonders: T 17 ff.

durch dieses Wissen seine Endlichkeit erschließt, bewußtmachen, daß er sich selbst und in wahrer Liebesbegegnung den andern ergreifen kann als unzerstörliches Selbst. In seinen Oktavheften schreibt Kafka: »Die Frau, noch schärfer ausgedrückt vielleicht, die Ehe ist der Repräsentant des Lebens, mit dem du dich auseinandersetzen sollst.« (H 118) Bereits 1913 (T 318), etwa ein Jahr vor der Arbeit am »Prozeß«, hat sich Kafka mit dem komplizierten Verhältnis Kierkegaards zum Problem der Ehe beschäftigt, und genau diese Problematik – nicht die Religiosität Kierkegaards, wie wir seit Klaus Wagenbachs Arbeit[10] wissen – ist für die Deutung der von Kafka im »Prozeß« erschlossenen Möglichkeit menschlichen Seins wesentlich. Im Raum Fräulein Bürstners wird K. in seinem Personsein als Josef K. angerufen, wird er mit dem Ruf aufgefordert, sich als Person in voller Selbstverantwortlichkeit bewußt zu übernehmen. Mit einer Maxime Kafkas formuliert:

> ... das Erste ist die ruhige, mit Leben erfüllte, ohne ein gewisses Behagen unmögliche Betrachtung, Erwägung, Untersuchung, Ergießung ... Das Zweite aber ist der Augenblick, in dem man vorgerufen Rechenschaft geben soll ... (B 293)

K., der sich nicht in die ruhige Betrachtung sammelt, bringt, was die Selbstrechtfertigung betrifft, im weiteren Erzählverlauf »keinen Laut« hervor, ja, er greift im Gegenteil das Gericht an, beurteilt es von der Vernünftigkeit eines sehr neuzeitlichen animal rationale und findet gleichzeitig bei sich selbst nicht die »geringste Schuld« (21). Er redet naiver »als ein Kind« (14). Aber er ist kein Kind mehr, er ist längst herausgefallen aus dem kindlich-vorbewußten Stand der Unschuld. Seine »Schuld« hat offenbar damit zu tun, daß er sich nicht mit der Frau, genauer mit der Ehe, d. h. mit der eigentlichen Repräsentation des Lebens auseinandersetzt, daß er in der Passivität eines Sich-treibenlassens planlos und selbstverloren lebt. In einem ausgezeichneten Augenblick, an seinem 30. Geburtstag, mithin an einem Punkt, an dem es naheliegt, Rechenschaft abzugeben,[11] wird er mit der Verhaftung hingestoßen auf die Möglichkeit der Selbstwahl, das meint: darauf, daß er selbst seine Geburt als freie Person zu vollziehen hat, daß er den Geburtstag zum Tag seiner Wiedergeburt zum wahren Menschsein machen könnte und daß er zugleich (nach dem Selbstgericht) den anderen in wahrer Liebesbegegnung ergreifen könnte. Das meinen die Worte Kafkas: »Im Augenblick der Liebe wird der Mensch nicht nur für sich, sondern auch für den anderen Menschen verantwortlich.« (J 110) Aber K. verfehlt, geblendet von der Plötzlichkeit und Fremdheit des Vorgangs, den

10. *Klaus Wagenbach*, Franz Kafka, Eine Biographie seiner Jugend, Bern 1958, S. 115.

11. *W. Emrich*, Franz Kafka, a. a. O. S. 270.

Akt der Selbstwahl; er wird gerufen (gewählt), aber wählt sich nicht selbst. Ihm sagt daher der Aufseher: »... denken Sie weniger an uns und an das, was mit Ihnen geschehen wird, denken Sie lieber mehr an sich.« (21) Er wird hier sogar freundlicherweise daran erinnert, daß er in seinem Menschsein der Ort des Weltverständnisses ist. Und am Abend hört er überdies von Frau Grubach:

> Es handelt sich ja um Ihr Glück und das liegt mir wirklich am Herzen, mehr als mir vielleicht zusteht, denn ich bin ja bloß die Vermieterin. Nun, ich habe also einiges gehört, aber ich kann nicht sagen, daß es etwas besonders Schlimmes war. Nein. Sie sind zwar verhaftet, aber nicht so wie ein Dieb verhaftet wird. Wenn man wie ein Dieb verhaftet wird, so ist es schlimm, aber diese Verhaftung –. Es kommt mir wie etwas Gelehrtes vor, entschuldigen Sie, wenn ich etwas Dummes sage, es kommt mir wie etwas Gelehrtes vor, das ich zwar nicht verstehe, das man aber auch nicht verstehen muß. (30)

K. wird im Raum einer sibyllinisch-wissenden Frau[12] mit orakelhaft-vorausdeutenden Worten darauf aufmerksam gemacht, daß es sich bei seinem Prozeß um sein Glück handelt. Die Verhaftung erscheint als ein – wenn auch für K. unfaßbarer – Glückwunsch zu seinem Geburtstag. Schon die Wächter erklärten ihm ihre Bestimmung zu seinen Wächtern als ein glückliches Zeichen (11). Der Vorgang, der so von Anfang an durch handelnde Personen der erzählten Welt unter den *Aspekt des Glücks* gestellt wird, *steuert* den Leser in eine bestimmte Richtung[13] und läßt ihn fragen: inwiefern geht es bei dieser Verhaftung um K.s Glück? Beachten wir die Maxime:

> Die Nichtmitteilbarkeit des Paradoxes besteht vielleicht, äußert sich aber nicht als solche, denn Abraham selbst versteht es nicht. Nun braucht oder soll er es nicht verstehn, also auch nicht für sich deuten, wohl aber darf er es den andern gegenüber zu deuten suchen. Auch das Allgemeine ist in diesem Sinn nicht eindeutig, was sich im Iphigenie-Fall darin äußert, daß das Orakel niemals eindeutig ist. (H 124)

K. ist nicht Abraham, ist nicht der vom persönlichen Gott Erwählte, den Gott mit seinem Anruf versucht und prüft. Jede alttestamentliche oder christlich-religiöse Deutung der Dichtungen Kafkas geht fehl. Aber die Maxime kann doch erhellend wirken für das Verständnis der spätneuzeitlichen Gestalt Josef K. K. soll den Ruf der Verhaftung, den das richtende Selbst ihm zuschickt, *nicht* mit den Mitteln seiner Vernünftigkeit (ratio) zu erkennen und zu deuten suchen,

12. Ebenda S. 270.

13. Vgl. zur Terminologie: *E. Lämmert,* Bauformen des Erzählens, Stuttgart 1955, S. 176 f. Auch auf dieses Gestaltungsmittel können wir hier nur hindeuten.

er soll ihn hinnehmen, ihn nicht von der unendlichen Reflexibilität des menschlichen Vorstellens her verfügbar zu machen suchen. Aber K., der nicht wie Abraham als ein Positivum eine »geistige Armut« (H 125) aufzuweisen hat, sondern durch ein übermäßiges Reflektieren gekennzeichnet ist, mißversteht sogar die Worte der Frau Grubach und antwortet: »... nur urteile ich über das Ganze noch schärfer als Sie und halte es einfach nicht einmal für etwas Gelehrtes, sondern überhaupt für nichts.« (30) Gerade das hat Frau Grubach ihm nicht gesagt. Er soll das Unbegreifliche nicht als Nichts abschätzen, sondern es als ein von unserm Wahrheits- und Vernunftbegriff her nicht verfügbares, in sich widersprüchliches Sein in seiner Notwendigkeit hinnehmen.

Auch der Aufseher will diese Einstellung K.s erreichen, wenn er zu ihm sagt: »Sie sind verhaftet, gewiß, aber das soll Sie nicht hindern, Ihren Beruf zu erfüllen. Sie sollen auch in Ihrer gewöhnlichen Lebensweise nicht gehindert sein.« (24) Und: »... ich zwinge Sie nicht, in die Bank zu gehen, ich hatte nur angenommen, daß Sie es wollen.« (25) K. soll nicht seinen Beruf und seine Lebensweise aufgeben, aber er soll in und durch Beruf und tägliches Leben sich bewußt sein, daß er verhaftet ist; er soll eine Ansicht des Lebens gewinnen, bei der er in und mit dem Alltäglichen über es hinaus ist. Eine Notiz Kafkas kann uns hier weiterhelfen:

> Als wichtigster oder als reizvollster ergab sich der Wunsch, eine Ansicht des Lebens zu gewinnen ..., in der das Leben zwar sein natürliches schweres Fallen und Steigen bewahre, aber gleichzeitig mit nicht minderer Deutlichkeit als ein Nichts, als ein Traum, als ein Schweben erkannt werde. Vielleicht ein schöner Wunsch, wenn ich ihn richtig gewünscht hätte. Etwa als Wunsch, einen Tisch mit peinlich ordentlicher Handwerksmäßigkeit zusammenzuhämmern und dabei gleichzeitig nichts zu tun, und zwar nicht so, daß man sagen könnte: »Ihm ist das Hämmern ein Nichts«, sondern »Ihm ist das Hämmern ein wirkliches Hämmern und gleichzeitig auch ein Nichts«, wodurch ja das Hämmern noch kühner, noch entschlossener, noch wirklicher und, wenn du willst, noch irrsinniger geworden wäre. (B 293/294)

K. soll in dem Augenblick, in dem er sich »gleichzeitig befremdet und hungrig« erfährt, zu einer Ansicht seines Lebens gelangen, bei der ihm seine Arbeit wirkliche Arbeit ist und *gleichzeitig* auch ein Nichts, ein Traum, ein Schweben. Mit der wahren Selbstbekümmerung soll er im Alltäglichen über es hinaus sein, es übersteigen, transzendieren. Aber er gelangt nicht in diese Seinsverfassung. Er erfaßt nicht das Reale am Traumcharakter des »inneren Gebots«, über das Kafka in einem fingierten Dialog notiert: »Warum vergleichst du das innere Gebot mit einem Traum? Scheint es wie dieser sinnlos, ohne Zusammenhang, unvermeidlich, einmalig, grundlos beglückend oder ängstigend, nicht zur Gänze mitteilbar und zur Mitteilung drängend? Alles das.« (H 111) Der Ruf der Verhaftung erscheint K. sinnlos, ängstigend, ohne Zusammenhang (er weiß nicht, wer ihn gebietet und worauf er abzielt), unvermeidlich (er trifft ihn »unvorbereitet und mit der gleichen Überraschung wie das Träumen den Schlafenden, der doch, da er sich schlafen legte, auf Träume gefaßt sein mußte...«, ebd.), einmalig (Frau Grubach sagt ihm: »... das kann nicht wieder vorkommen«, 30); er ist eigentlich nicht mitteilbar, nicht faßbar (wie die geistige Welt insgesamt, da die Sprache »nur vom Besitz und seinen Beziehungen handelt«, H 92).

K.s Mißverstehen zeigt sich, als er am Abend den Vorgang Fräulein Bürstner theatralisch vorzuspielen beginnt. Er handelt hier wie ein Narr, ist unbesonnen, ohne Verantwortung, gebärdet sich schlimmer als ein Kind. Für ihn ist das Leben auch nach dem Ruf der Verhaftung – den er mit der Wiederherstellung der äußeren Ordnung im Raum als beseitigt ansieht und vor dem er in den »alten Gang« (28) des planlosen Lebens zurückfällt – eine Maskerade (und die Verhaftung eine Komödie in der Komödie, 13). Das zeigt am Abend sein Verhalten gegenüber Fräulein Bürstner. Es heißt: K. »lief vor, faßte sie, küßte sie auf den Mund und dann über das ganze Gesicht, wie ein durstiges Tier mit der Zunge über das endlich gefundene Quellwasser hinjagt. Schließlich küßte er sie auf den Hals, wo die Gurgel ist, und dort ließ er die Lippen lange liegen.« (42) Die Szene weist auf die animalitas der spätneuzeitlichen Gestalt Josef K.; K. ist auch in dieser Hinsicht (Auseinandersetzung mit der Frau) durch den Ruf der Verhaftung nicht aus dem Sich-treiben-lassen seines Lebens herausgerissen worden. Kurz vor dieser Szene sagt er zu Frau Grubach: »Die Reinheit! ... wenn Sie die Pension rein erhalten wollen, müssen Sie zuerst mir kündigen.« (33) Aber obwohl er so um die Unreinheit seiner animalitas weiß, legt er nicht Rechenschaft ab über das mit seinem Menschsein mitgegebene Schuldigsein. Auch hier gilt: »Das animalische Physische überwuchert und erstickt alles Geistige.« (J 74)

II

Im Saal des Verhörs äußert K. vor dem Richter über seinen Prozeß: »Mir steht die ganze Sache fern, ich beurteile sie daher ruhig, und Sie können, vorausgesetzt, daß Ihnen an diesem angeblichen Gericht etwas gelegen ist, großen Vorteil davon haben, wenn Sie mir zuhören.« (60) K. betrachtet also im weiteren Erzählverlauf seinen Prozeß als eine Sache (res), die ihm fernsteht. In welchem Raum und in welcher Lage macht er diese Äußerung?

Die zweite Räumlichkeit, in die der Erzähler uns direkt einführt, ist nicht das Büro K.s (es erscheint nur im raffenden Bericht), sondern das Haus des Verhörs, dessen Lage innerhalb der Topographie der Stadt präzis-empirisch angegeben wird; es ist der durch Armut gekennzeichnete Raum eines »Mietshauses« (47), mithin ein Raum der Privatsphäre des Wohnens. In ihm findet K. die für ihn bestimmte Tür (er hört: »Nach Ihnen muß ich schließen, es darf niemand mehr hinein«, 51) und geht durch sie hindurch in einen Saal, in dem er verhört werden soll. Es ist jedoch wesentlich, daß er – ohne das Verhör abzuwarten – auf dem »Podium« (53) mit einer aggressiven Rede beginnt und das Gericht seinerseits einer scharfen Kritik unterzieht. Bedenken wir: mit dem Telefonanruf (44) wird er in diesen Raum »vorgerufen« zur Rechenschaftsabgabe; in dieser Hinsicht sagt er in seiner Rede aber gerade nichts, denkt nicht an sich selbst, sondern an das Gericht, das er seiner *selbstmächtigen Subjektivität verfügbar* machen will, indem er es von seiner Rationalität aus kritisch durchleuchtet. Die äußerste Nähe zum Verhandlungstisch (53) verhindert dabei nicht, daß ihm die Sache selbst fernsteht. Der Prozeß ist in der Tat nicht etwas, worauf sein umsichtiges Besorgen geht. Ja, auch die ihm vom Gericht mit Absicht zudiktierte Stellung, die Nähe zur Dinglichkeit des Prozesses, stößt ihn nicht auf die andere Sphäre des universellen Gerichts, die er akzeptieren soll.[14] Ohne überhaupt den eigentlichen Beginn des Verhörs abzuwarten, erklärt er, daß er »keine Zeit« habe und »bald weggehen werde« (60). Sein Verhalten zeichnet sich durch Übereilung aus.

Dieser Vorgang erhellt, wenn wir zwei Notizen Kafkas beachten. In der einen heißt es:

> Es gibt zwei menschliche Hauptsünden, aus welchen sich alle andern ableiten: Ungeduld und Lässigkeit. Wegen der Ungeduld sind sie aus dem Paradies vertrieben worden, wegen der Lässigkeit kehren sie nicht zurück. Vielleicht aber gibt es nur eine Hauptsünde: die Ungeduld. Wegen der Ungeduld sind sie vertrieben worden, wegen der Ungeduld kehren sie nicht zurück. (H 39)

Und zweitens:

> Mißverstehen, Ungeduld und Lässigkeit – das ist Sünde. (J 103)

K. gibt sich im Sinne dieses Sprachgebrauchs als sündig: in *Lässigkeit* (Absehen von sich selbst), *Ungeduld* (Abbrechen des Verhörs) und *Mißverstehen* (Mißdeutung des Gerichts sowie auch der Worte Frau Grubachs, die er entstellt wiedergibt, 58) zeigt er, daß er den Anforderungen, die an ihn gestellt werden, nicht entspricht, daß er gerade mit dem Lärm des Hervorkehrens seiner

14. *W. Emrich*, Franz Kafka, a. a. O. S. 108.

Unschuld versagt und sich »des Vorteils beraubt ..., den ein Verhör für den Verhafteten in jedem Falle bedeutet.« (63) Er verläßt den Raum mit den Worten: »Ihr Lumpen ... ich schenke euch alle Verhöre.« (63) Ein Verhör findet hier wirklich nicht mehr statt.

K. unterhält sich jedoch später[15] in dem seinem Amtscharakter entkleideten leeren Raum mit der Frau des Gerichtsdieners und erfährt auf der Stufe des Podiums (67), auf dem er seine aggressive Rede gehalten hat, d. h. an einer sinnhaltigen Raumstelle, daß diese Frau ihm mit ihrem Schreien (61) hat helfen wollen. Ihr Schrei ist eine Art von Ruf. Mit ihm wollte sie bewirken, daß K. seine aus der Ungeduld entstandene Rede abbricht. Da sie aber trotz eines Verbots zu K. in den Raum gegangen ist, muß sie nun zum Richter getragen werden. Sie ist bereit, sich für K. zu opfern, aber dieser sieht in dem Vorfall nur eine niedere Verlockung, obwohl ihm ausdrücklich gesagt wird, er solle nicht mit einem »falschen Urteil« (69) über ihr Verhalten fortgehen.[16] Das Mißverstehen der Rolle dieser Frau hängt eng damit zusammen, daß K. seinen Prozeß als eine Sache ansieht, die ihm fernsteht und daß ihm am »Ausgang des Prozesses gar nichts liegt«, ja daß er »über eine Verurteilung nur lachen« will (69). Sofern es aber bei diesem Prozeß um die Verurteilung oder Rettung seiner selbst geht, sollte ihm, wie ihm schon die Wächter sagten (14), das, was zum Gericht gehört, gerade das Nächste sein. Er übt jedoch erneut Kritik am Verhalten der dem menschlichen Urteil entrückten Personen (264), so daß ihm gesagt wird: »Wenn Sie ungeduldig sind, können Sie weggehen. Sie hätten auch schon früher weggehen können, es hätte Sie niemand vermißt. Ja, Sie hätten sogar weggehen sollen, und zwar schon bei meinem Eintritt, und zwar schleunigst.« (73) K. hätte, weil er sich als Ungeduldiger nur noch mehr seiner Vorteile beraubt, zeitiger weggehen müssen. Der Student, der diese Worte spricht und der zum Nachwuchs der Richter gehört, sagt wenig später, daß die Wahl K.s (K. äußert: »... man wählte mich«, 57) ein Mißgriff gewesen ist:

> ... es war ein Mißgriff. Ich habe es dem Untersuchungsrichter gesagt. Man hätte ihn zwischen den Verhören zumindest in seinem Zimmer halten sollen. Der Untersuchungsrichter ist manchmal unbegreiflich. (74)

K. wird mit dem Ruf der Verhaftung *gewählt,* ausgewählt; er ist ein vom Gericht Gewählter. Aber er ist durch das Fremdartige des Gewähltwerdens so

15. Die Frage nach der Zeitgestaltung kann hier nicht berücksichtigt werden.

16. Wichtig ist, daß die Frau ihm Einblick gewährt in die Gesetzbücher, die – alt und schmutzig – eine Art von Buch des Lebens (im Sinne der Topoilehre von *E. R. Curtius*) darstellen, die in der Abbreviatur die bestimmenden Mächte des Lebens enthalten.

verwirrt, daß er unangemessen reagiert und die Chance, die das Gewähltwerden in sich schließt, nicht nutzt. Er sammelt sich nicht, macht sich nicht bewußt, daß das Paradoxe, Unverstehbare eine wesentliche Daseinsbedingung des Menschen ist und führt in Ungeduld und Mißverstehen seine eigene Verurteilung (im Sinne der Worte: »... das Verfahren geht allmählich ins Urteil über«, 253) Schritt um Schritt selbst herbei. Er erfährt jedoch wenig später vom Gerichtsdiener, daß er mit einem Eingreifen für die Frau, die sich für ihn eingesetzt hat, d. h. in Hilfsbereitschaft und Demut gegenüber dem anderen (Hilfe gegen den Studenten) seinen Prozeß ins Aussichtsreiche (79) wenden könnte. Er könnte dieser Frau, d. h. einer Repräsentation des Lebens, mit dem es sich auseinanderzusetzen gilt, in einer »festesten Verbindung« beistehen und gerade damit sich die Kraft »für das Streben« (H 119) holen. Mit dem engagement eines solchen verantwortlichen Handelns könnte er sich vor der höheren unerforschlichen Leitung des Lebens bewähren. Er folgt jedoch nicht dem Wort des Dieners; dagegen folgt er doch immerhin dem Diener selbst in den Bereich der Kanzleien, wenn auch in seiner übereilten Weise. Es heißt: »... er lief schneller als der Gerichtsdiener die Treppe hinauf. Beim Eintritt wäre er fast hingefallen, denn hinter der Tür war noch eine Stufe.« (80) K. fällt im Sicherheben über das empirisch-faktisch Seiende beinahe in den neuen Raum des Dachbodens, d. h. in den Ort des für die alltägliche Welt der Brauchbarkeit und Leistung »unnützen Krams« (76), in den Raum der Armut, in dem die Registratur des Lebens[17] untergebracht ist. Dabei erfährt er, daß man hier auf das Publikum »überhaupt keine Rücksicht« (80) nimmt. Die Rücksichtslosigkeit soll ihn darauf aufmerksam machen, welche Gangart er in diesen Räumen einzuschlagen hat. Die Stufe hinter der Tür entspricht etwa dem Seil in folgender Maxime Kafkas:

> Der wahre Weg geht über ein Seil, das nicht in der Höhe gespannt ist, sondern knapp über dem Boden. Es scheint mehr bestimmt stolpern zu machen, als begangen zu werden. (H 70)

Die Stufe hinter der Tür soll K. auf die Aufhebung der räumlichen Kontinuität[18] hinstoßen, sie soll ihm zeigen, daß er auf dem *Übergang* zwischen zwei verschiedenen Seinsbereichen ist, daß er aus der empirisch-faktischen Räumlichkeit des Alltäglichen, die das Mietshaus insgesamt noch vertritt, zur Räumlichkeit der Mächte, zu denen er mit dem Ruf der Verhaftung aus seinem gewöhnlichen Daseinskreis herausgeholt worden ist, aufsteigt. Aber inwiefern

17. *W. Emrich,* Die Erzählkunst des 20. Jahrhunderts, a. a. O. S. 73.

18. Vgl. allgemein zum Thema der Aufhebung räumlicher Kontinuität: *M. Eliade,* Das Heilige und das Profane, Hamburg, rde Bd. 31, S. 15.

soll er mit dem Transzendieren zum internum dieser Mächte über das vordergründig Wirkliche hinaussein? Die Stufe hinter der Tür soll, indem sie ihn stolpern lassen will, ihm zum Bewußtsein bringen, daß er als diese unverwechselbare Person Josef K. insoweit frei ist, als »er die Gangart und den Weg dieses Lebens wählen kann.« (H. 118) Aber auch dieses mittelbar gegebene Zeichen, das ihn zum geduldigen, stufenweisen Vorgehen ermahnen will, übersieht K.

In dem Raum des Dachbodens fragt K. einen Angeklagten: »Worauf warten Sie hier?« (81) und erhält von dem durch diese Worte erschreckten Mann nur die Antwort: »Ich warte – «. K., dem eingangs das Warten nahegelegt worden ist, merkt jedoch nicht, daß mit dem abgebrochenen Satz das Entscheidende gesagt worden ist. Das Abbrechen des Satzes ist sinnerhellend; es weist darauf hin, daß Angeklagte erst mit dem Warten (und nicht mit der selbstherrlichsuchenden Ungeduld) zur angemessenen Einstellung zu ihrem Prozeß gelangen. Eine (von uns eingangs nur halb zitierte) Äußerung Kafkas lautet:

> Die Kontemplation und die Tätigkeit haben ihre Scheinwahrheit; aber erst die von der Kontemplation ausgesendete oder vielmehr die zu ihr zurückkehrende Tätigkeit ist die Wahrheit. (H 117)

Die wartenden Angeklagten sind nur Kontemplierende, sie sind zur Zeit in einer Scheinwahrheit. Auf den von K. angesprochenen Mann bezogen, heißt das mit Kafkas Worten: die »geistige Armut und die Schwerbeweglichkeit dieser Armut ist ein Vorteil, sie erleichtert ihm die Konzentration oder vielmehr, sie ist schon Konzentration, wodurch er allerdings den Vorteil verliert, der in der Anwendung der Konzentrationskraft liegt.« (H 125) Der Mann macht Eingaben und wartet auf deren Erledigung, aber er gelangt nicht zur »Anwendung der Konzentrationskraft«, zur gesammelten Tätigkeit. K. hingegen fehlt – bislang – die Kontemplation. Er ist zersplittert in die bloße Tätigkeit, die ebenfalls ihre »Scheinwahrheit« hat. Aber die Situation in dem Warteraum ist für K. in verstärktem Maße eine Möglichkeit, sich dessen bewußt zu werden, daß die von der Kontemplation ausgesendete oder vielmehr die zu ihr zurückkehrende Tätigkeit die Wahrheit ist. Vor allem hört K. hier, daß der von ihm angeredete Angeklagte seinen Prozeß als s e i n e Sache ansieht, das meint: als das *ihm selbst Zugehörige*. Als K. diese Haltung des Mannes lächerlich macht, zeigt sich in dessen Worten »nur Angst« (82). Fast am Ende der erzählten Welt wird in der Form eines Rückblicks noch einmal diese Situation im Warteraum der Kanzlei erwähnt: Kaufmann Block, der sich unter den Wartenden befunden hat, berichtet K.:

> Ein solcher Aberglaube ist es ..., daß viele aus dem Gesicht des Angeklagten, insbesondere aus der Zeichnung der Lippen, den Ausgang des Prozesses erkennen wollen. Diese Leute ... haben behauptet, Sie würden, nach Ihren Lippen zu

schließen, gewiß und bald verurteilt werden... Sie haben doch einen dort angesprochen, nicht? Er konnte Ihnen aber kaum antworten. Es gibt natürlich viele Gründe, um dort verwirrt zu sein, aber einer davon war auch der Anblick Ihrer Lippen. Er hat später erzählt, er hätte auf Ihren Lippen auch das Zeichen seiner eigenen Verurteilung zu sehen geglaubt. (210)

Ziehen wir ferner Blocks Mitteilung: »Warten ist nicht nutzlos, ... nutzlos ist nur das selbständige Eingreifen« (211) zur Deutung hinzu, so ergibt sich: mit dem, was K. bei seinem selbständig-eingreifenden, Kritik übenden Verhalten »über die Lippen« kommt, wird seine gewisse und baldige Verurteilung herbeigeführt. Die abergläubische Furcht der Angeklagten ist einsehbar; K.s Reden (als Ausdruck seines Denkens) und sein Handeln (als Verwirklichung des Gedachten) verurteilen ihn. Freilich wollen diese Worte nicht besagen, daß K. während des Aufenthalts in der Kanzlei bereits rettungslos zur Verurteilung verdammt ist. Das Durchgehen der Kanzlei (der Diener folgt ihm, führt ihn nicht) ist etwas potentiell Positives, es könnte ein Vordringen werden zu »einem gewissen Punkt«, von dem an »es keine Rückkehr mehr« gibt (H 73). Über diesen Punkt schreibt Kafka: »Dieser Punkt ist zu erreichen.« K. jedoch fürchtet sich bereits nach kurzem vor dem weiteren Vordringen und sagt: »Ich will nicht alles sehen ... ich will gehen, wie kommt man zum Ausgang?« (83) Obwohl er nur einen »einzigen Weg« gegangen ist, hat er sich bereits verirrt. Er will jetzt, da er nur aus Neugierde in das internum gekommen ist, »aus dem Verlangen, festzustellen, daß das Innere dieses Gerichtswesens ebenso widerlich« ist wie »sein Äußeres« (85), weder weiter vordringen noch an diesem Raumpunkt warten. Er könnte aber hier zum Wartenden werden und hier Vorsorge für die Zukunft treffen. Er überlegt: »... er wollte nicht weiter eindringen, er war beengt genug von dem, was er bisher gesehen hatte, er war gerade jetzt nicht in der Verfassung, einem höheren Beamten gegenüberzutreten.« (85) Aber auf sein Schreien hin erscheinen ein Mädchen und ein Herr mit einer Art von Notwendigkeit wie Zur-Hilfe-gerufene. Über den Eindruck, den K. auf sie macht, vermerkt der Erzähler:

...sein stummes Dastehen mußte auffallend sein, und wirklich sahen ihn das Mädchen und der Gerichtsdiener derartig an, als ob in der nächsten Minute irgendeine große Verwandlung mit ihm geschehen müsse. (85)

K. ist an einem Punkt angelangt, wo ihm alles Vertraute entgleitet, wo er *keinen Halt* mehr findet, wo ihm unheimlich wird. In dieser völligen Beengtheit kommt ihn ein Schwindel (85) an und erwarten die Umstehenden die große Verwandlung. Was der Erzähler mit diesem Hinweis meint, wird deutlich aus folgender Maxime Kafkas: »Der Geist wird erst frei, wenn er aufhört,

Halt zu sein.« (H 98) Die Umstehenden erwarten, daß K., indem er sich losläßt von den Motivationen (H 103) und indem er den Willen zum Festhalten aufgibt, das Wirklichseiende in seiner vollen Befremdlichkeit erfährt und so *durchbricht* zur Freiheit eines geistigen Selbstseins. Aber K. erträgt diese Situation nicht, setzt sich und stützt, »um noch besseren Halt zu bekommen, die Ellbogen auf die Lehnen.« (85) Und das Angebot des Mädchens, in das Krankenzimmer zu gehen, d. h. im Umkreis des Gerichts zu bleiben, lehnt K. ab; es heißt »...gerade das wollte er ja vermeiden, weiter geführt zu werden, je weiter er kam, desto ärger mußte es werden.« (87) Er will nicht weiter vorwärts, sondern zurück, will sich wegschleichen. Ihm ist nur hier (87) in der Räumlichkeit der Kanzlei nicht wohl, und er will dieses ihm ungewohnte Unwohlsein nicht auf sich nehmen.

Es ist wichtig, daß K. dem Unwohlsein ausweicht, daß er übersieht, daß es an diesem Punkt darauf ankommt, die *Ohnmacht* als den ihm in seinem menschlichen Sein zugehörigen Teil zu *ertragen,* sie auszuhalten, in ihr – oder doch zumindest in ihrem Umkreis – zu verweilen. Er scheut sich vor der Beengung und will sich vor der Zerstörung rein bewahren. Gerade jetzt aber, wo er mit der Erfahrung der Anfälligkeit des menschlichen Seins ein »Wissen vom Tode« (J 59) erlangen soll, könnte er in seinem Menschsein verwandelt werden. Und nicht zufällig hört er gerade jetzt, daß der zum Gericht gehörige Mann ein »Auskunftgeber« (88) ist, der »auf alle Fragen eine Antwort« weiß. K. fragt jedoch nicht, obwohl er mit dem Anlangen bei den elementaren Tatsachen des Wirklichen, vor denen jede Sinndeutung versagt, in dem für Kafka so wesentlichen Zustande des halbwachen Traumwandelns[19] als Fragender vielleicht zum Durchbruch zu sich selbst gelangen könnte. Er meidet die persönlichen Beziehungen (89); daß aber gerade sie sehr wesentlich sind, erfährt der Leser später. Die Umstehenden können ihm nicht helfen in dieser Lage (auch wenn sie »gerne helfen« möchten, 90), solange er nicht zuerst sich im Akt der Selbstwahl selbst hilft und nicht alles von außen erwartet. In einer Maxime Kafkas heißt es:

> Erkenne dich selbst, bedeutet nicht: Beobachte dich. Beobachte dich ist das Wort der Schlange. Es bedeutet: Mache dich zum Herrn deiner Handlungen. Nun bist du es aber schon, bist Herr deiner Handlungen. Das Wort bedeutet also: Verkenne dich! Zerstöre dich! also etwas Böses – und nur wenn man sich sehr tief hinabbeugt, hört man auch sein Gutes; welches lautet: »Um dich zu dem zu machen, der du bist.« (H 80)

K. könnte an diesem Punkt im Sich-verkennen, im *Sich-zerstören* durch das Verweilen beim Unerträglichen sich *zu dem machen, was er ist.* Er müßte damit

19. Vgl. *W. Emrich* in seinem Buch: Franz Kafka.

freilich handeln im Sinne der Worte Kafkas: »Das Negative zu tun, ist uns noch auferlegt; das Positive ist uns schon gegeben.« (H 83) Aber gerade das Negative tut K. nicht. Er begreift nicht die *Zerrissenheit,* die *Negativität als sich selbst zugehörig* und erlangt nicht angesichts des Nichtseins seiner selbst die Freiheit, sich zu gewinnen. Er meidet die Last des freien, selbstverantwortlichen Daseins, weicht vor dem Leiden zurück. Denken wir an Kafkas Worte:

> Das Leiden ist das positive Element dieser Welt, ja es ist die einzige Verbindung zwischen dieser Welt und dem Positiven.
>
> Nur hier ist Leiden Leiden. Nicht so, als ob die, welche hier leiden, anderswo wegen dieses Leidens erhöht werden sollen, sondern so, daß das, was in dieser Welt leiden heißt, in einer andern Welt, unverändert und nur befreit von seinem Gegensatz, Seligkeit ist. (H 108)

K. gerät hier an einen Punkt, an dem er durchbrechen könnte zur wahren Freiheit. Er müßte freilich vorwärts gehen, Krankheit auf sich nehmen, müßte wissen, daß »Leben Verneinen« (B 298) ist, daß man in die Fremde gehen muß, »um die Heimat, die man verlassen hat, zu finden« (J 116) und daß »vorwärts ... der Weg zur eßbaren Nahrung, atembaren Luft, freiem Leben, sei es auch hinter dem Leben« (T 572) führt.[20] Aber er sucht die atembare Luft des Vertrauten, indem er zurückgeht, und kommt gerade so nicht zum freien Leben hinter dem Leben. Ja, er bleibt nicht einmal in dem Warteraum der Kanzlei. Kafka notiert in seinen Oktavheften über ein solches Verhalten: »Du kannst dich zurückhalten von den Leiden der Welt, das ist dir freigestellt und entspricht deiner Natur, aber vielleicht ist gerade dieses Zurückhalten das einzige Leid, das du vermeiden könntest.« (H 117)

III

Der Raum der alltäglichen Arbeit K.s, das Büro, spielt auch im weiteren Erzählverlauf keine überragende Rolle. Freilich taucht innerhalb dieser Räumlichkeit mehrfach das Fremdartige des Gerichtswesens auf, z. B. im Kapitel »Der Prügler«, in dem in einer Rumpelkammer, das meint: an einer Raumstelle, die von der auf Leistung und Gebrauch ausgehenden Arbeitswelt her ein Ort »unnützen Krams« ist, plötzlich das Gericht für K. gegenwärtig ist.

20. In anderem Zusammenhang weist *Emrich* auf diese Worte Kafkas hin: Die Bilderwelt Franz Kafkas, in: Akzente, 1960, S. 189 f.

Ihrer qualitativen Struktur nach ist diese Rumpelkammer ein dem Dachboden verwandter Raum. In ihm werden die Wächter, die K. beschuldigt hat, verprügelt. Auch dieses Geschehen bietet für K. eine Möglichkeit der Rettung. K. könnte hier in einer Art von stellvertretendem Leiden eigene und fremde »Sünden« auf sich nehmen, könnte mit der Tat des *Selbstopfers* (109) durchbrechen, zu einem Leben kommen, das durch das Leiden (sich selbst als Person dem Prügler darbieten) hindurchgegangen ist. Aber er nützt diesen eigens für ihn inszenierten Vorgang nicht und beginnt mit dem Ausräumen des Raums. Doch während er so durch den äußeren Akt des Säuberns das ihn Bedrängende aus der Welt schaffen will, läßt er den Schmutz in seinem eigensten Sein weiterwuchern.

Im Büro wird K. ferner durch seinen Onkel dahin gebracht, den Advokaten aufzusuchen. Wir lernen so eine weitere, in den Umkreis des Gerichts gehörige Räumlichkeit kennen: das »dunkle Haus« des Advokaten. In diesem Privatraum erhält K. von Huld wesentliche Informationen. Er hört etwa, über die auf einem »zweiten Dachboden« gelegenen Advokatenzimmer (140): »Schon die ihnen [den Advokaten] zugewiesene enge, niedrige Kammer zeige die Verachtung, die das Gericht für diese Leute hat.« Das Enge des über der Kanzlei gelegenen Advokatenzimmers weist darauf hin, daß das Gericht »die Verteidigung möglichst ausschalten« will. (141) Eine Beachtung des den Advokaten zudiktierten Raumes macht bereits deutlich: bei diesem Gericht ist wirklich zunächst und zuerst »alles auf den Angeklagten selbst gestellt« (141). Der Advokat kommentiert diesen Sachverhalt mit den Worten:

> Kein schlechter Standpunkt im Grunde, nichts wäre aber verfehlter, als daraus zu folgern, daß bei diesem Gericht die Advokaten für den Angeklagten unnötig sind. Im Gegenteil, bei keinem anderen Gericht sind sie so notwendig wie bei diesem. Das Verfahren ist nämlich im allgemeinen nicht nur vor der Öffentlichkeit geheim, sondern auch vor dem Angeklagten. (141)

Das Wesentliche am Rechtsbeistand sind offenbar die »persönlichen Beziehungen« des Advokaten. Sie hat Huld zum Gericht (Besuch des Kanzleidirektors in seiner Privatwohnung, 127). Er hat sie in diesem Fall aber auch zum Klienten (er sagt später, daß der Neffe seines Freundes auch sein Freund sei, 223). Huld steht als Advokat als eine Art von Vermittler (als Verbindungsglied) zwischen dem Raum des Gerichts und dem Raum des Angeklagten. K. könnte zu ihm Vertrauen haben, besonders hier, außerhalb des Gerichts in der Privatsphäre. Aber er erwartet von Huld eine konkrete Hilfe. Eine solche Hilfe ist jedoch gerade das, was Huld nicht bieten kann; der Advokat kann K. einzig bewußtmachen, daß ihm etwas fehlt im Sinne der Worte Kafkas: »Nicht um dir zu zeigen, was dir fehlt, sondern, daß dir etwas fehlt.« (H 115) K. soll auf diese

Weise selber erkennen: »Die Wahrheit ist das, was jeder Mensch zum Leben braucht und doch von niemand bekommen oder erstehen kann. Jeder Mensch muß sie aus dem eigenen Innern immer wieder produzieren, sonst vergeht er. Leben ohne Wahrheit ist unmöglich. Die Wahrheit ist vielleicht das Leben selbst.« (J 99) Die langen Reden Hulds – sie ermüden K., der konkreten Rat (der für Kafka »immer nur ein Verrat«, J 45, ist) verlangt – wollen nichts anderes, als K. durch das Wort, durch die taugliche, ihn mit sich, seinem Prozeß und dem Gericht bekannt machende Rede hinzustoßen auf die wahre Selbstbekümmerung. Der Weg zum Advokaten darf also nicht als etwas bloß Negatives abgewertet werden. Huld ist nicht einfach eine hinderliche Mittlerinstanz. Im Gegenteil: er ist zunächst aus sich selbst heraus eine Möglichkeit, K. darauf hinzustoßen, daß die Wahrheit das ist, was der Mensch zum Leben braucht. Diese Möglichkeit verkehrt sich freilich durch K.s Verhalten immer mehr ins Negative. Der Aufenthalt bei Huld wird zum Versteck. Eine Maxime Kafkas heißt: »Verstecke sind unzählige, Rettung nur eine, aber Möglichkeiten der Rettung wieder so viele wie Verstecke.« (H 83)

Auch Leni muß unter diesem Doppelaspekt gesehen werden. Der Aufenthalt bei ihr ist für K. eine Ablenkung, aber er könnte für ihn eine »Möglichkeit der Rettung« sein. K. wird von Leni in das Arbeitszimmer des Advokaten herausgerufen (130). Bedeutsam vertauscht der Erzähler die Raumverhältnisse: das halbamtliche Gespräch mit dem Advokaten findet im Schlafzimmer (Privatsphäre) statt, das Gespräch mit Leni im Raum der Arbeit unter dem sinntragenden Gegenstand, dem Bild des Richters (131). Vor diesem Bild erfährt K. von Leni, daß er zu »unnachgiebig« (132) ist, d. h. zu ungeduldig. Überdies hört er: »... man muß das Geständnis machen.« (132) Er wird an dieser Raumstelle von einer Privatperson darauf hingewiesen, daß er sich selbst als Schuldigen bekennen muß, daß aber trotzdem »fremde Hilfe« für ihn nötig ist und daß Leni sie ihm leisten will. Wir hörten eingangs Kafkas Äußerung über die Frau und die Ehe. K. könnte an diesem Punkt seines Lebens aus der Absperrung seiner isolierten Subjektivität heraustreten, wenn er sich und den andern im absoluten Sinne ergreifen würde. Er liebt aber Elsa und Fräulein Bürstner gerade nicht auf diese Weise, wie ihm Leni hier direkt bewußtmacht. Er antwortet darauf: über Elsa:

> ... »sie ist weder sanft und freundlich, noch würde sie sich für mich opfern können. Auch habe ich bisher weder das eine noch das andere von ihr verlangt. Ja, ich habe noch nicht einmal das Bild [ihre Photographie] so genau angesehen wie Sie.« »Es liegt Ihnen also gar nicht viel an ihr«, sagte Leni, »sie ist also gar nicht Ihre Geliebte ... Sie würden sie ... nicht sehr vermissen, wenn Sie sie verlören oder für jemand anderen, zum Beispiel für mich, eintauschten.«
>
> (134)

K. ist ein Mensch ohne ein wirkliches engagement. Aber gerade die Liebe zu Leni zu Füßen des Richters, der zum Urteil aufzuspringen (131) scheint, könnte bewirken, daß er erfährt: »Der Mensch wird eigentlich nur so, durch die Bindungen, frei.« (J 61) Das geschieht jedoch nicht. Advokat und Kanzleidirektor sitzen »minutenlang schweigend« und horchen, ob K. kommt und das Geständnis ablegt. Leni möchte K. zur Selbstsorge bringen, sie macht ihn auf die Notwendigkeit der Opferbereitschaft der sich im absoluten Sinne Liebenden aufmerksam, aber K. versteht die Situation nicht als eine Möglichkeit der Rettung. Sie wird für ihn zum Versteck vor sich selbst und vor dem Gericht. Er wird hinabgezogen von Lenis »Kralle« (135). Das Bild der Kralle findet sich auch sonst in Kafkas Dichtung. Bedenken wir etwa folgende Äußerung Kafkas:

> Das Teuflische nimmt manchmal das Aussehn des Guten an oder verkörpert sich sogar vollständig in ihm. Bleibt es mir verborgen, unterliege ich natürlich, denn dieses Gute ist verlockender als das wahre. Wie aber wenn es mir nicht verborgen bleibt? Wenn ich auf einer Treibjagd von Teufeln ins Gute gejagt werde? Wenn ich als Gegenstand des Ekels von an mir herumtastenden Nadelspitzen zum Guten gewälzt, gestochen, gedrängt werde? Wenn die sichtbaren Krallen des Guten nach mir greifen? Ich weiche einen Schritt zurück und rücke weich und traurig ins Böse, das hinter mir die ganze Zeit über auf meine Entscheidung gewartet hat. (H 75/76)

K. soll mit dem Prozeß, der eingangs unter den Aspekt des Glücks gestellt worden ist, *»ins Gute gejagt«* werden, die »sichtbaren Krallen des Guten« greifen nach ihm – aber ihm bleibt das verborgen. Er übersieht, daß er durch die Negativität des Bösen, durch das gegen Stillstand und Trägheit Aufreizende zum Guten getrieben werden soll. Er liebt Leni ästhetisch-unverbindlich, vertauschbar, und macht so die Chance, die ihm mit dieser Gestalt im Umkreis des Gerichts gegeben wird, zunichte. In seinen Oktavheften notiert Kafka:

> Das Verführungsmittel dieser Welt sowie das Zeichen der Bürgschaft dafür, daß diese Welt nur ein Übergang ist, ist das gleiche. Mit Recht, denn nur so kann uns diese Welt verführen und es entspricht der Wahrheit. Das Schlimmste ist aber, daß wir nach geglückter Verführung die Bürgschaft vergessen und so eigentlich das Gute uns ins Böse, der Blick der Frau in ihr Bett gelockt hat. (H 53)

Leni ist Ausdruck des Verführungsmittels der Welt, aber sie ist zugleich ein Zeichen des Übergangscharakters der Welt. K. jedoch erlangt *nicht* ein Bewußtsein vom *Übergangs*charakter der Welt. Das potentiell Gute lockt ihn ins Böse, ins Labyrinth der irrenden Scheinverfangenheit. Er bleibt in seiner natürlichen Verfassung und erkennt nicht, daß sich das Böse seiner natürlichen Existenz auf das Gute bezieht und daß die Forderung des Gutseins gegeben ist, daß er auf einer »Treibjagd von Teufeln« von den bestimmenden Mächten des Lebens »zum Guten ... gedrängt« werden soll. Erinnern wir uns: bereits im Raum des Verhörs wird K. von den Männern mit Bärten (die zugleich »Krallen« bewirken bei denen, die in sie greifen, 62) zum Richter gedrängt, und zwar so sehr, daß er beinahe den Richtertisch umstürzt (53). Leni gehört zu diesen Mächten. Sie steht gleichzeitig als Pflegerin im Dienst des Advokaten. Sie will gerade als Verführungsmittel K. zum Guten drängen. Huld selber ist seinem Beruf nach ein advocatus, Beistand, Zu-Hilfe-gerufener, Anwalt, Fürsorger seines Klienten. Er versucht seinen Mandanten mit guten Reden zur Besonnenheit, zur Sammlung zu drängen, mithin dorthin, wohin ihn schon die Wächter bringen wollten und wohin er von sich aus nicht gelangt. Aus Nachlässigkeit ist K. schon verhältnismäßig spät zu Huld (und auch das nur durch den Onkel) gedrängt worden. Wir hören jetzt: »... diese Versäumnis werde auch noch weitere Nachteile bringen, nicht nur zeitliche.« (150) Auch über das Nachteilige der Haltung der Ungeduld hört K. jetzt, daß »fast jeder Angeklagte, selbst ganz einfältige Leute, gleich beim allerersten Eintritt in den Prozeß an Verbesserungsvorschläge zu denken anfangen und damit oft Zeit und Kraft verschwenden, die anders viel besser verwendet werden könnten ...« (146). Die tragenden Kräfte des Wirklichseienden zu ändern, zu verbessern, ist eine Anmaßung menschlichen Unbedingtseins und führt die Selbstverurteilung des Einzelnen herbei. K. versündigt sich mit seinem Verhalten an etwas, das seinem »Urteil entrückt« ist, das unverstehbar, das gerade in seiner Widersprüchlichkeit unbegreiflich ist und das als notwendig hingenommen werden muß. Er steht in der Anmaßung des Menschen der Neuzeit, der den Grundcharakter des Wirklichen, indem er ihn dem Urteil der menschlichen Vernunft begreifbar machen will, zum Objekt entmächtigt. Die Reden des Advokaten wollen erreichen, daß K. vom Willen zur Bemächtigung abgeht, daß er sich als selbstmächtiges Subjekt, das alles – auch das Gericht – sich als Objekt verfügbar machen will, aufgibt. Mehr Hilfe kann der Advokat nicht leisten.

Der Raum des Büro ist aber nicht nur der Ort der Reflexionen K.s über seine Besuche beim Advokaten, er ist überdies der Ort, an dem ihn – und jetzt während der Arbeitszeit, nicht mehr danach – ein neues Zeichen, das ihn an seinen Prozeß erinnert, erreicht: K. wird hier vom Fabrikanten zum Maler Titorelli dirigiert. Als der Weg zum Advokaten zur Flucht wird, wird er so auf eine neue »Möglichkeit der Rettung« aufmerksam gemacht. Dabei hört er vom Fabrikanten:

> Sie sind ja fast ein Advokat. Ich pflege immer zu sagen: Prokurist K. ist fast ein Advokat. (164)

Hatte ihm schon Huld gesagt, daß bei einem solchen Prozeß, wie K. ihn hat, fast alles auf den Angeklagten selbst gestellt ist, so wird ihm jetzt in verschärfter Form mitgeteilt, daß zunächst und zuerst alles von ihm selbst abhängt. Ihm soll endlich bewußtwerden, daß er nicht alles von außen (durch fremde Hilfe) erwarten kann, sondern daß er *selber* sein *eigener* advocatus sein sollte, daß er – im Sinne des procurare – Vorsorge für sich treffen, sich als Inbegriff seiner Möglichkeiten verstehen sollte. Mit dem Weg zum Maler soll er sich über diese seine Aufgabe klar werden.

Der Raum des Malers, das »Atelier« (173), ist bereits seiner Lage nach sinnerhellend für das Verständnis der Funktion und des Wesens Titorellis. Es liegt, wie K. erfährt, auf der Höhe der Dachböden der Kanzlei, ist nur durch eine Tür von ihnen getrennt, obwohl es im faktisch-empirischen Gefüge der Topographie der Stadt einem anderen Stadtteil angehört. Der äußeren Form nach ist der Raum eng. Es heißt: »Mehr als zwei lange Schritte konnte man der Länge und Quere nach kaum hier machen.« (174) Die Luft im Raum ist stark beeinflußt von der Atmosphäre in der Kanzlei. Das Atelier ist – erinnern wir uns daran, daß die Kanzleiräume eigentlich nur ein großer, durch Gitter unterteilter Raum (80) sind! – ein nur provisorisch abgeteilter Bezirk der Kanzlei selbst. Der Maler sagt:

> Will ich aber lüften, was nicht sehr notwendig ist, da durch die Balkenritzen überall Luft eindringt, kann ich eine meiner Türen oder sogar beide öffnen. (187)

> Und: Man kann hier alle Türen mit der geringsten Anstrengung aus den Angeln brechen. (188)

K. ist, indem er sich im Privatraum des Gerichtsmalers befindet, in einem besonderen Teil innerhalb des internum. Er ist im Raum einer Figur, die (wie Huld) enge persönliche Beziehungen zu Richtern hat, besonders dadurch, daß sie diese malt. In diesem Ort wird er vor einem Richterbild über das Wesen der Richter und des Gerichts aufgeklärt. Hatte ihm bereits früher Leni gesagt, daß der Richter in Wahrheit nicht auf einem Thronsessel sitze, sondern auf einem gewöhnlichen Küchenstuhl (132), so hört er jetzt über den Richter, dessen Bild auf der Staffelei steht: »...er ist kein hoher Richter und ist niemals auf einem solchen Thronsessel gesessen.« (176) Denken wir an Kafkas Worte aus der »Kaiserlichen Botschaft«: »Peking ist nur ein Punkt und das kaiserliche Schloß nur ein Pünktchen. Der Kaiser als solcher allerdings wiederum groß durch alle Stockwerke der Welt. Der lebendige Kaiser aber, ein Mensch wie wir, liegt ähnlich wie wir auf einem Ruhebett...« (B 77). In ähnlicher Weise ist vielleicht der jeweilig lebendige Richter »ein Mensch wie wir«, der »Richter als solcher« aber ist groß durch alle Stockwerke der Welt. Dieser Richter als solcher erscheint K. in der Kunstrealität, die der Maler stiftet. K. wird so anhand des Bildes auf den Grundcharakter des Wirklichen hingewiesen, erfährt am Kunstwerk etwas über die tragenden Mächte, ähnlich wie er vorher anhand der Gesetzbücher (66 f.) etwas über das Buch des Lebens erfahren hat. Er merkt, während er Titorelli beim Malen zusieht, daß die Gerechtigkeit »im Lauf« befindlich und mit Flügeln versehen ist, und erfährt, daß auf dem Bild »die Gerechtigkeit und die Siegesgöttin in einem« (176) dargestellt sind. »›Das ist keine gute Verbindung‹, sagte K. lächelnd, ›die Gerechtigkeit muß ruhen, sonst schwankt die Waage, und es ist kein gerechtes Urteil möglich...‹ ›Ich füge mich darin meinem Auftraggeber‹, sagte der Maler.« (176) Gerade vor diesem Bild könnte ihm das bewußt werden, was ihm später der Geistliche direkt sagt: »... das Urteil kommt nicht mit einemmal, das Verfahren geht allmählich ins Urteil über.« (253) Aber auch hier beginnt K. mit der aus seiner willkürlichen Subjektivität entstandenen Kritik an dem seinem Urteil entrückten Gericht.

Titorellis Möglichkeiten erschöpfen sich aber nicht darin, K. Einsicht in das Gerichtswesen zu verschaffen. Er könnte K. auch malen. Schon beim Eintritt K.s fragt er: »Wollen Sie Bilder kaufen oder sich selbst malen lassen?« (174) Da K. auf diese Frage nicht direkt antwortet, wird er nicht gemalt, sondern über das Bild des Richters aufgeklärt.[21] Er hört, daß »alles« (181) zum Gericht gehört und daß (und dies ist besonders wichtig) das Gericht nur für Beweisgründe unzugänglich ist, »die man vor dem Gericht vorbringt.« (182) Er erfährt:

> Anders verhält es sich aber damit, was man in dieser Hinsicht hinter dem öffentlichen Gericht versucht, also in den Beratungszimmern, in den Korridoren oder zum Beispiel auch hier, im Atelier. (182)

In einer bestimmten Räumlichkeit, und zwar in den Räumen der Rat- und Auskunftsgeber, etwa im Raum des Advokaten, im Korridor der Kanzlei (Auskunftgeber) und im Atelier, d. h. in den Räumen, die gleichsam *hinter* den offiziellen Räumen des Gerichts liegen, ist die Möglichkeit zur Auskunft, ja vielleicht sogar das Gesammeltwerden auf die Möglichkeit der Verwandlung gegeben. Die sinnhafte Aufgliederung der Räumlichkeit des Gerichts weist so auf die Möglichkeiten, die sich für K. ergeben. Hier und jetzt in diesem Atelier ist die Möglichkeit für ihn gegeben, den Prozeß in eine angemessene Richtung zu lenken. Nicht zufällig übermannt ihn im weiteren Erzählverlauf gerade in diesem Raum (ähnlich wie im Korridor der Kanzlei) ein Unwohlsein. Aber hier kann er nicht einfach weglaufen. So wird er jetzt in diesem bedeutenden Zu-

21. Würde K. sich selbst im Porträt gegenübergestellt werden, so könnte er vielleicht auf diese Weise auf sich aufmerksam gemacht werden.

stand des Sichbefindens *zwischen* Wachen und Traum von Titorelli über das Wesen des Gerichts informiert. Er erfährt, daß auch hier die Richter unerwartet erscheinen (187), daß es verschiedene Formen der Freisprechung gibt (184 f.) und daß er sich für einen Weg – und zwar bald, ohne Nachlässigkeit (198) – entscheiden soll. In diesem Moment der Erfahrung der eigenen Ohnmacht (die Situation ist für K. fast unerträglich, 196 f.) übergibt ihm der Maler eine »Heidelandschaft« (196). Dieses Bild des Malers ist ein sinntragender Gegenstand, die Übergabe ein sinnerhellender Vorgang. Der Maler kommentiert die Übergabe mit den Worten: »Manche Leute weisen solche Bilder ab, weil sie zu düster sind, andere aber, und Sie gehören zu ihnen, lieben gerade das Düstere.« (197) K. wird während der Erfahrung seiner eigenen Nichtigkeit gerade darauf aufmerksam gemacht, daß er das Düstere liebt. Das Bild, das die Hilflosigkeit des endlichen Menschen sichtbar macht, ist dem Düsteren, Schwermütigen in K.s Wesen angemessen. Wird K. nun aber vom Maler gleich ein ganzer Haufe solcher völlig gleichartiger Bilder mitgegeben, so deshalb, um ihn auf diese massive Weise auf sein eigenstes Inneres zu stoßen. Mit den Bildern beladen, wird K. schließlich durch die zweite Tür des Ateliers unerwartet vom Maler in die Kanzleien geführt, mithin in einen Raum, in dem die Atmosphäre noch unerträglicher ist. Er wird hier erneut an einen Punkt geführt, an dem er die Ohnmacht als den ihm in seinem Menschsein zugehörigen Teil ertragen und sich durch das Verweilen beim Unerträglichen zu dem, was er ist, machen könnte. Erläuternd wird ihm vom Maler gesagt: »Gerichtskanzleien sind doch fast auf jedem Dachboden.« (197) Die »große Verwandlung« könnte auch hier und jetzt geschehen. Aber K. verläßt möglichst schnell den Raum, kehrt um, fährt ins Büro. Dort versteckt er bedeutsamerweise die Bilder, die ihn in seinem innersten Wesen kennzeichnen, »in die unterste Lade seines Tisches« (199). Auch dieser Vorgang ist sinnerhellend: so wie die Bilder versperrt werden im untersten Fach des Arbeitstisches, so *verdrängt* K. *sein eigentliches Wesen* und versteht sich völlig in seiner Funktion als homo faber als ein Wesen, das sich in der Arbeit selbst verwirklicht.

Es ist freilich zu beachten, daß K. (in einem von Kafka nicht vollendeten Kapitel) später im Zustand des Halbschlafs (292) nach völliger Erschöpfung sowie – und das dürfen wir positiv deuten im Sinne der Worte vom Warten und Stillsein (H 124) – »im Dunkel und ungestört« (293) reflektiert:

> ...hier [bei Titorelli], wenn irgendwo, war der Durchbruch möglich... (294)

Den Wachtraum, in dem K. die Verwandlung, den Durchbruch erfährt, hat Kafka freilich wieder gestrichen; und als tatsächlichen Vorgang hat er die Verwandlung überhaupt nicht konzipiert. K. gelangt *nicht* zum Durchbruch zum eigensten freien Selbstsein. Er macht viele Wege (zum Advokaten, zu Titorelli), aber sie werden *Zögern* (H 83), das Ziel wird nicht erreicht. Die Möglichkeiten der Rettung werden zu Verstecken. Nirgends ist aus den Fragmenten zu entnehmen, daß K. wirklich ernsthaft sich für die von Titorelli angebotene Möglichkeit entscheidet. Sein Verhalten prägt Lässigkeit. Andrerseits vermeldet er auch die Möglichkeit der Verschleppung seines Prozesses; diese Möglichkeit ist schon dadurch für ihn kaum gegeben, daß er selbstherrlich die Verhöre (die bei diesem Weg nötig sind, 191) abgebrochen und verwünscht hat. Überdies aber verscherzt er sich den Aufschub der Verurteilung, indem er dem Advokaten kündigt.

IV

Obwohl K. von Block erfährt, daß Warten nicht nutzlos ist, löst er sich, ohne sich in seinem Verhalten zu ändern, von Huld und führt so seine eigene Verurteilung selbst herbei. Er will Fortschritte sehen und übersieht, daß man (wie auch Titorelli ihm sagte) Fortschritte hier nicht sehen kann, da das Verfahren geheim ist (141). Er ist noch genau so ungeduldig wie zu Beginn seines Prozesses, mißversteht immer noch das Wesentliche. Weniger achtsam auf seine Worte als sonst (223), sagt er zu Huld:

> Sie dürften bei meinem ersten Besuch ... bemerkt haben, daß mir an dem Prozeß nicht viel lag, wenn man mich nicht gewissermaßen gewaltsam an ihn erinnerte, vergaß ich ihn vollständig... Und nun hätte man doch erwarten sollen, daß mir der Prozeß noch leichter fallen würde als bis dahin, denn man übergibt doch dem Advokaten die Vertretung, um die Last des Prozesses ein wenig von sich abzuwälzen. Es geschah aber das Gegenteil. Niemals früher hatte ich so große Sorgen wegen des Prozesses wie seit der Zeit, seitdem Sie mich vertreten. (223/224)

K. entzieht Huld die Vertretung, obwohl er ihm hier – ohne allerdings den Sinn seiner eigenen Worte voll zu verstehen – mitteilt, daß er erst seit dem ersten Besuch in der Advokatur zur Sorge um seinen Prozeß gelangt ist. Genau in dieser Hinsicht, daß K. um seinen Prozeß besorgt wird, daß ihm aufgeht, daß ihm etwas fehlt (H 115), ist der Weg zu Huld etwas Positives; er stößt ihn aus der Gleichgültigkeit um sich auf die Möglichkeit der Selbstsorge. Die Kündigung des Advokaten ist jedoch, da K. das Entscheidende bislang nicht gelernt hat, etwas Negatives: sie ist ein Zurücksinken in die Sorglosigkeit um sich selbst. Das lassen auch die Fragmente erkennen, die das unvollendet gebliebene Kapitel weiterführen sollten. (K. auf Reisen, Rückkehr zur Geschäftswelt.) Die Kündigung ist ein Zeichen der Ungeduld und als solches ein selbstherrliches Handeln der sich ihrer selbst mächtig wähnenden Subjektivität.

An dieser Stelle des Erzählverlaufs vergegenwärtigt nun der Erzähler dem Leser ein sehr ernstes Spiel im Spiel: er zeigt ihm, wie Huld seinen Klienten Block behandelt. Huld, der bei K. mehr »Urteilskraft« und mehr Vertrauen erwartet hat (224) und der erkennt, daß die nachlässig-freundliche Behandlung K. zur Selbstüberschätzung verleitet hat, sagt jetzt: »... es ist oft besser in Ketten als frei zu sein. Aber ich möchte Ihnen doch zeigen, wie andere Angeklagte behandelt werden, vielleicht gelingt es Ihnen, daraus eine Lehre zu nehmen.« (227) K. wird ein Beispielfall demonstriert. Mit einem direkten Getue des Zeigens will ihn Huld so zur Achtsamkeit auf sich bringen. Wie sieht der Vorgang aus, den K. erfährt? Block wird von Huld gerufen, lauscht tief gebückt dem Advokatenbefehl, ohne Huld anzusehen, »als sei der Anblick des Sprechers zu blendend, als daß er ihn ertragen könnte.« (229) Später kniet er vor Huld, streichelt die Bettdecke. K. reflektiert währenddessen: »Das war kein Klient mehr, das war der Hund des Advokaten...« (233) Block, der kaufmännisch-geschäftlich seinen Prozeß führt (Bestechungen, viele Anwälte) wird hier von der Gewalt des Anbefehlens gedemütigt. Er wird zum Objekt. Er soll auf diese Weise dahin gebracht werden, angesichts der Nichtigkeit seiner selbst und des fast Unerträglich-Mächtigen des zum Gericht gehörigen Beistandes den bemächtigenden Willen aufzugeben. Er soll zur *Demut* gebracht werden. Über sie notiert Kafka:

> Die Demut gibt jedem, auch dem einsam Verzweifelnden, das stärkste Verhältnis zum Mitmenschen, und zwar sofort, allerdings nur bei völliger und dauernder Demut. Sie kann das deshalb, weil sie die wahre Gebetsprache ist, gleichzeitig Anbetung und festeste Verbindung. (H 119)

Die hilfreiche Härte Hulds, mit der Block und zugleich auch K. »zur Erkenntnis geschleift und geprügelt« (J 101) werden sollen, soll mit der Demut den Angeklagten das stärkste Verhältnis zum Mitmenschen verschaffen. Block soll im Vertrauen zum Beistand dem, was das Gericht (bzw. das Gesetz) betrifft, in angemessener Weise verhaftet bleiben, soll unablässig gesammelt bleiben beim Gegenwärtigen (seinem Prozeß) und bei dem, was im Hinblick auf seinen Prozeß kommen kann. Das will ihm Huld als Sprachrohr, als Vertreter des menschlicher Urteilskraft entrückten Gerichts verständlich machen. Das Streicheln des Bettes ist ein Zeichen für Blocks Sichbeugen unter Huld, für das gesammelte Nichtablassen von ihm. Freilich: Block (sein Name ist sprechend) ist ein grober Klotz, bloßer Kaufmann, Durchschnittsmensch. Er bleibt bei der bloßen Passivität des Demütigseins stehen und übersieht, was Kafkas Notiz mit den Worten ausführt:

> Das Verhältnis zum Mitmenschen ist das Verhältnis des Gebetes, das Verhältnis zu sich das Verhältnis des Strebens; aus dem Gebet wird die Kraft für das Streben geholt. (H 119)

Block verharrt in der Passivität und versucht gleichzeitig durch Hilfe von außen, durch Bestechungen und Hinterwege (207) die Freisprechung zu erlangen. Aber immerhin: er hat doch in seiner »geistigen Armut« etwas vom Wesen des Wartens – er war während K.s Besuch in der Kanzlei anwesend – erfahren. K. hingegen, verblendet von der Behandlung Blocks, greift selbständig in das Gespräch ein (229), will Block vor der Demütigung zurückhalten und erfährt daraufhin von ihm:

> Sie sind kein besserer Mensch als ich, denn Sie sind auch angeklagt und haben auch einen Prozeß... Wenn Sie sich aber dadurch für bevorzugt halten, daß Sie hier sitzen und ruhig zuhören dürfen ... dann erinnere ich Sie an den alten Rechtsspruch: für den Verdächtigen ist Bewegung besser als Ruhe, denn der, welcher ruht, kann immer, ohne es zu wissen, auf einer Waagschale sein und mit seinen Sünden gewogen werden. (230)

Block sagt genau das Angemessene: K., für den diese Szene eigens inszeniert worden ist, ist mit seiner Kritik am Gerichtswesen gerade derjenige, der mit seiner mangelnden Urteilskraft auf der Waagschale ruht und mit seinen Sünden gewogen wird. Huld seinerseits will mit dem Gestus des Zeigens demonstrieren, was für einen Angeklagten zunächst nötig ist, will K. bewußtmachen, daß das richtende Selbst das empirische Ich[22] aufrufen muß zum Selbstgericht. Block soll im Ertragen des fast Unerträglichen, im Aushalten der verwundenden Demütigung erfahren, was seinem Leben einen höheren Rang gibt; es soll ihm aufgehen, daß er in dieser Lage sich verstehend zu sich verhalten kann, daß er nicht ein dingliches Etwas, sondern seine Möglichkeiten ist, daß die Ganzheit seiner Person seine zu leistende Tat ist. Mehr, als dieses Bewußtsein zu wecken, kann Huld für Block und auch für K. nicht tun, sein Beistand erschöpft sich in dieser Funktion, mit der er freilich zugleich durch die Form der Verschleppung seine uneinsichtigen Angeklagten vor der Verurteilung schützt.

K. aber reagiert mit seiner Aggression falsch, wird nicht »still«, sammelt sich nicht in die Demut als in die Bedingung der Möglichkeit des Strebens, sondern macht Lärm mit der Unwissenheit seiner selbstherrlichen Subjektivität. Er bleibt in der falschen Gangart, und die Szene, die zu seiner Rettung inszeniert wird, befreit ihn nicht aus der Verblendung. Über das Sich-befreien notiert Kafka: »Glauben heißt: das Unzerstörbare in sich befreien, oder richtiger: sich be-

22. *W. Emrich,* Franz Kafka, a. a. O. S. 11 f.

freien, oder richtiger: unzerstörbar sein, oder richtiger: sein.« (H 89) K. mangelt das Vertrauen zum Unzerstörbaren seiner selbst, er scheut vor dem fast Unerträglichen zurück. Ihm mangelt die Einsicht in die Positivität des Leidens (H 108). Er will, ohne daß er sich selbst einsetzt, positive Ergebnisse des Prozesses haben, will sie besitzen, wie er z. B. Legitimationspapiere (Geburtsschein, Radfahrlegitimation, 13) besitzt. Er übersieht, daß es *nicht* auf das *Haben*, sondern auf das *Sein* ankommt, im Sinne der Worte Kafkas: »Es gibt kein Haben, nur ein Sein, nur ein nach letztem Atem, nach Ersticken verlangendes Sein.« (H 86) Wir sahen: K. kehrt um, als er im letzten Atem zu ersticken droht, er will ein solches menschliches Sein nicht. Andrerseits ist er als ein Haben-wollender in der Anmaßung des Unbedingten, will auf unangemessene Weise erfahren, was das Wirkliche im Ganzen ist. Auf dieses Unbedingtheitsstreben reflektieren die Worte Kafkas: »Wer sucht, findet nicht, aber wer nicht sucht, wird gefunden.« (H 94) K. soll, das ist der Sinn des Beistandes aller seiner Ratgeber, sich als autonomes Subjekt aufgeben, soll nicht das Gericht als Objekt seiner Suche der eigenen Unbedingtheit verfügbar und begreifbar zu machen suchen. Er soll merken, daß nicht das Gericht, sondern *er selbst* das *Hindernis* ist, das er zerstören muß. In diese Richtung deuten Kafkas Worte, die auf den Sündenfall anspielen:

> ›Wenn ––––, mußt du sterben‹, bedeutet: Die Erkenntnis ist beides, Stufe zum ewigen Leben und Hindernis vor ihm. Wirst du nach gewonnener Erkenntnis zum ewigen Leben gelangen wollen – und du wirst nicht anders können als es wollen, denn Erkenntnis ist dieser Wille –, so mußt du dich, das Hindernis, zerstören müssen, um die Stufe, das ist die Zerstörung, zu bauen. Die Vertreibung aus dem Paradies war daher keine Tat, sondern ein Geschehen. (H 105/106)

Wir können auch sagen: sie war ein Prozeß. Wenden wir diese Einsicht auf K.s Leben an, so können wir sagen: K. zerstört sich als das Hindernis nicht, setzt sich nirgends selbst als Person ein, schleicht sich davon, ißt nicht vom »Baum des Lebens« (H 101). Sündig ist der »Stand«, die Seinslage, in der er sich befindet, »unabhängig von Schuld« (H 101). Insofern ist auch er verflucht, wird sein Prozeß ein »verfluchter Prozeß« (14) genannt. Gerade das mit seinem Stand mitgegebene Schuldigsein leugnet er: er betreibt so Selbstabschüttelung, nicht Selbstaufzehrung (H 105). Gleichzeitig will er die Welt, die ihm böse und schuldig erscheint, zerstören. Aber: »Zerstören können wir diese Welt nicht, denn wir haben sie nicht als etwas Selbständiges aufgebaut, sondern haben uns in sie verirrt, noch mehr: diese Welt ist unsere Verirrung, als solche ist sie aber selbst ein Unzerstörbares, oder vielmehr etwas, das nur durch seine Zu-ende-Führung, nicht durch Verzicht zerstört werden kann, ... aber innerhalb dieser Welt.« (H 109) Das Unzerstörbare der Welt ist »eines«, es ist je der

Einzelne und gleichzeitig »ist es allen gemeinsam« (H 97). Es ist als ein Neutrum (als ein »Es«) das Unbedingte, *das alles durchwaltet* und *trägt.* Es wird für Kafka das nicht mehr religiöse oder metaphysisch-inhaltlich deutbare ens metaphysicum und erscheint in Kafkas Bilderwelt als »das Gericht«, als »das Gesetz« oder auch als »das Schloß«. Dieses Unbegreifliche der Vernunft verfügbar zu machen, ist töricht, Kafka kennt, wie Wilhelm Emrich hervorhebt,[23] wieder das tremendum, den Schauder vor der unerforschlichen Leitung durch das den Menschen unbekannte Gesetz. K. hat diesen Schauder nicht, er versteht nicht die Welt, die unsere Verirrung ist (und die er in ihrem Labyrinthcharakter in der Kanzlei erfährt), als etwas Unzerstörbares. Er gelangt auch nicht dahin, diese Welt zuendezuführen. Und von den Ratgebern, die ihn auf diese Zusammenhänge aufmerksam machen wollen, löst er sich voreilig.

An diesem Punkt des Erzählverlaufs wird jedoch nochmals versucht, K. mit der Treibjagd[24] ins Gute zu drängen. Ein italienischer Geschäftsfreund, dessen Dialekt K. nicht versteht (240), d. h. eine Figur, die der Sphäre des rational-empirisch Verstehbaren entrückt ist, führt ihn in den Dom.

V

In diesem Raum des Domes, dessen Finsternis, Stille und Größe K. »gerade an der Grenze des für Menschen noch Erträglichen zu liegen« (250) scheint, der mithin Raum des fast Unerträglich-Mächtigen ist, wird K. zum Geistlichen, der auf eine »Nebenkanzel« (248) steigt, getrieben. Dieser Raumteil der Nebenkanzel wird vom Erzähler näher beschrieben: die Kanzel ist klein, niedrig, wirkt wie eine leere Nische. »Der Prediger konnte gewiß keinen vollen Schritt von der Brüstung zurücktreten... Das Ganze war wie zur Qual des Predigers bestimmt, es war unverständlich, wozu man diese Kanzel benötigte, da man doch die andere, große ... zur Verfügung hatte.« (248) Das Enge, Niedrige verbindet den Raum seiner Qualität nach mit dem Zimmer der Advokaten in der Kanzlei, mit dem Atelier des Malers. Wieder gelangt K. nicht zum offiziellen, amtlichen Raumteil (Hauptteil), sondern an den dem rational-empirisch Überlegenden unverständlich bleibenden Ort eines Rat- und Auskunftsgebers. Hier nun wird er erneut in seinem Personsein als Josef K. angerufen. Er folgt diesem Ruf und erfährt jetzt, daß das Verfahren allmählich ins Urteil vorrückt und daß er »zuviel fremde Hilfe« sucht, »besonders bei Frauen«. Es heißt:

23. *W. Emrich,* Die Erzählkunst des 20. Jahrhunderts, a. a. O. S. 75.

24. Leni sagt zu ihm: »Sie hetzen dich.« (244) Vgl. auch den Aspekt der Jagd auf dem Bild des Richters im Atelier (177).

»Merkst du denn nicht, daß es nicht die wahre Hilfe ist?« (253) Wir sahen: die wahre Hilfe kann K. in seinem Prozeß nur sich selbst sein. Die Frauen, die in den Umkreis der Ratgeber gehören, können nicht direkt helfen, auch wenn sie ihm bewußtmachen können, daß ihm etwas fehlt. Sie sind zwar Möglichkeiten zur Rettung K.s, aber sie werden für K. zur bloßen Ablenkung, fördern seine »Selbstabschüttelung«. Und zweitens: der Geistliche ruft, als K. auch hier mit der Kritik am Gericht anfängt: »Siehst du denn nicht zwei Schritte weit?« Der Erzähler vermerkt: »Es war im Zorn geschrien, aber gleichzeitig wie von einem, der jemanden fallen sieht und, weil er selbst erschrocken ist, unvorsichtig, ohne Willen schreit.« (254) Dieser Schrei des Geistlichen ist eine Form des Beistandes. Er soll K. vor der Selbstverurteilung bewahren und erfolgt in einer ausgezeichneten Situation: über den schutzlosen, aber zugleich verblendeten K. ist die Finsternis am Tage (an diesem Vormittag ist »tiefe Nacht«, 254) hereingebrochen, in der er sich nicht mehr allein zurechtfinden kann. In dieser »Nacht, so finster, wie noch keine war« (B 300), könnte K. durchbrechen zum freien Selbstsein.

Es ist wichtig, daß K. in diesem Augenblick vom Geistlichen zur Erläuterung der Täuschung über das Wesen des Gerichts die Legende »Vor dem Gesetz« hört. Diese Legende hat ihre feste Stelle innerhalb der erzählten Welt des Romans. Sie ist nicht ein isolierter Einzelteil innerhalb des Ganzen, sondern ist vom Erzähler funktional bezogen worden auf die Haupthandlung um Josef K. Sie kann unserer Auffassung nach erst eingeführt werden, nachdem K. dem Advokaten gekündigt hat und schutzlos ist. Ihre Vordatierung ist wenig einleuchtend.[25] Worin aber liegt ihre funktionale Bedeutung? Ähnlich wie K. dem Ruf der Verhaftung folgt, bricht der Mann vom Lande aus seiner Heimat auf, geht in Richtung auf das Gesetz. Er erfährt dabei im Raum vor dem Gesetz etwas von einer zukünftigen Möglichkeit des Einlasses, ähnlich wie K. eingangs sein Prozeß unter einen glücklichen Aspekt gestellt wird. »›Es ist möglich‹, sagt der Türhüter, ›jetzt aber nicht.‹« Die Erzählung geht weiter:

> Da das Tor zum Gesetz offensteht wie immer und der Türhüter beiseite tritt, bückt sich der Mann, um durch das Tor in das Innere zu sehen. Als der Türhüter das merkt, lacht er und sagt: ›Wenn es dich so lockt, versuche es doch, trotz meinem Verbot hineinzugehen. Merke aber: Ich bin mächtig. Und ich bin nur der unterste Türhüter. Von Saal zu Saal stehen aber Türhüter, einer mächtiger als der andere. Schon den Anblick des dritten kann nicht einmal ich mehr vertragen.‹ (256)

25. Der Versuch *E. Uyttersprots*, Eine neue Ordnung der Werke Kafkas? Zur Struktur von »Der Prozeß« und »Amerika«, Antwerpen 1957, kann uns nicht überzeugen. – Wesentliche Hinweise zur funktionalen Bedeutung der Legende gibt bereits *G. Kaiser*, a. a. O. S. 23 f.

Der Mann vom Lande ist ein unreflektiert lebender Mensch. Er geht in die Fremde in Richtung auf das Gesetz, aber er hofft, daß ihm alles ohne Schwierigkeiten von außen zufällt. Er benimmt sich eigentlich bei seiner Suche wie ein reiner Tor. Schon beim ersten Hindernis, das er nicht erwartet hat, stockt er. Dieses Hindernis, das sich ihm in den Weg stellt, erscheint als ein Verbot. Es muß als Verbot ernstgenommen werden. Das Verbot meint: der Mann ist jetzt, d. h. in seiner jetzigen Verfassung, in der er am Tor anlangt, nicht in der Lage, in den Bereich des Gesetzes vorzudringen. Er muß sich erst, das will der Rat des Türhüters erreichen, im Warten sammeln auf das Fremdartige, kaum Ertragbare, er muß erst wirklich erwachen aus dem Schlaf seines natürlichen Lebens, das er mit dem Aufbruch aus der Heimat aufzugeben begonnen hat. Er erfährt: wenn er eintritt, muß er den Tod ertragen können. Beachten wir hier eine Maxime Kafkas über die Fähigkeit zur Erkenntnis des Guten und Bösen, die der Mensch seit dem Sündenfall hat:

> Niemand kann sich mit der Erkenntnis allein begnügen, sondern muß sich bestreben, ihr gemäß zu handeln. Dazu aber ist ihm die Kraft nicht mitgegeben, er muß daher sich zerstören, selbst auf die Gefahr hin, sogar dadurch die notwendige Kraft nicht zu erhalten, aber es bleibt ihm nichts anderes übrig, als dieser letzte Versuch. (Das ist auch der Sinn der Todesdrohung beim Verbot des Essens vom Baume der Erkenntnis; vielleicht ist das auch der ursprüngliche Sinn des natürlichen Todes.) Vor diesem Versuch nun fürchtet er sich; lieber will er die Erkenntnis des Guten und Bösen rückgängig machen (die Bezeichnung ›Sündenfall‹ geht auf diese Angst zurück); aber das Geschehene kann nicht rückgängig gemacht, sondern nur getrübt werden. Zu diesem Zweck entstehen die Motivationen. Die ganze Welt ist ihrer voll, ja die ganze sichtbare Welt ist vielleicht nichts anderes als eine Motivation des einen Augenblick lang ruhenwollenden Menschen.
>
> (H 103)

Der Mann vom Lande hat nicht die Kraft, gemäß der Aufforderung des Türhüters zu handeln. Die Todesdrohung, die das Wesen des Verbots ausmacht, hindert ihn am Eintritt. Das besagt: er selbst hindert sich mit seinem Versuch, *sich* vor dem Leiden rein zu bewahren, das Unerträgliche zu vermeiden, am Eintritt. Schon das Offensein des Tores aber weist darauf hin, daß der Eintritt möglich ist. Möglichkeit des Eintretens meint hier nicht: Eintretenkönnen, wenn bestimmte äußere Bedingungen gegeben sind (aber so versteht es der Mann vom Lande). Möglichkeit ist hier das, wozu der Mensch sich immer schon verhält, worüber er immer schon entschieden hat, indem er sich gewinnt oder verliert. Der Mann vom Lande versteht sich so, daß er auf die Zukunft wartet als auf ein Noch-nicht, ein bloßes Später. Er trifft als Mann vom Lande während seines Ankommens beim Türhüter (genau wie K.) »keine Vorsorge für die Zukunft«. Er *übersieht,* daß er – weil er als Mensch ein planend sich entwerfendes

Wesen ist – *immer schon zukünftig lebt.* Er hat Furcht vor dem Handeln als vor einem Sich-zerstören, mit dem er sich als natürliches Wesen (Mann vom Lande) preisgeben müßte. Die Todesdrohung des Türhüters will jedoch gerade erreichen, daß er sich in diesem Augenblick in seinem Menschsein von seinem Ende her, d. h. in seiner Ganzheit in den Blick bringt und damit sich in seinem gewohnten (ländlichen) Leben fremd wird. Aber seine Vergangenheit (das Landleben) bestimmt und begrenzt ihn auch in dieser Situation und läßt ihn, wie sein Verhalten zeigt, nicht zu einem Entwurf auf seine Zukunft hin kommen. Die Rede des Türhüters will ihm seine Endlichkeit erschließen. Er soll merken, daß er hier und jetzt ständig von seinem Ende her bedroht ist, von der äußersten Grenze, zu der er als in seinen Tod vorschreitet. Der Mann vom Lande aber will, mit Worten Kafkas formuliert, nicht gegen den Strom schwimmen als ein zu Lebzeiten Toter, er hält sich vom Leiden zurück und zieht die Sicherheit des Wartens auf dem Schemel dem Durchbruchsversuch vor. Mit einem anderen Wort Kafkas formuliert: er »sucht ... doch die Deckung, nur um sich beim Suchen auszuruhn.« (H 107) Er ist dabei so unwissend-einfältig daß er nicht »weiß, daß es [sein Verhalten] sich rächt«. Das »Bewußtsein des Kampfes« erlangt er nicht. Er erklärt sein Dasein »als ein Ausruhn, ein Ausruhn in der Bewegung«. (H 114) So bleibt er aber nicht unterwegs, tut *nicht* den Schritt zum *Übergang* durch das Tor, durch den der Weg überhaupt erst wirklich Weg werden würde. Er übersieht, daß er zuerst sich dessen bewußt sein müßte, daß er einer ist, der sich in der Zukunft planen kann. Er ist so selbst das Hindernis, das ihm den Weg verstellt. Er wird zwar ein Wartender, bleibt im Umkreis des Gesetzes (und ist darin Block verwandt), aber er findet nicht zur Zuordnung von Warten und Tätigkeit (H 117). Er will eintreten, aber auf falsche Weise; er versucht es mit Bestechungen (wie Block, auch wie K. in der Prüglerszene), ohne sein Leben in freier Tat auf sich zu nehmen. Er sitzt seitlich des Tores, um den Weg ständig erneut vorzustellen und mit dem Türhüter zu bereden, und kommt am Ende seines Lebens als denkendes Subjekt zu einer Art von befreiendem Erkennen, sieht im Sterben – nach der entscheidenden Frage – den Glanz des Gesetzes. Aber er gelangt nicht durch den Vollzug seines menschlichen Seins in den Umkreis des ihm Zugedachten. Freilich: mit dieser Deutung meinen wir nicht, daß K. mit dem Überschreiten der ersten Schwelle aus eigener Kraft zu einer Vereinigung mit dem Gesetz hätte kommen können. Kafka ist kein Mystiker. Die Legende thematisiert nicht die Frage nach der Vereinigung des Menschen mit dem Göttlichen im Sinne der religiösen Mystik des Neuplatonismus. Der Mann vom Lande hätte jedoch im Wissen um seine Endlichkeit *in Richtung auf* das Gesetz, auf das ens metaphysicum, das unbegreiflich und unerreichbar bleibt, *streben* können im Sinne der Worte Kafkas: »Sich nicht aufgeben! Wenn auch die Erlösung nicht kommt, so will ich doch jeden Augenblick ihrer würdig sein.« Gerade dieses Streben als ein Sich-annähern an das Gesetz, das ihm die Nichtigkeit seiner selbst offenbart hätte, wäre unserer Deutung nach die Weise gewesen, wie der Mann vom Lande hätte Wahrheit haben können.

K. ist nicht einmal ein Wartender wie der Mann vom Lande, er bleibt nicht im Umkreise der Kanzlei, kehrt um. Er entläßt den Advokaten, der ihm dient, bricht selbständig den Kampf ab und sinkt ins Dunkel zurück. Er reflektiert zwar auf sein falsches Verhalten (auf sein unbedingtes Wollen, 268), macht sich seinen Fehler bewußt und sieht auch einen Glanz (271: »...wie ein Licht aufzuckt, so fuhren die Fensterflügel eines Fensters dort auseinander...«). Aber er nimmt selbst seinen Tod passiv auf sich, obwohl es heißt:

> K. wußte jetzt genau, daß es seine Pflicht gewesen wäre, das Messer, als es von Hand zu Hand über ihm schwebte, selbst zu fassen und sich einzubohren. (271)

Wie er das eigentlich Wirkliche der geistigen, inneren Welt, die »sich nur leben« läßt (H 72), ständig nur beobachtet hat, ohne sich mit der Repräsentation des Lebens (z. B. mit der Ehe) auseinanderzusetzen, d. h. ohne vom »Baum des Lebens« (H 101) zu essen und durch Bindungen frei zu werden (J 61), so beobachtet er jetzt auch seinen Tod. Er weicht auch hier noch trotz der aus der Beobachtung gewonnenen Erkenntnis der Aufgabe aus, »sein Leben ... oder seinen Tod, was dasselbe ist...« (H 121), zu rechtfertigen. Er vergeht, da »Leben ohne Wahrheit« unmöglich ist (J 99), er verendet (ohne zur »überindividuellen Verantwortung« und zum andern, d. h. zur Welt in ihrer ganzen Tiefe zu kommen, J 78 u. 96) wie ein Tier, wie er sich bewußtmacht (»›Wie ein Hund!‹, sagte er, es war, als sollte die Scham ihn überleben.«, 272). Er findet *weder* eine *Rechtfertigung* seines *Lebens noch* zugleich damit seines *Todes*. Der eingangs (aus der allerdings mehrdeutigen Orakelrede einzelner Personen) unter den Aspekt des Glücks gestellte Prozeß schlägt durch K.s Sichverhalten ins Unglück um. K. hat sich mit seinem Verhalten als einen auferbaut, der scheitert. Indem er gerade nicht durch den anderen hindurchgeht, sich an ihn nicht (auf der Suche nach einem Ziel außerhalb seiner selbst) im Sinne einer Absolutheit bindet, verwirklicht er sich auch nicht selbst. Und sein Tod ist kein erlösender Tod, kein Durchbruch zum freien Selbstsein.[26]

26. Vgl. *W. Emrich*, Franz Kafka, a. a. O. S. 297.

VI

Nach einer Maxime Kafkas ist der Mensch als ein »Bürger des Himmels und der Erde« (H 46) ein Doppelwesen, er ist *zugleich unendliches und endliches* Wesen. Er ist jedoch so sehr zweigeteilt (B 299), daß er aus eigener Macht die Vermittlung der Gegensätze nicht leisten kann. Er ist angewiesen auf höheren Beistand. Dieser Beistand aber ist für ihn etwas Fremdartiges, so daß er ihn mißversteht. Josef K. reißt sich (wie auch der Mann vom Lande) wohl vom Natürlichen los (Weg zum Gericht, Aufbruch vom Lande), aber er gelangt, verfangen in die mit seiner Endlichkeit mitgegebenen Fehler und Verblendungen nicht zur Integration des Unerträglichen in das eigene Sein, stellt *keine Synthese* seiner Gegensätze her, findet nicht im Durchgang durch den Tod zum wirklichen Leben hinter dem Leben und scheitert.

Die Frage nach dem Prozeß der Selbstverwirklichung des Menschen, die in Goethes »Wilhelm Meister« thematisiert worden ist, ist in Kafkas »Prozeß« dahingehend radikalisiert worden, daß die Endlichkeit des Menschen weitaus stärker betont wird.[27] Wilhelm Meister ist seinem vorgegebenen Dämon nach zum Glück vorbestimmt. Er erreicht dieses Ziel, indem er sich im Augenblick der Erfahrung des Todes in Freiheit ergreift als geistiges Selbst und indem er die positiven Einwirkungen Tyches, die ihn in seinem Lebensvollzug behilflich werden können, bewußt akzeptiert. Josef K. gelingt das nicht mehr, nicht aus individuellen Fehlern, sondern weil die mit der Endlichkeit des Menschen mitgegebenen Fehler und Verblendungen ihn nicht zur Synthese von Bedingtem und Unbedingtem gelangen lassen. Die Antwort auf die Frage nach dem Raum des Menschen und nach den Möglichkeiten der Selbstverwirklichung ist bei Kafka viel skeptischer geworden. Aber Kafka fragt auch nicht theologisch-christlich nach der Geschöpflichkeit des Menschen und nach der Transzendenz. Der Gott Abrahams ist nicht das Thema seiner Romane. Jedoch: schlägt nicht, indem so der Mensch hier nicht mehr als ens creatum oder als animal rationale verstanden wird, die Frage nach dem Raum des Menschen um in den puren Nihilismus? Keineswegs. Der Roman »Der Prozeß« fragt nach dem den Raum des Menschen *begrenzenden Anderen*, das das Maß der Dinge ist und das auch im Menschen erst seinen Raum *eröffnet* und ausmißt. Kafka bringt in der erzählten Welt seiner Romane den Bezug des Menschen zu dem, was ist, als

27. Vgl. *Wolfgang Staroste*, Zur Ding-»Symbolik« in Goethes »Wilhelm Meister«, in: Orbis Litterarum, Kopenhagen 1960, S. 44ff. [jetzt im hier vorliegenden Bande, S. 9–24]. Und: *Wolfgang Staroste*, Zum epischen Aufbau der Realität in Goethes »Wilhelm Meister«, in: Wirkendes Wort 1961, S. 34ff. [jetzt im hier vorliegenden Bande, S. 55–72].

Grundzug des menschlichen Seins ins dichterische Bild. Insofern ist die Frage nach dem, was als unzerstörliches und unbegreifliches ens metaphysicum das Wirklichseiende im Ganzen trägt und bestimmt,[28] d. h. die Frage nach dem »Gottes«-problem des sich nicht mehr christlich-religiös oder humanistisch (im Sinne der Goethezeit) verstehenden Menschen in der religionslosen Zeit die zentrale Thematik des Romans, den wir deuteten. Nicht also gibt es bei Kafka das Herausstellen des selbstbewußten Ichs als der Bezugsmitte des Seienden. Vielmehr wird über Josef K. das Gericht (bzw. das Gesetz) als das eigentliche, neutral gedachte subjectum gestellt, das den Menschen trägt und bestimmt. Dabei zeigt Kafka gerade an der vor dem Leiden ausweichenden Gestalt K., daß es seiner Auffassung nach darauf ankommt, daß der Mensch die *Zerrissenheit,* die Negativität als sich selbst zugehörig begreift und angesichts des Nichtigseins seiner selbst die Freiheit, sich zu gewinnen, erlangt. Der Unterschied zur Dichtung des späten Goethe wird deutlich. Aber gerade so wird doch sichtbar, daß der dichtungsgeschichtliche Ort der Werke Kafkas erst dann ausgemacht werden kann, wenn wir sie im Horizont der Tradition der Romankunst verstehen, die in Goethes »Wilhelm Meister« ihren ersten Höhepunkt gefunden hat und die in den großen Romanen des 20. Jahrhunderts, zu denen Kafkas Dichtungen zählen, an ihr vorläufiges Ende gelangt ist.

28. Über die sehr ähnliche Frage nach dem Gottesproblem in der Philosophie der Neuzeit vgl. besonders: *Walter Schulz,* Der Gott der Neuzeitlichen Metaphysik, Pfullingen 1957.

Anhang

Nachwort

Der Verfasser dieser Aufsätze lebt nicht mehr. Wolfgang Staroste ist am 10. August 1967 mit siebenundreißig Jahren in Marburg a. d. Lahn gestorben. Er war am 30. März 1930 in Elmshorn geboren und lebte seit 1936 in Lübeck, wo sein Vater Regierungsrat war. Nach dem Abitur am *Katharineum* studierte er seit dem Sommersemester 1950 in Kiel Germanistik, Geschichte und Philosophie; auch Griechisch. Zum Winter 1953/54 ging er nach Göttingen, wo er im Sommer darauf in das *Collegium Historicum* aufgenommen wurde. Seit dem Winter 1954/55 beschäftigte er sich intensiv mit Fragen der Poetik und der Sprachphilosophie. Als sein Doktorvater, Klaus Ziegler, zum Sommer 1955 nach Tübingen ging, siedelte auch er dorthin um und konnte im Herbst 1956 seine Dissertation über *»Die Auslegung der Wirklichkeit in Goethes Spätdichtung«* abschließen, in der er eine Interpretation der *»Novelle«* und des *»Wilhelm Meister«* vorlegte. Das Rigorosum folgte im Sommer 1957. Von 1955 bis 1957 war er Mitarbeiter am *Studium Generale* der Universität Tübingen, dem *Leibnizkolleg,* gewesen und hatte sich sowohl 1957 als auch 1961 mit Sprach- und Literaturübungen an den Internationalen Tübinger Hochschulkursen beteiligt. Seit 1957 war er Lehrer für Deutsch, Geschichte und Gegenwartskunde am Landschulheim *Urspringschule,* einem staatlich anerkannten Gymnasium auf der Schwäbischen Alb. Von dort aus ging er 1961 als Lektor für deutsche Sprache an die Universität Poitiers/Frankreich. Zuletzt war er – seit 1964 – Assistent am germanistischen Seminar der Universität Marburg a. d. Lahn. Dort arbeitete er an einer bereits im Sommer 1962 begonnenen Habilitationsschrift über Goethes *»Faust II«.* – Ein sich schnell ausbreitender Lymphdrüsenkrebs machte seit dem Winter 1966 den akademischen Unterricht und die eigene Arbeit immer schwieriger. Trotzdem – eine Operation im Herbst 1966 und ein Urlaub im Frühjahr 1967 brachten keine oder nur vorübergehende Besserung – hielt er noch im Sommersemester vom Krankenbett aus seine Seminare und seine Sprechstunden ab und starb schließlich im vollen Bewußtsein seines Schicksals am 10. August 1967 in einer Marburger Klinik.

Viel mehr ist dazu – hier – nicht zu sagen. Die Arbeiten sprechen, denke ich, für sich selbst; besser als Paraphrasen.

Die eigenartige Geschlossenheit, die dieses Œuvre trotz seines fragmentarischen Charakters besitzt, ist nicht ganz von ungefähr. Seit seinen letzten Studiensemestern verfolgte er zwei, drei Ideen, die ihm zentral schienen: Aufbau, Raum, Realität – als poetologische Probleme. Das war nicht, wie man so sagt »originell«; es war die Fragestellung seiner Generation. Aber als Ausgangsbasis jedenfalls keine schlechte: weil es formale Probleme waren, eigneten sie sich zu Erweiterungen jeder Art. Und die waren von vornherein angelegt. Ich habe kaum jemanden unseres Alters gekannt, der auf so breiter Front arbeitete, so facettenreich. Philosophie, Geschichte, Zeitgeschichte und Politik, später die Tiefenpsychologie waren für ihn selbstverständliche Voraussetzungen seiner eigenen Wissenschaft. Er konnte Parallelen sehen und hatte einen untrüglichen Geschmack in literarischen und künstlerischen Dingen. Er sah über sein Fach hinaus, ohne es zu verleugnen; er war zu jeder Aktualisierung bereit, ohne – als Historiker – den geschichtlichen Stellenwert preiszugeben. Im Persönlichen war er zu jeder Konzession in der Lage, die mit Bescheidenheit zu erreichen war; in seiner Wissenschaft gab es Grenzen, die er verteidigte. Sie waren zu weit gesteckt, als daß sie die eigene Disziplin, die Germanistik, eingeengt hätten; aber es gab sie. Ich habe kaum einen Menschen gekannt, der zuhören und selbst reden so gut zu verteilen wußte; mit dem man so sehr über die Grenzen üblicher Gespräche hinauskam, auch wenn man sich Jahre oder Monate nicht gesehen und nur selten geschrieben hatte.

Mit ihm sind zahllose Pläne, Ansätze, auch Weitergedachtes versunken. Seine detaillierte Kenntnis des modernen Theaters von Brecht bis Beckett und Ionesco, Peter Weiss oder Genet ist in nichts Gedrucktem mehr nachweisbar. Seine Arbeit über Goethes *»Faust II«* hätte seine intensive Beschäftigung nicht nur mit der deutschen Romantik, sondern auch mit der spanischen Tradition ausgewiesen; seine geplante größere Kafkaarbeit nicht nur seine genaue Kenntnis der Moderne, sondern auch die des neunzehnten Jahrhunderts. Nicht zu reden von seiner Beschäftigung mit der modernen Lyrik, die einen immer größeren Raum einnahm. Im Nachlaß fanden sich noch einige Seiten Arbeitsmanuskript unter dem Titel *»Manier und Stil in Goethes Dichtung«*, ein Thema, das ihn jahrelang beschäftigt hat und das zusammen mit einem *»Versuch über dichterische Arabesken«* wohl in die geplante Arbeit über *Faust II* eingehen sollte. Genaue Beschäftigungen mit dem Manierismus, und im Zusammenhang damit eine Reise nach Italien, hatten ihn schon früh dazu angeregt.

Ich erinnere mich, daß er mir einmal sagte – das muß 1960 oder 1961 gewesen sein –, er dächte eigentlich daran, die Aufsätze, die er so schriebe, irgendwann gesammelt herauszugeben. Das bedeutet natürlich nicht, daß er sie

Wolfgang Starck

möglicherweise nicht noch jahrelang zurückgehalten oder gar noch einmal überarbeitet hätte. Aber die Intention, sie später in größerem Rahmen zu publizieren, war offensichtlich von Anfang an vorhanden. Und wahrscheinlich hat gerade dieser Gedanke die einheitliche Thematik wesentlich mitbedingt; die Beschränkung auf wenige, ganz spezielle Fragestellungen. Das rechtfertigt – über den persönlichen Anlaß eines posthumen Freundschaftsdienstes hinaus – die vorliegende Aufsatzsammlung vom Autor und von der Sache her.

Die Arbeit über GOETHES *»Werther«* war ursprünglich für *»German Life and Letters«* gedacht; Staroste hat dann – wohl weil sie zu lang war – einiges gestrichen. Ich habe den ursprünglichen Text nach dem Manuskript wiederhergestellt. Den KAFKAaufsatz hatte er mir einmal geschickt; es ist nicht bekannt, ob er ihn einer Zeitschrift angeboten hat. Jedenfalls ist auch dieser Aufsatz nicht erschienen. Um so erfreulicher ist es, daß beides hier neben den bereits gedruckten Arbeiten (vgl. die Bibliographie, S. 163) seinen Platz finden konnte. Auch wenn sich KAFKA neben so viel GOETHE etwas verloren ausnehmen mag: gerade die Thematik dieses Aufsatzes deutet die Richtung an, in die Starostes Arbeiten zu einem nicht geringen Teil gingen: die Moderne. Außer den hier abgedruckten Aufsätzen und seiner Dissertation hat er zahlreiche Rezensionen für Fachzeitschriften – *Germanistik, Wirkendes Wort, Études Germaniques* – sowie für *Radio Bremen* verfaßt. – Zitate und Fundstellen sind überprüft und – soweit das nötig war – korrigiert worden.

Frau IRMGARD STAROSTE danke ich für die Freundlichkeit, mir die Manuskripte aus dem Nachlaß ihres Sohnes zur Verfügung zu stellen; mit ihr zusammen danke ich dem Verleger, daß er diese Aufsätze gedruckt hat.

Leiden, 3. September 1968 GOTTHART WUNBERG

Bibliographie

Zur Ding-»Symbolik« in Goethes »Wilhelm Meister«, in: Orbis Litterarum, Revue internationale d'études littéraires, XV, 1960, S. 44–58.

Die Darstellung der Realität in Goethes »Novelle«, in: Neophilologus, XXXXIV, No. 4, 1960, S. 322–333.

Mephistos Verwandlungen. Vorbemerkungen zum Aufbau von Goethes »Faust II«, in: Germanisch-Romanische Monatsschrift, Neue Folge Bd. XI, Heft 2, 1961, S. 184–197.

Zum epischen Aufbau der Realität in Goethes »Wilhelm Meister«, in: Wirkendes Wort, 11. Jahrgang, Heft 1, 1961, S. 34–45.

Werthers Krankheit zum Tode. Zum Aufbau des epischen Vorgangs in Goethes »Werther«. Aus dem Nachlaß. War ursprünglich als Aufsatz für »German Life and Letters« geplant; etwa 1961.

Raumgestaltung und Raumsymbolik in Goethes »Wahlverwandtschaften«, in: Études Germaniques, XVI, No. 3, 1961, S. 209–222.

Symbolische Raumgestaltung in Goethes »Natürlicher Tochter«, in: Jahrbuch der Deutschen Schillergesellschaft, 7. Jahrgang 1963, S. 235–252.

Der Raum des Menschen in Kafkas »Prozeß«. Aus dem Nachlaß; wohl 1962.